Dictionnaire
des
mots croisés

Données de catalogage avant publication (Canada)

Beaudry, Lise, 1950-

Dictionnaire Quebecor des mots croisés

ISBN 2-89089-954-3

1. Mots croisés — Glossaires, vocabulaires, etc. I. Titre.

GV1507.C7B42 1994   793.73'2'03   C94-941323-2

LES ÉDITIONS QUEBECOR
une division de Groupe Quebecor inc.
7, chemin Bates
Bureau 100
Outremont (Québec)
H2V 1A6

Dépôt légal, 4e trimestre 1994
Bibliothèque nationale du Québec
Bibliothèque nationale du Canada
ISBN: 2-89089-954-3

Éditeur: Jacques Simard
Coordonnatrice à la production: Dianne Rioux
Conception de la page couverture: Bernard Langlois
Révision: Solange Tétreault
Correction d'épreuves: Francine St-Jean

Infographie: Atelier de composition MHR inc., Candiac

Impression: Imprimerie l'Éclaireur

Dictionnaire des mots croisés

LISE BEAUDRY

A

ABACA. Bananier, chanvre, fibre.
ABAISSE-LANGUE. Palette.
ABAISSEMENT. Avilissement, chute, décadence, déchéance, déclin, descente, déraser, diminution, écrasement, flexion, gelée, platitude.
ABANDON. Apostasie, cession, défection, divorce, épave, fuite, trahison.
ABANDONNÉ. Délaissé, seul.
ABANDONNER. Abdiquer, céder, délaisser, déserter, fuir, jeter, lâcher, laisser, livrer, luxure, partir, rencart, renier, semer, trahir, vider.
ABASOURDIR. Ahurir, ébahir, épater, étonner, méduser, sidérer.
ABÂTARDIR. Altérer, dégénérer, dénaturer, gâter, pourrir, vicier.
ABATIS. Abat, machette, volaille.
ABATTEMENT. Chagrin, coma, dégoût, ennui, fatigue, inertie, lâcheté.
ABATTRE. Anéantir, décourager, démâter, descendre, raser, tuer.
ABATTU. Accablé, énervé, inerte, las, mou, morne, morose, sombre.
ABBAYE. Cloître, couvent, église, monastère, soleas, thélème.
ABERRATION. Absurdité, bévue, erreur, folie, maldonne, méprise.
ABCÈS. Dépôt, furoncle, plaie, pus, pustule, tumeur, ulcère.
ABDIQUER. Démettre, démissionner, destituer, laisser, renoncer.
ABDOMEN. Aine, diaphragme, foie, ombilic, poitrine, ventre.
ABDOMINAL. Appendice, intestin, ptôse, uropode.
ABÉCÉDAIRE. A.b.c., alphabet, lettre.
ABEILLE. Apicole, bourdon, cire, essaim, miel, reine, ruche, xylocope.
ABER. Ria.
ABHORRER. Abjurer, haïr, détester, exécrer, maudire, ressentiment.
ABÎME. Abysse, aven, caverne, cœur, gouffre, igue, précipice.
ABÎMER. Amocher, ébrécher, endommager, gâter, saboter, salir, user.
ABJECT. Avilissant, bassesse, dernier, infâme, odieux, méprisable, vile.
ABJURER. Abandonner, bénir, changer, déserter, renier, renoncer.
ABLATION. Amputation, chirurgie, excision, exérèse, ovariectomie.
ABOI. Cerf, chien, désespéré.
ABOLIR. Abroger, anéantir, annuler, détruire, extirper, ôter, proscrire.
ABOMINER. Abhorrer, abjurer, détester, exécrer, haïr, sataner.
ABONDANCE. Babil, foisonner, flux, opulence, plénitude, pulluler, riche.
ABONDER. Affluer, couler, combler, infester, remplir, saturer, soutenir.
ABORDAGE. Assaut, collision, gaffe, grappin, joindre, racolage, sabre.
ABORDER. Abord, accès, cogner, draguer, entrer, gaffe, grappin, joindre.
ABOUTIR. Affluer, arriver, but, finir, pu, réussir, tendre, terminer.
ABOUTISSEMENT. But, débouché, issue, résultat, terminaison.
ABRACADABRANT. Bizarre, invraisemblable.
ABRASIF. Émeri, grésoir, sablé.
ABRÉGÉ. Aperçu, bref, épitomé, plan, précis, résumé, sténo, topo.

ABRÉGER. Compendieux, écourter, exposer, épitamer, etc., résumer.
ABRÉVIATION. Acronyme, initiale, sigle.
ABRI. Antre, asile, auvent, cabane, casemate, chenil, dais, gare, gîte, guérite, niche, parapluie, parasol, port, rade, refuge, ruche, taud, tente.
ABRIBUS. Auvent, édicule, gare, gîte.
ABRITER. Assurer, cacher, couvrir, défendre, protéger, serrer.
ABROGER. Abolir, annuler, rapporter, supprimer.
ABRUPT. Escarpé, inégal, raide, revêche, stupide.
ABRUTI. Bête, borné, con, crétin, imbécile, sot, stupide.
ABRUTIR. Abattre, abêtir, crétiniser, engourdir, hébéter.
ABSENCE. Aboulie, agénésie, aisé, anodontie, aplasie, crise, défaillance, froid, idiotie, mutisme, petitesse, sans, sécheresse, sécurité, sérénité.
ABSOLU. Entier, exclusif, idéal, impérieux, infini, intègre, parfait, très.
ABSOLUMENT. Complètement, littéralement, pleinement, zéro.
ABSOLUTION. Grâce, pardon, péché, pénitence, rémission.
ABSORBER. Avaler, boire, humer, manger, pénétrer, pomper, respirer.
ABSTINENCE. Ascétisme, chasteté, continence, diète, jeûne, virginité.
ABSTRAIT. Irréel, isolation, paradoxe, profond.
ABSURDITÉ. Aberration, folie, idiotie, ineptie, sottise.
ABUS. Excès, exagération, mal, népotisme, vexer, viol, violence.
ABUSER. Duper, exploiter, mystifier, surprendre, tromper, user, voiler.
ABYSSE. Abîme, fosse, gouffre, précipice.
ACABIT. Espèce, genre, qualité.
ACADÉMIE. Cheval, coupole, école, palme, institution, université.
ACARE. Gale, sarcopte, ver.
ACARIÂTRE. Acerbe, bourru, grincheux, hargneux, maussade, mégère.
ACARUS. Sarcope.
ACCABLER. Abrutir, affliger, agonir, atterrer, combler, couvrir, cribler, écraser, engueuler, grever, obérer, opprimer, surcharger, tondre.
ACCÉLÉRÉ. Activé, dépêché, excité, grouillé, hâté, pressé, rapide.
ACCENT. Aigu, circonflexe, grave, lettre, prononciation, tilde, tonique.
ACCENTUER. Accuser, appuyer, augmenter, exagérer, insister, ponctuer.
ACCEPTABLE. Admissible, passable, supportable, tolérable, valable.
ACCEPTER. Accueillir, acquérir, admettre, agréer, endurer, eu, recevoir.
ACCÈS. Abord, arrivée, attaque, crise, entrée, herse, poussée.
ACCESSOIRE. Figurant, fioriture, garniture, secondaire.
ACCESSIBLE. Abordable, compréhensible, facile, ouvert.
ACCIDENT. Aléa, bémol, dièse, malheur, naufrage, panne, pépin, tuile.
ACCLAMATION. Cri, élection, hourra, joie, ovation, salutation.
ACCOLER. Amitié, coller, embrasser, joindre, lier.
ACCOMMODER. Apprêter, assaisonner, céder, fricoter, préparer.
ACCOMPAGNER. Escorter, flanquer, marcher, quant, reconduire, suivre.
ACCOMPLIR. Effectuer, exécuter, faire, finir, opérer, réaliser, sonner.

ACCORD. Amitié, amour, approuver, arpège, convenir, entente, harmonie, musique, pacte, refus, rime, unanimité, union, unisson.
ACCORDER. Aimer, attribuer, décerner, octroyer, permettre, renter.
ACCOSTER. Aborder, flirter, gaffe, rencontrer.
ACCOTER. Adosser, appuyer, endosser.
ACCOUCHEMENT. Avortement, enfantement, eutocie, forceps, terme.
ACCOUPLEMENT. Coït, copulation, rut, saillie, sexe.
ACCOUTUMER. Acclimater, acclimatiser, aguerrir, endurcir, habituer.
ACCROCHER. Agrafer, atteler, gaffer, happer, heurter, prendre.
ACCROÎTRE. Allonger, arrondir, augmenter, diluer, élargir, extentionner, grossir, monter, prolonger, redoubler, relever.
ACCROUPIR. Blottir, posture.
ACCUEIL. Bienvenue, hospitalité, réception, traitement.
ACCUEILLIR. Conspuer, écouter, exaucer, huer, recevoir, siffler, voir.
ACCUMULER. Amasser, butiner, congestionner, entasser, ramasser.
ACCUSER. Arguer, dénigrer, incriminer, mouler, taxer, trahir, vendre.
ACERBE. Acariâtre, aigre, amer, dur, méchant, sarcastique.
ACÉRÉ. Aigu, dard, dur, mordant, pointu, tranchant.
ACHALANDAGE. Clientèle, commerce.
ACHARNEMENT. Ardeur, fureur, opiniâtreté, volonté.
ACHARNER. Enrager, opiniâtre, poursuivre.
ACHAT. Chaland, commande, course, échange, emplette, rachat.
ACHE. Berle, céleri, sium.
ACHEMINER. Aller, canaliser, diriger, marcher, préparer.
ACHETER. Acquérir, capter, offrir, payer, prendre, racheter, vendre.
ACHEVER. Clos, complet, fatal, fini, parfait, révolu, terminer, tuer.
ACIDE. ADN, ARN, âcre, aigre, amer, eau-forte, oléum, piquant, sur.
ACIER. Blindage, détremper, fer, fonte, invar, métal, œrstite, tôle.
ACNÉ. Bouton, folliculite, peau, peeling.
ACOLYTE. Aide, associé, cercle, clerc, compagnon, complice, ordre.
ACOMPTE. Arrhes, diminuer, provision, règle.
ACONIT. Napel, poison.
ACQUÉRIR. Acheter, avoir, cueillir, gagner, obtenir, payer, spécialiser.
ACQUIESCER. Accéder, adhérer, avouer, céder, consentir, permettre.
ACQUIS. Conquis, dévolu.
ACQUISITION. Achat, action.
ACQUITTER. Absoudre, accomplir, exercer, libérer, payer, régler, solder.
ÂCRE. Acide, amer, aigre, fort, rance, sur.
ACROBATIE. Chandelle, icarien, looping, pont, tonneau, voltige.
ACTE. Amnistie, attentat, bienfait, bill, déclinatoire, droit, écrit, écrou, effort, excès, folie, forfaiture, formalité, fraude, injustice, loi, neuvaine, offre, ordonnance, prière, protêt, qualité, ratification, réescompte, rire, rite, sceau, seing, sottise, sujet, testament, texte, titre, trahison, union.

ACTEUR. Artiste, bouffon, clown, étoile, mime, pensionnaire, rôle, star.
ACTIF. Ardent, diligent, efficace, pétulant, remuant, vif, violent, zélé.
ACTINIUM. Ac.
ACTION. Amerrissage, cession, chaînage, contact, coup, crime, cumul, délit, dételage, don, dotation, drame, effet, émersion, erreur, éveil, faute, geste, initiative, jeu, legs, lestage, levée, quête, rangement, restitution, rétraction, ruade, soudage, suture, timbrer, viser, zèle.
ACTIVER. Agir, débattre, démener, exiter, hâter, lutter, remuer.
ACTIVITÉ. Action, agitation, ardeur, conduite, énergie, entrain, force, inertie, lenteur, marasme, œuvre, service, sève, vie, vigueur, zèle.
ACTRICE. Cantatrice, comédienne, diva, étoile, star.
ACTUEL. Courant, désormais, existant, présent, récent, statu quo, temps.
ADAGE. Aphorisme, maxime, pensée.
ADAM. Abel, bible, caïn, éden, seth.
ADAPTER. Accorder, ajuster, arranger, cadrer, réadapter.
ADDITION. Ajout, calcul, paradoxe, plus, prosthèse, somme, total, viner.
ADHÉRER. Affilier, approuver, coller, croire, rallier, suivre, union.
ADJECTIFS DÉMONSTRATIFS. Ce, ces, cet, cette.
ADJECTIFS INDÉFINIS. Aucun, autre, certain, chaque, nul, maint, même, plusieurs, quel, quelconque, quelque, tel, tout, un.
ADJECTIFS POSSESSIFS. Leur, leurs, nos, notre, ma, mes, mon, sa, ses, son, ta, tes, ton, vos, votre.
ADJOINT. Aide, assistant.
ADJUGER. Approprier, attribuer, cautionner, demander, dire, priser.
ADMETTRE. Accepter, adopter, agréer, croire, initier, reconnaître.
ADMINISTRATEUR. Agent, doyen, gérant, préfet, recteur, pape, tuteur.
ADMINISTRATION. Bureau, douane, fisc, gestion, régie, régime, syndic.
ADMINISTRER. Cogérer, donner, diriger, étatiser, gérer, mener, régir.
ADMIRATEUR. Fan, groupie, snob, spectateur.
ADMIRATION. Beau, épatant, extase, fanatique, merveille, snobisme.
ADMIS. Moral, plausible, recevable, reconnu, reçu.
ADMISSION. Adoption, agrément, audience, hospitalisation, réception.
ADMONESTER. Avertir, menacer, réprimander, tancer.
ADN. Séquençage.
ADOLESCENT. Blanc-bec, chérubin, jeune, novice, scout.
ADONNER. Appliquer, consacrer, donner, habituer, plonger, pratiquer.
ADOPTER. Adhérer, attendre, choisir, consentir, partager, présumer.
ADORATION. Amour, culte, iconolâtrie, idolâtrie, religion, zoolâtrie.
ADORER. Aimer, iconolâtrier, idolâtrier, ignocoler, honorer, vénérer.
ADOUCIR. Alléger, calmer, édulcorer, euphémisme, limer, mitiger, polir.
ADRESSE. Agilité, apostrophe, art, doigté, finesse, harangue, tour, truc.
ADRESSER. Échanger, envoyer, haranguer, parler, poster, prier.
ADROIT. Agile, escroc, expert, fin, habile, intelligent, preste, rusé, vif.

ADVERBE. Alors, ci, déjà, guère, hors, ici, là, où, moins, oui, pas, plus, près, puis, tôt, très.
ADVERBE DE LIEU. Ça, ci, ici, là, où.
ADVERBE DE NÉGATION. Ne, ni, non, pas.
ADVERBE DE QUANTITÉ. Autant, peu, si, très.
ADVERSAIRE. Antagoniste, ennemi, jaloux, opposé, protagoniste, rival.
AÉRAGE. Aération, renouvellement, respiration.
AÉRER. Air, espacer, évent, ouvrir, renouveler, respirer, ventiler.
AÉRONEF. Aéroplane, avion, autogire, dirigeable, zeppelin.
AÉROPLANE. Aéronef, avion, autogire.
AÉROPORT. Aérogare, héligare, héliport, gare.
AFFABLE. Aimable, amène, doux, facile, familier, gentil, poli, sociable.
AFFAIBLI. Abattu, anémie, amorti, caduc, cassé, faible, gâteux, usé.
AFFAIBLIR. Abattre, adoucir, alanguir, altérer, amoindrir, amolir, aveulir, diluer, ébranler, étioler, lasser, pâlir, ronger, sénilité, user.
AFFAIRE. Cause, commerce, gâchis, occupation, transaction, travail.
AFFAISSEMENT. Abattement, effondrement, faix, fantis, tassement.
AFFECTATION. Apprêt, cant, cérémonie, désignation, fatuité, pose, préciosité, prétention, recherche, simagrée, singerie, tralala.
AFFECTÉ. Fade, gêné, guindé, ostensoir, malade, poseur, prude.
AFFECTER. Assigner, bléser, nantir, minauder, obèse, saisir, toucher.
AFFECTION. Adoration, amour, angine, amiantose, amitié, amour, byssinose, désir, érotomanie, gale, ictus, imago, infirmité, lithiase, lupus, maladie, manie, ophtalmie, ostentation, piété, préciosité, psoriasis, rhume, sentiment, sida, tabès, tendresse, torticolis, zona.
AFFECTUEUX. Aimant, amoureux, bon, cordial, gentil, tendre.
AFFERMIR. Ancrer, asseoir, assurer, cimenter, fermeté, fortifier.
AFFICHE. Avis, mural, pancarte, placard, poster, réclame.
AFFICHER. Affecter, aviser, étaler, inscrire, montrer, placarder.
AFFIRMATION. Certain, exact, formel, franc, oc, oil, oui, serment.
AFFIRMER. Articuler, dire, jurer, nier, maintenir, mentir, prétendre.
AFFLICTION. Amertume, chagrin, deuil, honte, mal, misère, peine.
AFFLIGER. Attrister, blesser, chagriner, frapper, navrer, peiner, percer.
AFFRANCHIR. Dégager, émanciper, exempter, libérer, sauver, timbrer.
AFFRÉTER. Louer, noliser, transport.
AFFREUX. Atroce, effroyable, hideux, laid, terrible, vilain.
AFFRONT. Avanie, bravade, gifle, humiliation, injure, offense, outrage.
AFFUBLER. Déguiser, fagoter, habiller, vêtir.
AGACER. Fâcher, harceler, irriter, énerver, exciter, taquiner, tourmenter.
AGATE. Bille, cornaline, jaspe, onyx, sardoine, sardonyx, sisal.
ÂGÉ. Aîné, doyen, gâteux, sénile, vétéran, vieillard, vieille, vieux.
AGENCEMENT. Arrangement, combinaison, composition, contexture, drapé, enchaînement, ordre, organisation, structure.

AGENDA. Année, calendrier, mémento, programme, registre.
AGENT. Cautère, cogne, émissaire, ferment, flic, gardien, îlotier, sbire.
AGGLOMÉRATION. Banlieue, bidonville, cité, conurbation, douar, écart, grappe, groupement, noyau, ruche, synderme, tribu, village, ville.
AGGLUTINER. Amasser, coller, réunir.
AGGRAVER. Augmenter, compliquer, détériorer, empirer, pire.
AGHA. Aga, caïd, officier, sultan, turc.
AGILE. Alerte, fringant, léger, leste, preste, souple, valide, vif.
AGIR. Actif, aller, coopérer, démériter, faire, lambiner, lésiner, mener, opérer, procéder, régner, remuer, ruser, trahir, traiter, user, venir.
AGITATION. Barattement, clapotement, délire, émeute, émoi, émotion, houle, inquiétude, mouvement, nervosité, orage, tremblement.
AGITER. Activer, battre, bouger, brasser, démener, remuer, secouer.
AGRANDIR. Allonger, croître, dilater, élargir, étendre, évaser, gonfler.
AGRÉABLE. Beau, bon, doux, exquis, friand, gentil, joli, riant, suave.
AGRÉER. Accepter, accueillir, approuver, convenir, plaire, recevoir.
AGRÉMENT. Attrait, charme, grâce, oui, plaisir, séduction.
AGRÉMENTER. Égayer, enjoliver, orner.
AGRÈS. Appât, gréement, grément.
AGRESSIF. Acerbe, colérique, combatif, fou, méchant, violent.
AHURIR. Ébahir, étonner, hébéter, stupéfaire, troubler.
AICHE. Appât, èche, esche.
AIDE. Assistance, canne, engrais, entraide, seconder, secours, servir.
AIGRE. Acerbe, acide, âcre, amère, âpre, criard, rude, sur, vif.
AIGREFIN. Escroc, kleptomane, rusé, voleur.
AIGRELET. Alisé, sur.
AIGREUR. Amertume, goût.
AIGU. Acéré, criard, fin, glapissant, grêle, musique, tranchant, vif.
AIGUILLE. Carature, dard, nageoire, saperde, tarière, telson, tourillon.
AIGUILLER. Animer, encourager, exciter, inciter, stimuler, tricoter.
AIGUILLON. Bœuf, chas, dard, épine, fémelot, fibule, œil, piquant.
AIGUISER. Affiler, affûter, agacer, appointer, dégrossir, émoudre.
AILE. Aileron, aliforme, élytre, pale, penne, plume, spoiler, talonnière.
AIMABLE. Affable, agréable, avenant, délicat, doux, facile, gentil, poli.
AIMER. Adorer, brûler, chérir, espérer, estimer, favori, goûter, raffoler.
AINSI. Aussi, comme, conséquent, donc, partant, résultat, sic, tel.
AINSI SOIT-IL. Amen.
AIR. Aria, ariette, arioso, atmosphère, azur, cicl, espace, figure, haleine, mine, musique, prestance, ranz, tyrolienne, vapeur, vent, visage.
AISÉ. Chic, délibéré, délicat, déterminé, facile, fragile, libre, lisible.
AJOURNEMENT. Retardement, sursis, temporisation.
AJOUT. Addenda, addition, boni, complément, gain, hausse, profit.
AJUSTER. Accorder, adapter, agencer, arranger, raccorder, souder.

ALAISE. Alèse, paillot, planche.
ALARME. Alerte, cadran, cri, éveil, frayeur, signal, tocsin, venette.
ALCALOÏDE. Atropine, caféine, cantharidine, cocaïne, ergotine, ésérine, narcéine, nicotine, pilocarpine, ptomaïne, quinine, réserpine, thébaïne.
ALCOOL. Cognac, gin, menthe, kirsch, rhum, rye, scotch, vodka, whisky.
ALCOOLIQUE. AA, ivrogne.
ALÉA. Chance, douteux, hasard, pari.
ALERTE. Agile, alarme, allègre, éveillé, léger, leste, preste, sirène, vif.
ALEVINER. Empoissonner, peupler.
ALGARADE. Colère, éclat, incartade, scène, sortie.
ALGÈBRE. Cours, équation, nombre, puissance, symbole, théorie, traité.
ALGUE. Fucus, janie, laminaire, navicule, némalion, nostoc, sushi, ulve.
ALIÉNATION. Dément, folie, fou, monomanie.
ALIGNEMENT. Allée, guide, jalon, niveau, rampe, tabulateur.
ALIMENT. Brouet, édule, manne, mets, nourriture, pain, soupe, vivres.
ALIMENTER. Gaver, manger, nourrir, ressourcer, sustenter.
ALLÉCHER. Affrioler, appâter, plaire, séduire, tenter.
ALLÉE. Avenue, charmille, chemin, labyrinthe, mail, oullière, tortille.
ALLÉGATION. Affirmation, diffamation, dire, excipation, réfutation.
ALLÉGRESSE. Exultation, joie, jubilation, liesse.
ALLÉGUER. Affirmer, apporter, arguer, citer, fournir, prétexter.
ALLER. Accélérer, chevaucher, circuler, courir, descendre, errer, filer, mener, monter, naviguer, passer, pédaler, pèleriner, quérir, reculer, rejoindre, seoir, sortir, suivre, trotter, voler, voyager.
ALLIAGE. Acier, airain, almasilicium, brasure, bronze, étamure, ferrite, ferrocérium, fonte, inconel, laiton, potin, régule, ruolz.
ALLIANCE. Amitié, association, concubinage, mariage, traité, union.
ALLONGER. Bander, déployer, étendre, étirer, raidir, tendre, tirer.
ALLUMETTE. Rallumer, tison.
ALLURE. Air, aubin, désinvolture, galop, gésair, largue, pas, train, trot.
ALLUSION. Allégorie, allusif, dire, insinuation, prétexte.
ALMANACH. Annuaire, calendrier, chronologie, éphéméride, moderne.
ALORS. Adonc, après, comme, comparaison, donc, lors, quand.
ALPAGE. Alpe, campagne, montagne, nature, pâturage.
ALPHABET. Abécédaire, index, lettre, lire, morse, table.
ALTÉRATION. Bécarre, bémol, dièse, évent, flétrissure, maladie, soif.
ALTÉRER. Décolorer, déformer, éventer, gâter, rouiller, souiller, tarer.
ALTERNATIVE. Dilemme, osciller, ou.
ALTERNER. Assoler, balancer, changer, plaider, renvoyer, succéder.
ALTIER. Arrogant, fier, hautain, noble, orgueilleux.
ALTITUDE. Alt, hauteur, niveau, plafond.
ALUMINIUM. Al.
ALUVION. Dépôt, lemon.

AMABILITÉ. Bonté, délicatesse, gentillesse, grâce, minauderie, politesse.
AMAIGRI. Atrophié, creux, défait, efflanqué, émacié, étiré, tiré.
AMALGAME. Alchimie, mélange, pâte, tain.
AMANDE. Coque, dragée, noix, nougat, noyau, pistache, praline.
AMANITE. Golmotte, oronge, panthère, phalline, phalloïde, volve.
AMANT. Ami, amoureux, bien-aimé, copain, idole, gigolo, soupirant.
AMANTE. Amie, amoureuse, concubine, copine, dulcinée, favorite.
AMARRE. Aussière, câble, chaumard, étrive, garcette, jarretière, liure.
AMAS. Abattis, abcès, banquise, bloc, boule, chaton, dune, fétras, filasse, feu, foule, jar, jard, lot, masse, meule, mitraille, névé, noyau, nuage, ossuaire, paquet, pierraille, pile, plexus, sécas, tas, tout, trésor.
AMASSER. Butiner, cumuler, empiler, entasser, gerber, masser, réunir.
AMATEUR. Bouquiniste, cinéphile, connaisseur, cruciverbiste, curieux, fanatique, mélomane, partisan, véliplanchiste, vélivole.
AMBASSADEUR. Envoyé, légat, nonce.
AMBIGU. Douteux, équivoque, indécis, louche, obscur.
AMBITION. Appétit, convoitise, cupidité, orgueil, passion, prétention.
ÂME. Cœur, conscience, ego, esprit, mânes, revenant, spirituel.
AMÉLIORER. Abonnir, bonifier, guérir, monter, orner, perfectionner.
AMENDER. Changer, corriger, dompter, épurer, policer, polir, réparer.
AMÈNE. Aimable, doux, étier, si.
AMENER. Apporter, ariser, arriver, fondre, hâler, tirer, traîner, unifier.
AMÉRICIUM. Am.
AMERTUME. Affliction, aigreur, chagrin, douloureux, peine, tristesse.
AMEUTER. Attrouper, coaliser, exciter, inviter, soulever.
AMI. Allié, amant, camarade, copain, fidèle, intime, partisan, pote.
AMIDONNER. Coller, empeser, poudrer.
AMIE. Mie. (Voir ami.)
AMINCIR. Alléger, amaigrir, amenuiser, dégrossir, diminuer, élimer.
AMINÉ. Alanine, aniline, cystine, diamine, histidine, valine, xylidine.
AMITIÉ. Intimité. (Voir ami.)
AMNISTIE. Grâce, pardon.
AMOINDRIR. Diminuer, minimiser, rabaisser, réduire, user.
AMOLLIR. Affaiblir, attendrir, aveulir, bruir, dissoudre, ramollir.
AMONCELLEMENT. Amas, embâcle, tas.
AMORCE. Appât, brûlure, commencement, évent, leurre.
AMORPHE. Atone, forme, indécis, mou, zombi.
AMOUR. Altruisme, amant, amor, amourette, baise, charité, cour, égoïsme, épris, idolâtrie, idylle, feu, gastronomie, narcissisme, piété.
AMPÈRE. Am, lumière, volt.
AMPHIBIEN. Anabas, anoure, castor, paludarium, urodèle.
AMPHITHÉÂTRE. Arène, cirque, colisée, forum, podium.
AMPLE. Grand, gros, houppelande, kimono, large, mante, pèlerine, toge.

AMPLIFICATEUR. Exagérer, grossir, mégaphone, répéteur, tuner.
AMPOULE. Cloche, cloque, lampe, voyant.
AMULETTE. Anneau, bague, charme, fétiche, gri-gri, médaille, talisman.
AMUSER. Divertir, drôle, égayer, jeu, jouer, récréer, réjouir, rire.
AN. Année, calendrier, chronologie.
ANACONDA. Eunecte, serpent.
ANALOGIE. Affinité, conformité, exégène, parenté, rapport, similitude.
ANALPHABÈTE. Aïeul, ignorant, illettré.
ANALYSE. Abrégé, attribut, dialyse, essai, proposition, sommaire.
ANASARQUE. Gonflement, œdème.
ANATIFE. Bernache, bernacle, crustacé.
ANATOMIE. Derme, nécrologie, ostéologie, paroi, sinus, tissu, zootomie.
ANCÊTRE. Aïeul, ancestral, ascendant, généalogie, mère, parent, père.
ANCIEN. Âgé, antique, bible, démodé, désuet, doyen, périmé, vétéran.
ANDOUILLE. Épais, imbécile, lent, niais, nigaud.
ÂNE. Baudet, bourrique, bourriquet, ignorant, mule, mulet, onagre.
ANÉANTIR. Abattre, détruire, écraser, écrouler, effacer, exterminer, massacrer, néantiser, nirvana, réduire, ruiner, sidérer, user, vaincre.
ANECDOTE. Conte, échofacétie, écriture, histoire, nouvelle.
ANÉMONE. Actinie, adinis, coquelourde, fleur, ortie, sagartie.
ANETH. Anet.
ANÉVRISME. Artère, baloune, cœur, dilatation.
ANGE. Archange, chérubin, démon, oiseau, séraphin, uriel, vertu.
ANGLE. Aberration, arête, biais, coin, côté, coude, droit, joint, larmier.
ANGOISSE. Affres, anxiété, crainte, détresse, infortune, peur, trance.
ANGUILLE. Congre, lampresse, lycoris, matelote, pibale, sargasse.
ANIMAL. Âne, animalcule, anoures, avorton, bétail, bête, bipède, bouc, brute, chat, cheval, chien, ciron, coq, corail, daman, dindon, éponge, faune, fauve, gibier, girafe, gorgone, griffon, hippopotame, hostie, hydre, iule, lapin, larve, licorne, lion, mouton, mulet, musc, oiseau, otarie, oursin, porc, poule, poulet, pterygotus, quadrupède, rainette, singe, tigre, tigron, totem, truie, vache, veau, ver, vison, vivipare.
ANIMALCULE. Ciron, microscopique.
ANIMATEUR. Amuseur, meneur, moniteur, organisateur, protagoniste.
ANIMÉ. Amusant, brûlant, chaud, organisé, vie, vif, vivace, vivant.
ANIMOSITÉ. Aigreur, aversion, colère, haine, rancune, ressentiment.
ANION. Ion.
ANNEAU. Anel, bague, beigne, boucle, cercle, chaînon, cricoïde, erse, erseau, esse, étrier, embrayage, jonc, maille, manille, piton, telson.
ANNÉE. An, annuel, date, millésime, têt.
ANNIVERSAIRE. Fête, nativité.
ANNONCE. Avis, bluff, boniment, ceci, claironner, glas, hallali, indicatif, nouvelle, présage, pronostic, révéler, signal, signe, sirène, tinter.

ANNONCER. Avertir, citer, exhaler, prêcher, prédire, signaler, sonner.
ANNONCEUR. Afficheur, aviseur, journaliste.
ANNOTATION. Apostille, écriture, note, notule.
ANNULATION. Abolir, abrogation, cassation, casser, casse, dirimer, dispense, divorce, éteindre, oblitération, rature, rescision, résoudre.
ANOMALIE. Amétropie, anormal, daltonisme, rareté.
ÂNONNER. Âne, dire, lire, parler.
ANONYME. Cacher, nomination, signature.
ANSE. Abri, baie, broc, buire, godet, portant, tasse.
ANTAGONISTE. Ennemi, jaloux, opposé, rival.
ANTE. Am.
ANTÉRIEUR. Antidaté, avant, devant, front, passé, précédent, tête.
ANTHROPOPHAGIE. Cannibaliste, ogre.
ANTIBLOCAGE. Abs.
ANTICIPER. Annoncer, devancer, espérer, prédire, sonder, usurper.
ANTILOPE. Addax, bubale, cob, éland, gnou, kif, kob, nilgaut, oryx.
ANTIQUE. Âgé, ancien, passé, vieux.
ANTISEPTIQUE. Iode, mercurochrome.
ANTRE. Abri, caverne, cavité, gîte, grotte, réduit, repaire, tanière, trou.
ANXIÉTÉ. Angoisse, chagrin, crainte, inquiétude, peur, transe.
ANXIEUX. Bileux, inquiet, peureux, tourmenté.
AORTE. Artère, coarctation, cœur, sang, sigmoïde.
AOÛTÉ. Mûri.
APACHE. Bandit, kleptomane, malfaiteur, nervi.
APAISER. Adoucir, amortir, bercer, calmer, consoler, désaltérer, ralentir, rendormir, tasser.
APERCEVOIR. Aviser, entrevoir, idée, juger, visible, voir.
APÉRITIF. Apéro, kir, tomate.
APLANIR. Battre, dégauchir, doler, dresser, égaliser, gratter, mater, nettoyer, niveler, polir, raboter, râcler, régaler, repasser, unir.
APLATIR. Dépression, écraser, palmer, presser, rabattre, river.
APOGÉE. Acmé, comble, sommet, zénith.
APOLOGUE. Allégorie, conte, fable.
APOPHYSE. Acromion, cheville, malléole, olécrane, styloïde, tibia.
APOPLEXIE. Congestion, ictus.
APOSTASIER. Hérétique, renégat, renier.
APÔTRE. André, Barthélemy, Jacques, Jean, Judas, Jude, Matthieu, Pierre, Philippe, Simon, Thaddée, Thomas.
APPARAÎTRE. Éclore, éditer, émerger, lever, montrer, sortir, surgir.
APPAREIL. Agrès, alambic, altimètre, ampèremètre, anneau, asdic, autogire, avion, bathyscaphe, ber, bouclier, calorifère, caméra, chadouf, couveuse, cuisinière, démarreur, distillation, électroscope, élévateur, équipage, ergographe, étuve, étuveur, four, fourneau, frein, gabarit,

gibet, hélice, hélicoptère, herse, instrument, lampe, laryngoscope, loch, manomètre, osmomètre, palan, photocomposeuse, pile, pilori, pipe, plafonnier, pompe, radar, râtelier, ridoir, robot, scaphandre, serrure, sirène, sondeur, téléphone, télévision, train, trapèze, tungar, vanne, vélocipède, vérin.

APPARENCE. Air, décor, forme, frime, idée, mine, mirage, ostensible, perceptible, semblant, simulacre, vernis, visible, vraisemblance.

APPARITEUR. Bedeau, dirigeant, huissier.

APPARITION. Fantôme, phénomène, simulacre, spectre, vision.

APPARTEMENT. Duplex, harem, logis, niche, pièce salle, salon, studio.

APPÂT. Aiche, amorce, devon, èche, esche, filet, leurre, piège, ver.

APPAUVRISSEMENT. Anémie, étiolement, paupérisation.

APPEL. Cri, écho, ici, ohé, S.O.S., viens.

APPELER. Attirer, baptiser, bénir, caser, citer, crier, élever, élire, enrôler, épeler, héler, intimer, maudire, rappeler, recruter, S.O.S.

APPENDICE. Barbe, bras, griffe, luette, patte, queue, uropode, uvule.

APPÉTENCE. Alléchant, appétit, envie.

APPÉTISSANT. Alléchant, attrayant, envie, pica, plaisant, ragoûtant.

APPLAUDIR. Admirer, ban, bénir, encourager, louer, saluer, trépigner.

APPLICATION. Adaptation, apposer, appuyer, art, attention, empresser, étude, infliger, mettre, minutie, onction, prosodie, soin, zélé.

APPLIQUER. Adapter, apposer, appuyer, baiser, donner, panser, sceller.

APPORTER. Amener, importer, pallier, porter, quérir, remédier, venir.

APPOSER. Appliquer, marquer, parapher, signer.

APPRÉCIER. Adorer, aimer, estimer, évaluer, idéaliser, louer, noter.

APPRÉHENDER. Arrêter, craindre, épingler, redouter, saisir, trembler.

APPRÉHENSION. Angoisse, anxiété, crainte, peur, transe.

APPRENDRE. Enseigner, étudier, mémoriser, montrer, préparer, savoir.

APPRENTI. Arpète, élève, initié, marmiton, mitron, novice, pilotin.

APPRÊT. Cati, dressage, glaçage, habillage, négligé, vaporisage.

APPRÊTER. Aménager, empeser, former, parer, préparer, relever.

APPRIVOISER. Affaiter, charmer, domestiquer, dompter, dresser.

APPROBATION. Accord, agrément, bon, consentement, oui, sanction.

APPROCHER. Aborder, accès, accoster, arriver, attiser, côtoyer, entrée.

APPROUVER. Abonder, accorder, agréer, céder, goûter, opiner, signer.

APPROVISIONNEMENT. Achat, aiguade, alimentation, annone, distribution, fourniture, munition, provision, réserve, stock.

APPROVISIONNER. Alimenter, ensiler, fournir, nourrir, ravitailler.

APPUI. Défenseur, égide, éperon, pilier, protecteur, soutien, soutinet.

APPUYER. Accoter, accouder, adosser, baiser, baser, buter, coller, épauler, étayer, fonder, insister, peser, poser, sonner, soutenir, tenir.

ÂPRE. Aigu, amer, avare, cuisant, dur, rêche, rigoureux, rude, vif.

APRÈS. Avenir, dès, ensuite, futur, passé, post, puis, suite, tard.

ÂPRETÉ. Amertume, avarice, raucite, rigueur, verdeur, virulence.
APTE. Art, capable, don, doué, facilité, habilité, oreille, talent, viable.
APTITUDE. Don, bosse, esprit, faculté, finesse, génie, qualité, talent.
ARABE. Caïd, coran, dinar, émir, fakir, harem, islam, perse, scheik.
ARAIGNÉE. Arachné, aranéide, arantèle, épeire, hydromètre, latrodecte, maïa, orbitèle, tarentule, tégénaire, théridion, tubitèle.
ARBITRAIRE. Caprice, despotique, équitable, illégal, injuste.
ARBRE. Abaca, abricotier, acacia, acajou, ailante, alisier, anona, arec, aubier, aulne, aune, axe, baobab, bois, bonsaï, cèdre, cerisier, chêne, chicot, cola, cyprès, ébénier, écot, ente, épicéa, érable, étêté, forêt, frêne, gaïac, gélif, généalogie, hêtre, hévéa, if, ilang, lilas, mai, maté, mélia, merisier, mûrier, noyer, olivier, oranger, orme, osier, pérot, pin, plante, platane, pommier, sapin, saule, sumac, surin, tchitola, teck, tek, térébinthe, thuya, tilleul, tulipier, upas, ventis, yeuse, zamier.
ARBRISSEAU. Airelle, ajonc, anone, arbuste, aubépine, aune, buis, caféier, ciste, coca, daphné, églantier, épine, fusain, garou, genêt, néflier, obier, osier, rhododendron, rosier, seringa, théier, vigne, viorne.
ARBUSTE. Arbrisseau, azalée, cassis, coca, genévrier, hamamélis, henné, houx, jasmin, kerria, lantanier, lilas, néflier, neprun, nerprun, plante, qat, ronce, santal, seringa, seringat, sureau, troène, ulex, végétal.
ARC. Anse, arche, arme, degré, iris, minot, ogive, sinus, spire, voûte.
ARCEAU. Cercle, étrier, gabarit.
ARCHE. Arceau, arqué, cambrure, croissant, porte, tabernacle, voûte.
ARCHIPEL. Île, seul.
ARCHIVE. Annales, document, histoire, livre, tabularium.
ARDENT. Élan, fervent, feu, fièvre, flamme, fougue, furie, rapace, zélé.
ARDEUR. Amour, avidité, chaleur, courage, feu, frénésie, soin, zèle.
ARDU. Escarpé, difficile, laborieux, raide, travail.
AREC. Aréquier, cachou.
ARÉQUIER. Arec.
ARÊTE. Angle, couteau, crêt, vif, voûte.
ARGENT. Ag, aloi, arrhes, bourse, douille, écu, espèce, fonds, fric, lingot, magot, mise, oseille, pécune, pognon, radis, rond, sous, taper, vermeil.
ARGILE. Bol, brique, calamite, glaise, kaolin, ocre, sep, sil, terre, tuile.
ARGON. Ar.
ARGOT. Calo, éperon, jar, jargon, jobelin, joual, marollien, slang.
ARGUMENT. Axiome, conclusion, dilemme, enthymème, épichérème, induction, matière, prémisse, preuve, raisonnement, sorite, syllogisme.
ARIA. Air, difficulté, embarras, mélodie, souci.
ARIDE. Inculte, infécond, ingrat, sec, stérile.
ARILLE. Macis.
ARISTOCRATE. Chevalier, élite, hidalgo, lord, magnat, noble, seigneur.
ARMATURE. Antenne, arçon, cordage, mât, ogive, support, tringle.

ARME. Angon, arbalète, arc, bâton, calibre, dague, dard, engin, épée, escopette, faux, fer, fronde, fusil, hache, hast, lance, légère, masse, missile, mitrailleuse, mousqueton, ogive, pistolet, raté, sabre, trait.
ARMÉE. Air, brigade, légion, marine, milice, ost, peloton, terre, troupe.
ARMILLE. Annelet.
ARMOIRE. Bahut, buffet, casier, coffre, glace, meuble, placard, tour.
AROMATE. Absinthe, ail, aneth, angélique, anis, arôme, badiane, basilic, cannelle, cardamome, cari, carvi, cayenne, céleri, cerfeuil, ciboulette, coriandre, cumin, curcuma, échalote, épice, estragon, fenouil, genièvre, gingembre, girofle, herbe, hysope, laurier, livèche, macis, maniguette, marjolaine, mélisse, menthe, moutarde, muscade, oignon, origan, paprika, parfum, persil, piment, poivre, poivron, romarin, safran, sarriette, sauge, sel, serpolet, sésame, thym, vinaigre.
ARÔME. Bouquet, essence, fumet, goût, odeur, senteur. (Voir aromate.)
ARQUER. Busquer, courber, pont.
ARRACHER. Délainer, déplanter, déraciner, écobuer, édenter, emporter, enlever, épiler, essarter, essoucher, ôter, plumer, priver, sarcler, tirer.
ARRANGER. Accorder, adapter, coiffer, draper, entente, faire, manipuler, monter, organiser, orner, parer, poser, ranger, tresser.
ARRÊT. Anurie, apnée, butée, cran, délai, escale, étape, frein, gel, halte, infantilisme, ischémie, panne, parade, pause, repos, stase, stop, trêve.
ARRÊTER. Ancrer, borner, buter, caler, camper, cesser, clore, couper, épingler, fixer, freiner, interrompre, juguler, limiter, maintenir, pincer, rayer, régler, reposer, retenir, stagner, stopper, suspendre, tarir, tenir.
ARRIÈRE. Cul, dos, envers, fesse, nuque, passé, poupe, queue, verso.
ARRIVER. Aboutir, accéder, arrivage, coïncider, dû, due, échoir, finir, mener, mûrir, naître, parvenir, rendre, sonner, survenir, tomber, venir.
ARROGANCE. Désinvolture, fierté, impertinence, insolence, ironie, mépris, orgueil, outrecuidance, suffisance.
ARROGANT. Fier, haut, hautain, insolent, outrecuidant, rogne, rogue.
ARROSER. Asperger, baigner, baptiser, bassiner, doucher, humecter, imbiber, inonder, irriguer, mouiller, submerger, tremper, verser.
ARSENIC. As.
ART. Aéronautique, alchimie, architecture, cabale, cartomancie, chevaucher, cinéma, culinaire, cynégétique, dosologie, écriture, escrime, gastronomie, glyptique, horticulture, imprimerie, lecture, lithographie, magie, manœuvre, mégie, natation, nécromancie, origami, photographie, pisciculture, plaidoirie, poliorcétique, reliure, scène, sculpture, sidérographie, stratégie, taxidermie, tir, vénerie, zootechnie.
ARTÈRE. Aorte, avenue, boulevard, carotide, pontage, rue, sang, voie.
ARTICLE. Au, aux, de, défini, des, du, indéfini, la, le, les, un, une.
ARTICULATION. Cheville, coude, épaule, genou, genouillère, hanche, joint, jointure, ménisque, poignet, prononciation, rotule, suture.

ARTICULER. Balbutier, mâchonner, parler, proférer, prononcer.
ARTIFICE. Astuce, fusée, leurre, pétard, piège, ralenti, ruse, truc.
ARTISAN. Artiste, charron, façon, ivoirier, ouvrier, tôlier.
ARTISTE. Acteur, artisan, bohème, ciseleur, esthète, peintre, vedette.
ASCENDANT. Aïeul, aïeux, autorité, emprise, influence, pouvoir.
ASCÈTE. Ermite, fakir, santon, soufi, yogi.
ASIATIQUE. Afghan, arménien, asiate, birman, cambodgien, coréen, chinois, eurasien, indien, irakien, iranien, japonais, jordanien, laotien, libanais, malais, mongol, népalais, persan, philippin, syrien, tibétain.
ASILE. Abri, fou, havre, refuge, salle, zaouïa.
ASPE. Asple.
ASPECT. Allure, décor, face, faciès, forme, mine, phase, tournure, vue.
ASPERGER. (Voir arroser.)
ASPHALTER. Bétuminer, goudronner, paver.
ASPHYXIER. Absorber, étouffer, gazer, humer, inhaler, noyer.
ASPIC. Spic.
ASPIRER. Absorber, ambitionner, asphyxier, briguer, fumer, happer, humer, idéaliser, inhaler, inspirer, noyer, pomper, prétendre, priser, renâcler, renifler, souhaiter, soupirer, sucer, téter, vouloir.
ASPLE. Aspe.
ASSAILLIR. (Voir attaquer.)
ASSAISONNER. Apprêter, épicer, pimenter, poivrer, saler, vinaigrer.
ASSASSIN. Criminel, fratricide, meurtrier, régicide, sicaire, tueur.
ASSASSINAT. Crime, meurtre.
ASSASSINER. Butter, exécuter, occire, supprimer, trucider, tuer.
ASSAUT. Abordage, attaque, combat, concours, ruade, rush, tournoi.
ASSEAU. Assette.
ASSÉCHER. Drainer, essorer, sec, tarir.
ASSEMBLAGE. Amas, appareil, bruit, caillebotis, corde, empatture, ennéade, enture, gerbe, mosaïque, natis, noulet, panache, phrase, phraséologie, pilée, radeau, toron, trémie, triade, vers, ville.
ASSEMBLÉE. Arène, bal, club, comice, congrès, consistoire, diète, douma, fête, meeting, quorum, regroupement, réunion, sénat, synode.
ASSEMBLER. Ameuter, bâtir, carreler, coller, coudre, enter, épisser, joindre, lier, monter, nouer, rabouter, relier, réunir, souder, unir.
ASSERVISSEMENT. Assuétude, captif, esclavage, joug, sujétion.
ASSEZ. Adéquat, congru, convenable, marre, passable, suffisant.
ASSIDUITÉ. Absentéisme, cour, exactitude, fréquentation, importunité.
ASSIETTE. Budget, écuelle, équilibre, hypothèque, imposition, marli, plat, position, soucoupe, suage, tenue, terrain, vaisselle.
ASSIGNATION. Ajournement, citation, doter, réassignation, situer.
ASSIMILÉ. Appareillé, approché, comparé, digéré, élaboré, rapparier.
ASSISTANCE. Aide, appui, assesseur, charité, foule, secours, servir.

ASSISTER. Aider, entendre, inviter, seconder, secourir, suivre.
ASSOCIATION. Blastodème, cercle, club, comité, corporation, covenant, fédération, fusion, guilde, hanse, jumelage, ligue, macle, mafia, ordre, pacte, parti, regroupement, société, syndicalisation, triumvirat, union.
ASSOCIÉ. Acolyte, adjoint, affilié, collège, compère, covendeur.
ASSOCIER. Adhérer, adjoindre, allier, fusionner, regrouper, réunir, unir.
ASSOIFFER. Affamer, altérer.
ASSOMBRIR. Attrister, embrumer, obscurcir, ternir.
ASSOMMER. Abattre, battre, ennuyer, estourbir, sonner, tuer.
ASSONANCE. Allitération, consonance, rime.
ASSORTIR. Accorder, accoupler, apparier, marier, nuancer, nuer.
ASSOUPLISSEMENT. Apathie, coma, dépression, dormir, engourdissement, léthargie, narcose, sommeil, somnolence, torpeur.
ASSOUVIR. Apaiser, étancher, manger, rassasier, remplir, satisfaire.
ASSUJETTIR. Asservir, caler, conquérir, opprimer, plier, régler, river.
ASSUMER. Endosser, entreprendre, occuper, prendre, revendiquer.
ASSURANCE. Foi, gage, garant, garantie, prime, protection, sûreté.
ASSURÉ. Certain, confiant, convaincu, décidé, ferme, résolu, stable, sûr.
ASSURÉMENT. Certainement, certes, évidemment, sûrement.
ASSURER. Affirmer, attester, endosser, garantir, fixer, renter, saurer.
ASTATE. At.
ASTÉRISQUE. Étoile, gaulois, renvoi.
ASTICOTER. Appâter, exciter, tourmenter.
ASTIQUER. Frotter, laver, patience.
ASTRALE. Sidérale.
ASTRE. Comète, étoile, galaxie, lune, planète, quasar, soleil, zodiaque.
ASTREINDRE. Assujettir, condamner, contraindre, habituer, obliger, lier.
ASTROLOGIE. Décan, devin, divination, généthliologie, géomancie, hermétisme, horoscope, médium, sidéromancie, voyant, zodiaque.
ASTUCE. Combine, escamotage, escroquerie, habileté, ruse, truc, tour.
ATAVISME. Génération, hérédité.
ATELIER. Couture, forge, garage, ouvroir, laverie, lavoir, studio, usine.
ATHÉE. Impie, incroyant, irréligieux.
ATHLÈTE. Gymnaste, sportif.
ATLAS. Carte.
ATMOSPHÈRE. Air, ambiance, aura, baromètre, climat, milieu, temps.
ATOCA. Airelle.
ATOLL. Corail, lagon.
ATOME. Électron, ion, neutron, noyau, petit, particule, proton.
ATOMISER. Vaporiser.
ATONIE. Abattement, apathie, engourdi, faiblesse, paralysie, paresse.
ATOUR. Arranger, bijou, parure, tissu, vêtement.
ÂTRE. Cheminée, foyer, manteau, trémie.

ATTACHE. Amitié, ancré, boucle, calé, collé, fixé, lacé, lien, noué, vissé.
ATTACHEMENT. Amitié, amour, avarice, dévotion, enticher, fidélité, intérêt, liaison, lié, moi, nœud, piété, sensualité, ténacité, véracité.
ATTACHER. Accouder, agrafer, amarrer, ancrer, atteler, caler, clouer, coller, coudre, coupler, dévot, enchaîner, engager, enjuguer, fixer, lacer, lier, ligoter, nouer, palisser, pendre, plaire, river, souder, visser.
ATTAQUABLE. Vulnérable.
ATTAQUE. Accusation, agression, assaut, attentat, braquage, chant, charge, combat, critique, interception, mord, raid, ruade, scène.
ATTAQUER. Agresser, assaillir, insulter, miter, mordre, ruer, salir.
ATTARDÉ. Arriéré, déficient, demeuré.
ATTEINDRE. Accéder, arriver, calomnier, décrocher, égaler, obtenir.
ATTEINTE. Contrainte, coup, entorse, épidémie, offense, outrage.
ATTELLE. Brancard, éclisse, lacs, mancelle, timon.
ATTENDRE. Bayer, durer, épier, espérer, guetter, languir, poser, traîner.
ATTENDRIR. Amollir, apitoyer, émeuter, émouvoir, fléchir, toucher.
ATTENDU. Efficace, vu.
ATTENTE. Affût, calme, délai, désir, espérance, pause, remise, sursis.
ATTENTIF. Appliqué, complaisant, curieux, prévenant, vigilant.
ATTENTION. Égard, esprit, étude, garde, gare, œil, soin, vigilance, zèle.
ATTÉNUER. Adoucir, calmer, diluer, édulcorer, émousser, tempérer.
ATTERRISSAGE. Arrivée, crash, train.
ATTESTATION. Certificat, quittance, référence, satisfaction, témoin.
ATTESTER. Affirmer, avérer, contresigner, jurer, signer, témoigner.
ATTIRAIL. Bagage, bataclan, outil, train.
ATTIRANCE. Appât, attrait, élan, faible, intérêt, penchant, séduction.
ATTIRER. Allécher, amener, appâter, aspirer, capter, charmer, drainer, enrôler, humer, leurrer, piéger, plaire, ravir, recruter, sucer, tenter, tirer, venir.
ATTISER. Augmenter, exciter, tisonner.
ATTITUDE. Action, air, allure, conduite, effet, geste, maintien, négativisme, pose, position, positivisme, posture, prestance, tournure.
ATTRACTION. Aimant, attirance, clou, gravité, manège, pesanteur.
ATTRAIT. Appât, charme, grâce, prestige, séduction, tentation.
ATTRAPER. Agrafer, happer, piéger, piger, pôgner, prendre, saisir.
ATTRIBUER. Accorder, accuser, adjuger, allouer, appeler, assigner, dédier, déférer, donner, impartir, nommer, prêter, taxer, vouer.
ATTRISTER. Affecter, affliger, désoler, éplorer, fâcher, navrer, peiner.
ATTROUPER. Ameuter, assembler, rassembler, réunir.
AUBE. Ailette, aurore, palette.
AUBAINE. Bonheur, chance, escompte, hasard, profit, solde.
AUBÉPINE. Azerolier, cenelle, épine, rhynchite.
AUCUN. Nul, personne, zéro.

AUDACE. Aplomb, assurance, cœur, cran, culot, fierté, hardiesse, toupet.
AUDACIEUX. Brave, courageux, fier, hardi, intrépide, osé, téméraire.
AUDITION. Bruit, concert, corti, oreille, ouïe, présentation, récital.
AUDITOIRE. Assistance, galerie, public, salle, spectateur.
AUGE. Abreuvoir, bac, crèche, laye, maye, oiseau, ripe, trémie, vaisseau.
AUGMENTATION. Accélération, accrue, aggravation, croissance, crue, élongation, enchère, hausse, poussée, recrudescence, tumeur, urémie.
AUGMENTER. Accélérer, accroître, agrandir, ajouter, croître, dilater, élever, enfler, étendre, germer, lever, monter, sprinter, valoriser.
AUGURER. Prédire, présager, présenter, présumer, supposer.
AULNE. Aune, vergne.
AUMÔNE. Aide, charité, don, obole, mendiant, quête, secours, tronc.
AUNE. Aulne, vergne.
AUPARAVANT. Avant, déjà, préalablement, précédemment.
AUQUEL. Où.
AURÉOLE. Aura, cercle, gloire, halo, nimbe.
AURICULE. Lobe.
AUROCHS. Ure, urus.
AURORE. Aube, commencement, crépuscule, éos, est, matin, rose.
AUSSI. Également, itou, même, pareillement, si, sitôt, tant.
AUSSITÔT. Dès, immédiatement, instantanément, sitôt, soudain.
AUSTÈRE. Dur, grave, pur, raide, rigide, rude, sévère, stoïque.
AUTEUR. Conteur, créateur, écrivain, essayiste, historien, narrateur, nouvelliste, parolier, poète, prosateur, romancier, scénariste, scripteur.
AUTHENTICITÉ. Certitude, estampille, seing, véracité, visa.
AUTHENTIQUE. Certain, officiel, réel, sceau, sincère, vrai.
AUTO. Automobile, bazou, char, limousine, voiture.
AUTOCAR. Autobus, car, gyrobus, impérial.
AUTOCHTONE. Aborigène, cipaye, indigène, supplétif.
AUTOMATE. Androïde, fantoche, guignol, machine, pantin, robot.
AUTOMOBILE. Bagnole, bazou, berline, char, jeep, tacot, taxi, voiture.
AUTOPSIE. Anatomie, nécropsie.
AUTORISATION. Licence, obédience, ouverture, permis, permission.
AUTORISER. Approuver, consentir, investir, permettre, pouvoir.
AUTORITAIRE. Absolu, cassant, coupant, impérieux, sévère.
AUTORITÉ. Empire, fermeté, férule, force, loi, ordre, règne, royal, sujet.
AUTOUR. Alentour, circonscrire, entourer, graviter, rôder, vautour.
AUTRE. Autrui, différent, émule, étranger, eux, lui, opposé, rival.
AUTREFOIS. Anciennement, antan, avant, hier, jadis, naguère, passé.
AUTREMENT. Alias, autre, mal, où, sinon.
AUVENT. Abri, marquise, toit.
AUXILIAIRE. Aide, assistant, avocat, avoir, complice, être, secondaire.
AVACHI. Déformé, ramolli, veule.

AVACHIR. Déformer, user.
AVALER. Aspirer, boire, engamer, gober, humer, ingérer, ravaler.
AVANCE. À-valoir, concluant, préformer, prêt, progression.
AVANCER. Affirmer, aller, dire, émettre, évoluer, flâner, glisser, nager, pénétrer, pousser, prêter, ramer, sautiller, tendre, touer, virer, voile.
AVANT. Antan, av, bec, cap, front, joue, nez, recto, rétro, vêpres.
AVANT-DERNIER. Antépénultième, paraxyton, pénultième.
AVANT-PROPOS. Introduction, préambule, préface.
AVANTAGE. Aubaine, dessus, don, faveur, fruit, gain, profit, succès.
AVANTAGER. Bonifier, douer, favoriser, flatter, primer, ressortir.
AVANTAGEUX. Chic, commode, intéressant, mieux, profitant, utile.
AVARE. Chiche, grigou, grimelin, pingre, radin, rat, séraphin, vilain.
AVARIE. Dommage, mouille, panne, sapiteur, tare, vilenie.
AVARIER. Altérer, endommager, gâter, meurtrir, pourrir, tarer.
AVELINE. Noisette.
AVEN. Abîme, bétoire, emposieu, igue.
AVENIR. Débouché, demain, désormais, destin, éternité, futur, vocation.
AVENTURE. Affaire, conte, errer, héros, mésaventure, revers, roman.
AVENUE. (Voir artère.)
AVERSE. Abat, arc-en-ciel, drache, grain, nuée, ondée, orage, pluie.
AVERSION. Animosité, antipathie, haine, inimitié.
AVERTIR. Alarmer, alerter, aviser, dire, diriger, gronder, informer, insinuer, menacer, prévenir, rappeler, semoncer, signaler, sommer.
AVERTISSEMENT. Leçon, menace, préavis, remontrance, semonce.
AVERTISSEUR. Junon, klaxon, prophète, sirène.
AVETTE. Abeille.
AVEU. Candeur, confession, gêne, mea-culpa, naïveté, remords.
AVEUGLE. Braille, cataracte, chauvin, clos, ébloui, non-voyant, nuit.
AVEUGLER. Bander, boucher, crever, éblouir, priver, tromper, voiler.
AVIATEUR. As, icare, navigateur, pilote.
AVIDE. Affamé, âpre, avare, cupide, friand, mercenaire, rapace, rapiat.
AVIDITÉ. Convoitise, cupidité, désir, rapacité, vampirisme, voracité.
AVILIR. Abaisser, abâtardir, dégrader, ennoblir, humilier, ravaler.
AVION. Aérobus, airbus, biplace, biplan, coucou, jet, piper, triplan, zinc.
AVIRON. Canot, erseau, godille, pagaie, pale, rame, scull, tolet.
AVIS. Annonce, conseil, éveil, idée, notification, opinion, préavis, sens.
AVISER. Annoncer, avertir, conseiller, éveiller, notifier, opiner, voir.
AVIVER. Aiguiser, attiser, embraser, exalter, exciter, irriter, ouvrir.
AVOIR. Accéder, actif, crédit, demander, jouir, marre, tenir, tirer.
AVOUER. Accuser, admettre, concéder, dire, parler, reconnaître, trahir.
AXER. Orienter, pivoter, tourner, traverser.
AZUR. Bleu, ciel, voûte.

AZURITE. Alchimie.
AZYME. Pain.

B

BABA. Ahuri, gâteau, savarin, sidéré, stupéfait.
BABIL. Babillard, caquet.
BABILLER. Bavarder, cailleter, caqueter, jaser, parler.
BABINE. Lèvre.
BABIOLE. Affichet, breloque, bricole, broutille, colifichet, rien.
BACCALAURÉAT. Bac.
BACCHANTE. Bassaride, éleide, éviade, ménade, mimalonide, thyiade.
BÂCLER. Expédier, fermer, finir, gâcher, gâter, inattention, saboter.
BACTÉRIE. Bacille, champignon, colibacille, coque, microbe, sarcine.
BADAUD. Barguineur, curieux, flâneur, oisif.
BADGE. Insigne, macaron.
BADIN. Bouffon, espiègle, folâtre, folichon, fou, gai, léger, pétulant.
BADINER. Folâtrer, plaisanter, railler, rire.
BAGAGE. Affaires, attirail, bâche, effets, fourbi, frusque, nippe, valise.
BAGARRE. Aiflette, baston, bataille, combat, échauffourée, rififi, rixe.
BAGATELLE. Baliverne, colifichet, minutie, rien, sornette, vétille.
BAGOUT. Éloquence, jactance, tchatche.
BAGUE. Anneau, chaton, chevalière, cigare, jonc, marquise, triboulet.
BAGUETTE. Aine, antebois, archet, badine, listeau, listel, liston, liteau.
BAGUETTISANT. Radiesthésiste, sourcier.
BAIE. Airelle, anse, bleuet, calanque, cap, cenelle, crique, fenêtre, fraise, framboise, fronteau, golfe, mûre, myrtille, table, verrière.
BAIGNADE. Baigner, bain, pataugeoire.
BAIGNER. (Voir arroser.)
BAIGNOIRE. Sabot, salle.
BAILLE. Eau.
BÂILLONNER. Empêcher, fermer, museler.
BAIN. Douche, étuve, mégis, sauna, siège, thermes, trempette, tub.
BAISER. Baise-main, bec, bécot, bécoter, bise, bisou, bizou, embrasser.
BAISSER. Abaisser, bas, caler, céder, courber, décliner, fléchir, pencher.
BALANCE. Bascule, berce, crochet, fléau, pèse-personne, seste, verge.
BALANCEMENT. Bercement, dandinement, nutation, roulis, tangage.
BALANCER. Battre, bercer, berner, dandiner, jeter, osciller, peser.
BALANÇOIRE. Bascule, escarpolette, sornette.
BALAYER. Brosser, essuyer, frotter, housser, laver, nettoyer, ramoner.
BALCON. Balustrade, corbeille, galerie, loggia, oriel, saillie, véranda.

BALDAQUIN. Ciborium, dais.
BALEINE. Busc, cétacés, crinoline, fanon, huile, jubarte, orque, verge.
BALISTE. Onagre.
BALLE. Baseball, boule, colis, croquet, éteuf, farde, golf, jeu, let, polo.
BALLON. Bombe, essai, filet, gaz, lest, nacelle, passe, saucisse, sonde.
BALLONNER. Aérophagie, emphysème, enfler, flatulence, tympanite.
BALOURDISE. Énormité.
BALUSTRADE. Balcon, épi, grille, limon, rampe, ridelle, socle, travée.
BANAL. Commun, courant, médiocre, ordinaire, plat, stéréotypé, usé.
BANANIER. Abaca.
BANC. Chaise, congère, exèdre, gradin, montoir, selle, siège, tréteau.
BANDAGE. Attelle, bande, écharpe, glisse, plâtre, pneu, spica, toile.
BANDE. Aine, banderole, brayer, bride, ceinture, courroie, épaulette, épitoge, étole, film, galon, gang, gîte, lien, loup, marmaille, meute, penture, rail, rivage, rive, sangle, séton, sous-pied, surdos, zone.
BANDEAU. Archivolte, baîllon, diadème, fronteau, serre-tête, verseau.
BANDER. Érection, étirer, lier, panser, raidir, rouler, tendre.
BANDIT. Apache, escarpe, escroc, filou, gangster, larron, nervi, pirate.
BANNIÈRE. Drapeau, gonfalon, gonfanon, marque, oriflamme, sigle.
BANNIR. Chasser, déporter, émigrer, exiler, expulser, refouler.
BANQUET. Épulon, festin, fête, partie, repas.
BAPTISER. Appeler, arroser, bénir, conférer, exorciser, ondoyer.
BAQUET. Bac, baille, corpulent, cuve, gros, jale, sapine, seillon, tonneau.
BARAQUE. Bicoque, cabane, cassine, habitation, loge, masure.
BARBARE. Avare, brute, clan, cruel, horde, maure, sauvage, tribu.
BARBE. Arête, barbiche, barbu, bouc, collier, imberbe, penne, plume.
BARBEAU. Barbillon, bleuet, insecte.
BARBOUILLER. Gribouiller, gribouillis, griffonnage, grimoire, salir.
BARDEAU. Aisseau, shingle, tuile.
BARIOLER. Bigarrer, chamarrer, jasper, marbrer, panacher, veiner.
BARQUE. Arche, bac, bachot, barcasse, barge, bateau, bélandre, boom, brick, caïque, cange, canot, caron, chaloupe, drakkar, esquif, galère, nocher, périssoire, pirogue, ponton, rafiot, steamer, trimaran, vedette.
BARRAGE. Barrière, clôture, écran, embâcle, réservoir, ressaut.
BARRE. Baton, chenet, épar, fêle, jas, levier, mors, obel, péri, tige.
BARRIÈRE. Barrage, claie, clôture, douve, haie, herse, rampe, seuil.
BARRIQUE. Caque, flotte, fût, pièce, tonneau.
BARROT. Bau, épontille.
BARYUM. Ba.
BAS. Cave, fond, grossier, ignoble, infâme, inférieur, pied, trivial, vil.
BAS-CÔTÉ. Collatéral.
BAS-RELIEF. Anaglyphe, diptyque, médaillon, rude.
BASCULER. Balancer, benne, culbuter, renverser.

BASE. Assise, clé, clef, empattement, ergot, fondement, patin, pied, sol.
BASSESSE. Abjection, petitesse, platitude, saloperie, servilité, vilenie.
BASSIN. Claire, cuvette, darse, dock, étier, évier, fonts, port, rade, rond.
BASTRINGUE. Bal.
BATACLAN. Attirail.
BATAILLE. Bagarre, bandière, combat, coursier, destrier, guerre, rixe.
BÂTARD. Champi, corniot, métis.
BATARDEAU. Digue, palplanche.
BATEAU. Arche, bac, bâche, barge, barque, bâtiment, caboteur, canoë, canot, cargo, chaloupe, chalutier, chebec, corvette, doris, drakkar, flotte, frégate, galère, gondole, jonque, kayac, langoustier, margota, monitor, navire, nef, péniche, pinasse, pirogue, polacre, ponton, prao, radeau, rafiot, skiff, sous-marin, steamer, terre-neuvas, vedette, yacht.
BATELEUR. Baladin, bouffon, cabotin, dompteur, histrion, pitre.
BATELIER. Barcarolle, gondolier, marin, marinier, matelot, passeur.
BATIFOLIER. Folâtrer, niaiser.
BÂTIMENT. Abattoir, abbaye, caboteur, cargo, caserne, chebec, colombarium, corvette, dôme, édifice, écurie, étable, ferme, frégate, gare, grange, hourque, logis, navire, poulailler, sous-marin, yacht.
BÂTIR. Construire, échafauder, édifier, élever, ériger, établir, fonder.
BÂTISSEUR. Architecte.
BÂTON. Barre, brigadier, crosse, épieu, lituus, pedum, sceptre, tige.
BATRACIEN. Agua, alyte, anoures, axolotl, coasser, crapaud, grenouille, pipa, raine, rainette, salamandre, têtard, triton, urodèle.
BATTANT. Battement, bélière, brayer, éventail.
BATTERIE. Appel, casserole, charge, diane, général, pile, réveil, sabord.
BATTRE. Boxer, errer, fesser, fouetter, gauler, rosser, rouer, vanner.
BAU. Barrot.
BAUDET. Âne, sot, tréteau.
BAUDRIER. Assurage, ceinturon.
BAUME. Dictame, gomme, onguent, résine, styrax, teinture, tolu.
BAVARDAGE. Babil, cancan, jaspinage, margotage, ragot, verbiage.
BAVE. Écume, salive.
BAVETTE. Boucher, boucherie.
BAYARD. Pierre, terraille.
BAYER. Béer.
BÉANT. Bée, béance, ouvert.
BÉATIFIÉ. Béat, bienheureux, canonisé, élu, saint.
BEAU. Bel, coquet, divin, élégant, esthète, gai, gentil, joli, mignon.
BEAUCOUP. Fort, foule, moult, plusieurs, prou, tant, tas, tout, très.
BEAUTÉ. Astre, charme, chic, élégance, grâce, ornement, séduction.
BÉBÉ. Enfant, flô, lardon, mioche, môme, nouveau-né, poupon, têtard.
BEC. Auer, baiser, becqueter, cap, coque, onglet, papillon, plume.

BÉCANE. Vélo.
BÉCASSE. Canard, crouler.
BÊCHE. Fourche, houlette, louchet, palot, pelle, tallandier.
BECQUETER. Baiser, bécoter, embrasser, picoter.
BEDONNANT. Baquet, gros, pansu, ventre.
BEIGNET. Beigne, muffin, pet, pomme.
BÉLIER. Brebis, mouton.
BELLE-FILLE. Bru.
BELLIQUEUX. Batailleur, guerrier, martial.
BÉNÉFICE. Agio, avantage, boni, commission, dividende, émolument, gain, intérêt, martingale, obédience, profit, revenu, ristourne.
BÉNÉFICIAIRE. Gagnant, légataire, nominataire.
BÉNÉFICIER. Fructifier, gagner, jouir, profiter, rapporter.
BENÊT. Bobet, niais, nigaud, sot.
BÉNÉVOLAT. Volontariat.
BÉNIN. Anodin, inoffensif.
BÉNIR. Anict, baptiser, consacrer, corporal, exorciser, patafioler, sacrer.
BÉNITIER. Tridacne.
BENNE. Berline, mine.
BÉQUILLE. Étai, support.
BERCEAU. Ber, berce, lit, naissance, nef, nid, tin, tonnelle, treille, voûte.
BERCER. Balancer, dodeliner, endormir, espérer.
BERGE. An, année, bord, port, rivage, rive.
BERGER. Bouvier, pasteur, porcher, vacher.
BERNACHE. Oie.
BERNER. Duper, jobarder, leurrer, moquer, tricher, tromper.
BÉRYLLIUM. Be, émeraude.
BESOGNE. Pensum, pièce, travail.
BESOGNER. Travailler, trimer.
BESOIN. Désir, envie, exigence, faim, laver, misère, nécessité, prier, soif.
BÊTA. Sot.
BÊTE. Animal, attelage, bestiole, bétail, cambrai, charogne, fauve, horde, ignorance, monture, obtus, sauvagine, sot, train.
BÊTISE. Ânerie, bourde, énormité, fadaise, niaiserie, sornette, sottise.
BÉTON. Ciment, coffrage.
BETTERAVE. Bette, cossette, sucre.
BEUGLER. Crier, meugler.
BEUGLEMENT. Hurlement.
BEURRER. Baratter, tartiner.
BÉVUE. Bourde, erreur.
BIAISER. Fausser, louvoyer, obliquer, ruser, tergiverser, tournoyer.
BIBI. Moi.
BIBLIOTHÈQUE. Bibliobus, enfer, iconothèque, musée, rayon.

BIBLIQUE. Aaron, Aba, Abel, Abner, Adam, Agag, Agar, Ammon, Asa, Aser, Booz, Caïn, Cham, Dan, Éla, Élie, Éliézer, Énoch, Ésaü, Ève, Gad, Isaac, Jacob, Japhet, Job, Judas, Laban, Lia, Loth, Moïse, Noé, Onan, Ruth, Sarah, Sem, Seth, Sulamite, Tobie, Urie, Zabulon.
BICOQUE. Baraque, cassine, chalet, maison, pavillon.
BICYCLETTE. Bécane, bicycle, cycle, tandem, triporteur, vélo.
BIDET. Cuvette, toilette.
BIDOCHE. Viande.
BIEN. Avoir, bonté, dot, héritage, légal, net, patrimoine, revenu, très.
BIENFAIT. Aide, appui, aumône, bonté, don, faveur, grâce, obole, pitié.
BIENFAITEUR. Dispensateur, donateur, mécène, protecteur.
BIENHEUREUX. Béat, bonheur, ciel, élu, heureux, paradis, saint.
BIENNAL. Bisannuel.
BIENSÉANT. Décent, poli, propre, respectueux.
BIENTÔT. Futur, incessamment, prochaine, prochainement, rapidement.
BIENVEILLANCE. Amitié, amour, bonté, cordialité, générosité, grâce.
BIENVEILLANT. Aimable, bénin, bon, clément, complaisant, compréhensif, cordial, fléchissable, généreux, indulgent, paterne.
BIÈRE. Ale, amidon, blonde, bock, boisson, cannette, cercueil, cervoise, chope, demi, faro, feu, houblon, lambic, malt, mort, orge, porter, stout.
BIFFER. Effacer, enlever, raturer, sabrer.
BIGARREAU. Burlat, cerise.
BIGARRER. Jasper, marbrer, rayer, tigrer, varier, veiner, zébrer.
BIGLER. Loucher.
BIGORNEAU. Littorine, vignot.
BIGOT. Béat, cafard, cagot, croyant, momier, tartufe.
BIGREMENT. Beaucoup, très.
BIJOU. Alliance, anneau, bague, barrette, boucle, breloque, broche, chaîne, colifichet, collier, diadème, épingle, jonc, médaillon, pendentif.
BIJOUTERIE. Joaillerie, orfèvre, triboulet.
BILE. Amer, chagrin, fiel, foie, humeur, mécontentement, mélancolie.
BILLE. Auge, bic, boule, calot, carambole, effet, gobille, plot, queue.
BILLET. Bon, carte, coupon, devise, lettre, ordre, tessère, ticket, traite.
BIOGRAPHIE. Histoire, vie.
BIOME. Océan.
BIS. Beige, deux, gris.
BISANNUEL. Biennal, carvi, colza.
BISCUIT. Biscotin, craquelin, galette, massepain, porcelaine, soda.
BISE. Baiser, bec, retient.
BISEAU. Burin, écoté, hoyau, oblique, pied-de-biche, sifflet.
BISON. Bœuf, ure, urus.
BISSEL. Essieu.
BISSER. Acclamer, répéter.

BISTRO. Café.
BITUMER. Asphalter, enrober, goudronner.
BIVOUAC. Camp, tente.
BIZARRE. Anormal, baroque, bigarré, cocasse, comique, curieux, drôle, étrange, farfelu, hétéroclite, inouï, lunatique, saugrenu, spécial.
BLACKBOULER. Évincer, refuser.
BLAFARD. Blême, élavé, livide, pâle.
BLAGUE. Attrape, erreur, gag, plaisanterie, tabac.
BLÂME. Critique, désaveu, huée, satire, savon, sermon, tirade, tollé.
BLÂMER. Désapprouver, incriminer, flétrir, reprendre, stigmatiser.
BLANC. Api, aube, blême, candidat, candide, chenu, clair, craie, cygne, écru, glaire, innocent, mégie, neige, net, opium, pâle, pavot, pie, zinc.
BLANCHEUR. Albâtre, canitie, ivoire, leucome, lymphatisme, pâleur.
BLASON. Abîme, armes, azur, écu, orle, parti, sinople, tau, timbre.
BLASPHÉMER. Jurer, malédiction, sacrer.
BLÉ. Céréale, gerbe, grain, gruau, ivraie, maïs, minot, orge, pain, son.
BLÊME. Blafard, livide, pâle.
BLESSER. Encorner, étriper, geler, léser, luxer, navrer, ulcérer, vexer.
BLESSURE. Bleu, boutonnière, coup, entaille, lésion, morsure, plaie.
BLEU. Azur, béryl, bleuet, conservateur, iode, iris, pâle, pers, vert, zinc.
BLEUET. Myrtille.
BLEU-MAUVE. Pervenche.
BLOC. Amas, bille, cube, culasse, iceberg, monolithe, pavé, tablette.
BLOCAGE. Gel.
BLOND. Blondasse, galant.
BLOQUER. Caler, cerner, coincer, geler, serrer.
BLOUSE. Camisole, chemisier, corsage, jabot, marinière, sarrau, vareuse.
BLUFFEUR. Imposteur.
BLUTOIR. Sas, tamis.
BOBINAGE. Cryoalternateur, enroulement.
BOBINE. Broche, espolin, fuseau, marionnette, moulinet, nille, rochet.
BŒUF. Api, bison, bouvier, bouvillon, bovin, bovril, buffle, gaur, mufle, ovibos, rosbif, taureau, ure, urus, yack, zébu.
BOHÉMIEN. Gipsy, gitan, romanichel, tzigane, vagabond.
BOIRE. Absorber, avaler, déguster, goûter, humer, lamper, laper, licher, lipper, régalade, sabler, savourer, siroter, toast, trait, trinquer, vider.
BOIS. Acajou, arsin, braise, chêne, cor, ébène, forêt, gibet, noyer, pin, pinède, pinière, pineraie, ramure, rondin, sarment, taillis, teck, tin.
BOISSON. Café, cerisette, cidre, citronnade, eau, gin, grog, lait, nectar, orangeade, pulque, rhum, saké, saki, scotch, thé, tisane, vin, vodka.
BOÎTE. Bonbonnière, caisse, carton, case, casier, coffre, crâne, custode, écrin, étui, pochette, poubelle, serinette, tiroir, tronc, urne, voûte.
BOITER. Boitiller, claudiquer, clocher, cloper, clopiner, feindre, marcher.

BOLET. Cèpe, champignon.
BOMBARDE. Canon, hautbois, musique.
BOMBER. Enfler, goder, gondoler, renfler.
BON. Correct, exquis, juste, parfait, propre, rigoureux, soigneux, talent.
BONBON. Caramel, fondant, pastille, praline, sucette, sucrerie, tamar.
BOND. Assaut, furet, gambade, rebond, ricochet, saltation, saut.
BONDIR. Geste, marcher, sauter, sursauter.
BONHEUR. Aise, chance, confort, délice, douceur, extase, félicité, heur, joie, jouissance, plaisir, prospérité, rayonner, satisfaction, succès, veine.
BONIFICATION. Commission, primage, remise, ristourne, salaire.
BONIFIER. Améliorer, primer, valoriser.
BONNE. Affable, aide, bonniche, douce, gouvernante, infirmière, nurse.
BONNE-DAME. Arroche.
BONNET. Attifet, béret, calot, calotte, capuchon, képi, toque, tuque.
BORD. Alèse, arête, bande, berge, biseau, côte, flanc, grève, haie, lèvre, limite, lisière, marge, marli, orée, ourlet, plage, rebord, rive, zone.
BORDAGE. Congère, dame, fargues, portemanteau, vaigre, virure.
BORDER. Encadrer, entourer, limiter, longer, marger, ourler, rogner.
BORDURE. Cadre, encadrement, hiloire, lice, lisière, orée, orle, trottoir.
BORDURER. Cadrer, crépinier, enrubanner, galonner, garnir, mouler.
BORNE. Douane, étroit, frontière, limite, lisière, obtus, orée, pôle.
BORNÉ. Bouché, con, étroit, intolérant, limité, rétréci, sot.
BORNER. Cantonner, limiter, localiser, terminer.
BOTANISER. Herboriser.
BOTTE. Bottillon, bottine, bouquet, chaussure, gerbe, soulier.
BOUCANE. Fumée.
BOUCHE. Bave, bec, margoulette, mors, obusier, oral, revercher, rot, voix.
BOUCHÉE. Entrée, goulée, lippée, petit-four, salpicon.
BOUCHER. Calfeutrer, clore, étouper, fermer, luter, murer, sceller.
BOUCHON. Bonde, capsule, capuchon, muselet, tampon, tape.
BOUCLE. Anneau, crolle, fermoir, frison, girandole, lobe, maille, spirale.
BOUCLIER. Arme, écu, égide, guige, orle, parme, pelte, rempart, targe.
BOUDINER. Serrer.
BOUE. Bourbe, crotte, fange, gadoue, immondice, limon, merde, vase.
BOUÉE. Balise, flotte, orin.
BOUFFÉE. Haleine, respiration.
BOUFFI. Adipeux, boursouflé, enflé, gonflé, gros, joufflu.
BOUFFON. Arlequin, bête, clown, drôle, fol, fou, joyeux, paillasse, pitre.
BOUFFONNERIE. Arlequinade, drôlerie, facétie, farce, parodie, sottise.
BOUGER. Agiter, avancer, ciller, déplacer, gesticuler, mouvoir, remuer.
BOUILLIE. Cataplasme, compote, couscous, emplâtre, polenta, purée.
BOUILLON. Consommé, court-bouillon, lavure, potage, soupe.
BOULE. Balle, bille, boulet, bulle, obier, pelote, perle, pois, tête.

BOULEAU. Betula, blanc, bleu, jaune, fontimal, gris, noir, papier, yukon.
BOULETTE. Croquette, godiveau, hâtereau, pellet, quenelle, vitoulet.
BOULEVERSEMENT. Cataclysme, chambardement, émotion, séisme.
BOULEVERSER. Chavirer, émouvoir, renverser, saccager, troubler.
BOULE-DE-NEIGE. Obier.
BOULOT. Court, gros, emploi, travail.
BOUQUET. Aigrette, botte, écrevisse, crevette, fleur, gale, gerbe, lapin, lièvre, mèche, parfum, queue, rose, senteur, touffe, trochet.
BOUQUIN. Grimoire, livre, ouvrage.
BOUQUINER. Lire, magasiner.
BOUQUINISTE. Libraire.
BOURDE. Bêtise, bévue, erreur, mensonge.
BOURDONNER. Ronfler, sonner, tinter, travailler.
BOURG. Bourgade, hameau, trou, village, ville.
BOURGEOIS. Cadre, monsieur, philistin, rentier, supérieur.
BOURGEON. Agassin, bouton, caïeu, cayeu, drageon, embryon, gemme, gemmule, greffe, œil, pousse, rejeton, scion, tendron, turion.
BOURRASQUE. Cyclone, orage, ouragan, rafale, trombe, typhon, vent.
BOURRE. Coco, étoupe, fagot, laine, matos, ouate, ploc, soie, strasse.
BOURREAU. Assassin, exécuteur, guillotine, tortionnaire, valet.
BOURRELIER. Carrelet, manicle, sellier, tire-pied, trépointe.
BOURRER. Emplir, farcir, garnir, gaver, rembourrer, remplir, truffer.
BOURRIQUE. Âne, sot.
BOURRU. Acariâtre, bougon, brusque, hargneux, maussade, renfrogné.
BOURSE. Aumônière, escarcelle, poche, prêt, prime, reticule, sac.
BOUT. Auricule, bord, borne, cordon, extrémité, fin, lobe, mèche, mégot, moucheron, naine, ongle, pointe, raban, tenon, terme, tétine, tette.
BOUTEILLE. Balthazar, bocal, cannette, flacon, gourde, if, jéroboam, magnum, nabuchodonosor, pichet, siphon.
BOUTIQUE. Agence, animalerie, bazar, commerce, débit, épicerie, essencerie, étal, galerie, herboristerie, librairie, magasin, papeterie.
BOUTON. Acné, bourgeon, déboutonner, fermoir, girofle, œillet.
BOUTURE. Greffe, mailleton, marcotte, plantard, rejeton.
BOYAU. Andouille, boudin, canal, intestin, rognon, saucisse, trac, tripe.
BRACELET. Armille, breloque, gourmette, psellion, puntarelle.
BRADYPE. Ai, singe.
BRAISE. Tison.
BRAISIÈRE. Daube, daubière.
BRAMER. Chanter, crier, dorat, raire, réer.
BRAN. Sciure.
BRANCARD. Civière, dossière, limonière.
BRANCHAGE. Branche, broutille, fagot, haie, houssoir, ramure.
BRANCHE. Bois, corne, éperon, rameau, ramée, rotin, scion, tronc.

BRAQUE. Écervelé, étourdi.
BRAS. Affluent, biceps, brassée, coude, crawl, cubitus, jelinde, pompe.
BRASSER. Agiter, orienter, ourdir, remuer, secouer.
BRAVACHE. Bravade, fanfaron, matamore, olibrius, sabre, vantard.
BRAVE. Courageux, fanfaron, hardi, héros, preux, stoïcien, vaillant.
BRAVER. Affronter, attaquer, crâner, menacer, moquer, narguer, oser.
BRAVO. Bravissimo, cri, félicitations.
BRAVOURE. Ardeur, audace, cœur, courage, cran, front, nerf, valeur.
BREBIS. Agneau, chrétiens, feta, mouton, niolo, ouailles, ovin, vacive.
BREF. Abrégé, concis, court, enfin, résumé, sommaire, succinct.
BRÈME. As.
BRETTE. Épée.
BREUVAGE. (Voir boisson.)
BRIBE. Fragment, miette, morceau, partie, zéro.
BRIC-À-BRAC. Bazar, capharnaüm, désordre, hétéroclite, méli-mélo.
BRIDER. Hybrider, nettoyer, serrer.
BRIGAND. Bandit, kleptomane, maraudeur, pilleur, voleur.
BRILLANT. Ara, brio, ciré, éclatant, étoile, luisant, or, radieux, vermeil, vif.
BRILLE. Coruscant, éclat, luit, lumineux, phosphorescent, rutile.
BRILLER. Chatoyer, dorer, étinceler, flamboyer, luire, parer, scintiller.
BRIN. Fétu, fil, miette, natte, peu, plion, quillette, tortis.
BRIS. Éclat, fin, ostéoclasie.
BRISER. Broyer, casser, éclater, écraser, édenter, effondre, éreinter, fracasser, fractionner, gruger, péter, pulvériser, rompre, stèle.
BRISTOL. Carte.
BRISURE. Brèche, cassure, classe, lambel.
BROCANTEUR. Antiquaire, bouquiniste, fripier.
BROCHEUSE. Agrafeuse, couseuse.
BROCHURE. Catalogue, livre, opuscule, pamphlet, prospectus, tract.
BRODERIE. Fanfreluche, filet, oripeau, point, tapisserie, verdurette.
BROME. Br.
BRONCHE. Bronchite, expectorer, pneumonie, toux.
BRONZÉ. Basané, étain, grillé, hâlé, talé.
BROSSE. Balai, carde, écouvillon, goret, hérisson, saie, tapis, veinette.
BROUHAHA. Bruit, chahut, charivari, cohue, foire, tapage, tumulte.
BROUILLARD. Brume, fog, frimas, givre, halo, nuage, nuée, smog.
BROUILLE. Confus, désaccord, froideur, haine, inimitié, nuage, querelle.
BROUILLER. Confondre, désunir, emmêler, fâcher, mêler, troubler.
BROUILLON. Canevas, ébauche, esquisse, manuscrit.
BROUTER. Paître.
BROYER. Concasser, écraser, émietter, mâcher, moudre, piler, râper.
BRUANT. Bréant, oiseau.
BRUIT. Boucan, brouhaha, bruissement, chahut, clapotis, clappement,

coup, crépitation, crépitement, cri, déclic, drelin, détonation, écho, éclat, esclandre, fracas, friture, galop, grincement, huée, hurlement, pet, pétard, râle, ronflement, ronron, rot, rumeur, son, stridulation, tac, tapage, tic, tintamarre, toc, tocsin, tonnerre, tumulte, vacarme.
BRÛLANT. Ardent, caustique, chaud, torride.
BRÛLER. Ambitionner, arder, bronzer, calciner, carboniser, cautériser, consommer, convoiter, crématoire, cuire, détruire, distiller, ébouillanter, échauder, embraser, enflammer, fondre, fusion, griller, hâler, havir, incinérer, phlogistiquer, rôtir, roussir, torréfier.
BRUN. Beige, drabe, ocre.
BRUSQUE. Crise, irruption, ressac, rude, sec.
BRUT. Barbare, écru, fort, frais, fruste, net, sauvage, terne, violent.
BRUTAL. Barbare, cru, grossier, mufle, rude, violent, vulgaire.
BRUYANT. (Voir bruit.)
BUCCAL. Aphte, bouche, mâchoire, mandibule, oral, stomatite, trompe.
BUFFET. Armoire, bahut, commode, crédence, danser, desserte, dressoir, organiste, placard, vaisselier.
BUFFLE. Bœuf, gaur, yac, yack.
BUGLE. Alto, baryton, ive, ivette.
BUISSON. Ardent, bois, bosquet, broussaille, écrevisse, fourré, taillis.
BULBE. Caïeu, cayeu, cervelet, oignon.
BUNGALOW. Habitation, maison, villa.
BUNKER. Casemate.
BUREAU. Cabinet, étude, local, meuble, pupitre, régie, sécrétariat, table.
BURGAUDINE. Burgau, nacre.
BURLESQUE. Bouffon, comique, farce, parodie, ridicule, risible.
BURNOUT. Épuisement, fatigue.
BUSTE. Busc, corsage, piédestal, poitrine, sein, socle, sphinge, torse.
BUT. Afin, fin, intention, mire, pour, prétention, terme, vers, visée, vue.
BUTÉ. Entêté, têtu.
BUTÉE. Arrêtoir, butoir, taquet.
BUTTE. Colline, côte, dune, mont, monticule, motte, talus, tertre.
BUVABLE. Acceptable, passable, potable.
BYTE. Octet.

C

CA. Calcium.
CABALE. Complot, élection, kabbale, intrigue, talisman.
CABANE. Baraque, cabanon, chaume, clapier, couveuse, hutte, niche.
CABARET. Boîte, bistrot, buvette, café, cave, club, taverne, tripot.

CABAS. Couffe, couffin, panier, scouffin.
CABESTAN. Amolette, arbre, câble, carlingue, treuil.
CABILLAUD. Morue.
CABINE. Confessionnal, isoloir.
CABINET. Bureau, chiotte, fourre-tout, gloriette, latrines, pièce, toilette.
CÂBLE. Amarre, clavette, corde, crin, élingue, liure, remorque, torsade.
CABOCHARD. Entêté, opiniâtre, têtu.
CABOCHE. Tête.
CABOT. Muge, mulet, poisson.
CABOTAGE. Navigation.
CABOTIN. Acteur, cabot, charlatan.
CABRIOLE. Caracoler, culbute, galipette, gambade, pirouette, saut.
CABRIOLET. Automobile, cab, tandem.
CACATOÈS. Rosalbin, rosalbine.
CACHE. Cachette, cave, coin, fond, niche, recoin, repli, secret.
CACHER. Abriter, camoufler, celer, couvrir, déguiser, dissimuler, enterrer, feindre, garder, masquer, mentir, muser, nu, occulter, omettre, planquer, soustraire, taire, tapir, terrer, tramer, voiler.
CACHET. Lettre, marque, paye, pilule, salaire, sceau, scel, tampon, visa.
CACHETER. Fermer, marquer, sceller.
CACHETTE. Abri, cache, cape, catimini, dérobée, recoin, tapinois.
CACHEXIE. Abattement, amaigrissement, langueur, pourriture.
CACHOT. Cellule, fosse, oubliette, prison, tullianum.
CACOPHONIE. Chahut, charivari, sénérade, tapage, tintamarre, tumulte.
CADAVRE. Carcasse, charnier, charogne, corps, dépouille, macchabée, momie, mort, noyé, pendu, restes.
CADEAU. Don, dot, étrenne, offre, pot-de-vin, présent, prime, surprise.
CADENCE. Accord, dance, mouvement, poésie, rythme.
CADMIUN. Cd.
CADRAN. Aiguille, gnomon, heure, plan, rosette.
CADRE. Bordure, chassis, décor, encadreur, patron, sommier.
CADUC. Dépassé, nul.
CAFÉ. Arabica, bar, brasserie, cabaret, cafétéria, colombien, comptoir, java, jus, gloria, moka, pub, restaurant, taverne, terrasse.
CAGE. Ascenseur, épinette, juchoir, mue, nichoir, vara, varus, volière.
CAHIER. Agenda, album, calepin, carnet, écart, livre, livret, registre.
CAILLE. Calorifère, puron, tirasse, tome, yaourt, yogourt.
CAILLE-LAIT. Gaillet.
CAILLER. Brousse, coaguler, prendre, présurer, surir.
CAILLOU. Aspre, galet, pierre, rocaille, roche, silex.
CAISSE. Coffre, carrosserie, carton, cave, coffre, colis, paquet, tambour.
CAISSON. Benne.
CAJOLER. Amadouer, caresser, choyer, dorloter, enjôler, flatter, séduire.

CALAISON. Tirant.
CALAMITÉ. Catastrophe, fléau, mal, malheur, maux, misère, peste.
CALANDRE. Golfe, lisse.
CALCAIRE. Chaux, craie, dolomie, marbre, molasse, stalactite, stalagmite, test.
CALCÉDOINE. Agate, cornaline, héliotrope, jaspe, saphirine, silex.
CALCINER. Brûler, carboniser, chaux, cuire, décrépiter.
CALCIUM. Ca.
CALCUL. Arithmétique, compte, mathématique, pierre, preuve, somme.
CALCULER. Chiffrer, compter, dénombrer, estimer, évaluer, supputer.
CALEÇON. Bobette, calcif, culotte, slip, tutu.
CALENDRIER. Agenda, almanach, annuaire, éphéméride, jour, mois.
CALFAT. Étoupe, goudron, pararasse, poix, résine.
CALIBRER. Aléser, cercer, dilater, mesurer.
CALICE. Fleur, patène, tube, vase.
CÂLINERIE. Chatterie.
CALMANT. Apaisant, baume, diacode, dictame, morphine, sédatif.
CALME. Accalmie, ataraxie, béat, bonasse, coi, détendu, flegme, froid, modéré, paix, patient, posé, quiet, relax, sage, serein, tranquille.
CALMER. Adoucir, alléger, amortir, apaiser, assagir, cesser, endormir.
CALONNETTE. Balustre.
CALORIE. Cal, joule.
CALOTTE. Bonnet, casquette, cornée, fez, tape, tuque.
CALUMET. Pipe.
CAMARADE. Allié, ami, compagnon, copain, labades, pote.
CAMARADERIE. Amitié.
CAMBOUIS. Graisse, huile.
CAMBRER. Creuser.
CAMBRIOLAGE. Casse, voler.
CAMBRIOLER. Dévaliser, voler.
CAMBRIOLEUR. Casseur, voleur. monte-en-l'air
CAME. Lève.
CAMELOT. Charlatan, livreur, vêtement.
CAMION. Benne, fardier, routier, seau, tombereau, van.
CAMP. Armée, bivouac, chalet, ennemi, oflag, ost, quartier, stalag.
CAMPAGNE. Agreste, brousse, champ, croisade, guerre, pays, pré.
CANAILLE. Crapule, fripouille, vaurien, vermine.
CANAL. Abée, aqueduc, arroyo, artère, berme, bief, chenal, conduite, cours, dalot, drain, écluse, égout, étier, évent, évier, fistule, lé, naville, passe, rigole, sillon, trachée, tube, tuyau, urètre, veine, voie.
CANAPÉ. Causeuse, crapaud, divan, fauteuil, ottomane, sofa.
CANARD. Arlequin, bec-scie, blé, branchu, brun, carolin, chipeau, colvert, eider, fauve, garrot, harle, huppé, journal, kakawi, macreuse, malard,

marin, mexicain, milouin, morillon, noir, pilet, plongeur, pommelé, routoutou, roux, sarcelle, siffleur, souchet, surface, tadorne.

CANCAN. Calomnie, médisance, potin, racontar, ragot.

CANCRELAT. Coquerelle.

CANDEUR. Crédulité, innocence, naïveté, pureté, simplicité.

CANDIDAT. Aspirant, impétrant, postulant, prétendant.

CANDIDE. Ingénu, naïf.

CANEVAS. Croquis, ébauche, modèle, scénario, schéma, tableau, toile.

CANIF. Couteau, grattoir, lame.

CANNE. Bambou, béquille, bâton, fêle, gaule, jonc, roseau.

CANNEBERGE. Atoca, baie, confiture.

CANNELURE. Canal, creux, gorge, raie, strie.

CANON. Airain, âme, bouche, crosse, culasse, obusier, pétoire, veuglaire.

CANONISÉ. Béatifié, saint, vénérable.

CANOPE. Urne.

CANOT. Barque, canadienne, chaloupe, kayak, racer, yole, zodiac.

CANOTER. Ramer.

CANTATRICE. Chanteuse, cigale, diva, rainette, soprano.

CANTIQUE. Hymne, messe, Noël, psaume, te deum.

CAOUTCHOUC. Ébonite, élastique, gomme, latex.

CAP. Nez, pointe, promontoire, tête.

CAPABLE. Adroit, apte, compétent, habile, intelligent, qualifié.

CAPACITÉ. Aptitude, attitude, efficience, faculté, force, savoir, talent.

CAPE. Manteau, mantelet.

CAPITAINE. Capiston, chef, corsaire, patron, pirate.

CAPITAL. Clé, clef, essentiel, fonds, important, péché, placement, primordial, principal, revenu.

CAPITALE. Pays (capitale). Afghanistan (Kaboul), Afrique du Sud (Pretoria), Albanie (Tirana), Algérie (Alger), Allemagne (Berlin), Andorre (Andorre), Angola (Luanda), Arabie Saoudite (Riyadh), Argentine (Buenos Aires), Australie (Canberra), Autriche (Vienne), Bahamas (Nassau), Bahrein (Manamah), Bangladesh (Dacca), Barbade (Bridgetown), Belgique (Bruxelles), Bélize (Belmopan), Bénin (Porto Novo), Bhoutan (Thimbu), Birmanie (Rangoon), Bolivie (La Paz), Bosnie-Herzégovine (Sarajevo), Botswana (Gaborone), Brésil (Brasilia), Brunei (Bandar Seri Begawan), Bulgarie (Sofia), Burkina Faso (Ouagadougou), Burundi (Bujumbura), Cameroun (Yaoundé), Canada (Ottawa), Cap Vert (Praia), Chili (Santiago), Chine (Beijing), Chypre (Nicosie), Colombie (Bogota), Comores (Moroni), Congo (Brazzaville), Corée du Nord (Pyongyang), Corée du Sud (Séoul), Costa Rica (San José), Côte d'Ivoire (Yamoussoukro), Croatie (Zagreb), Cuba (La Havane), Danemark (Copenhague), Djibouti (Djibouti), Dominique (Roseau), Égypte (Le Caire), El Salvador (San Salvador), Émirats

Arabes (Abu Dhabi), Équateur (Quito), Espagne (Madrid), Estonie (Tallin), États-Unis (Washington), Éthiopie (Addis Abeba), Finlande (Helsinki), France (Paris), Gabon (Libreville), Gambie (Banjul), Géorgie (Tbilissi), Ghana (Accra), Grèce (Athènes), Grenade (Saint-Georges), Guatemala (Guatemala), Guinée (Conakry), Guinée Bissau (Bissau), Guinée Équatoriale (Malabo), Guyana (Georgetown), Haïti (Port-au-Prince), Honduras (Tégucigalpa), Hongrie (Budapest), Inde (New Delhi), Indonésie (Djakarta), Iran (Téhéran), Irak (Bagdad), Irlande (Dublin), Islande (Reykjavik), Israël (Jérusalem), Italie (Rome), Jamaïque (Kingston), Japon (Tokyo), Jordanie (Amman), Kenya (Nairobi), Koweït (Koweït), Laos (Vientiane), Lesotho (Maseru), Lettonie (Riga), Liban (Beyrouth), Libéria (Monrovia), Libye (Tripoli), Liechtenstein (Vaduz), Lituanie (Vilnius), Luxembourg (Luxembourg), Madagascar (Antananarivo), Malawi (Lilongwe), Malaisie (Kuala Lumpur), Maldives (Male), Mali (Bamako), Malte (La Valette), Maroc (Rabat), Maurice (Port Louis), Mauritanie (Nouakchott), Mexique (Mexico), Monaco (Monaco), Mongolie (Oulan-Bator), Mozambique (Maputo), Namibie (Windhoek), Népal (Katmandou), Nicaragua (Managua), Niger (Niamey), Nigéria (Lagos), Norvège (Oslo), Nouvelle-Zélande (Wellington), Oman (Mascate), Ouganda (Kampala), Pakistan (Islamabad), Panama (Panama), Papouasie-Nouvelle-Guinée (Port Moresby), Paraguay (Asuncion), Pays-Bas (Amsterdam), Pérou (Lima), Philippines (Manille), Pologne (Varsovie), Portugal (Lisbonne), Puerto Rico (San Juan), Qatar (Doha), République centrafricaine (Bangui), République Dominicaine (Santo Domingo), République populaire de Kampuchéa (Phnom Penh), Réunion (Saint-Denis), Roumanie (Bucarest), Rwanda (Kigali), Royaume-Uni (Londres), Sainte-Lucie (Castries), Saint Kitts (Basseterre), Saint-Marin (Saint-Marin), Samoa (Apia), Saint-Vincent (Kingstown), Sao Tome (Sao Tome), Sénégal (Dakar), Seychelles (Victoria), Sierra Leone (Freetown), Singapour (Singapour), Slovénie (Ljubljana), Somalie (Mogadiscio), Soudan (Khartoum), Sri Lanka (Colombo), Suède (Stockholm), Suisse (Berne), Surinam (Paramaribo), Swaziland (Mbabane), Syrie (Damas), Taiwan (Taipeh), Tanzanie (Dodoma), Tchad (N'djamena), Tchécoslovaquie (Prague), Thaïlande (Bangkok), Togo (Lomé), Trinadad et Tobago (Port of Spain), Tunisie (Tunis), Turquie (Ankara), Uruguay (Montevideo), Vatican (Vatican), Venezuela (Caracas), Viêt-nam (Hanoi), Yémen (Aden), Yougoslavie (Belgrade), Zaïre (Kinshasa), Zambie (Lusaka), Zimbabwe (Harare).

CAPITULER. Accommoder, céder, reddition.

CAPORAL. Cabot, escouade.

CAPOTER. Ahurir, culbuter, étonner, renverser, stupéfait, troubler.

CAPRICE. Dada, fantaisie, folie, frasque, gré, idée, lubie, marotte, mode.

CAPSULE. Bouchon, couronne, sachet.
CAPTIVER. Attacher, charmer, ensorceler, fasciner, intéresser, séduire.
CAPTURER. Arrêter, emparer, emprisonner, prendre, saisir.
CAPUCHON. Cagoule, chaperon, coiffe.
CARABIN. Étudiant, médecin.
CARABINE. Arme, fusil, rifle.
CARABOSSE. Fée.
CARACTÈRE. Air, aréisme, banalité, beauté, brutalité, corps, critère, critérium, féminité, ferme, gravité, inscription, lettre, modération, nature, nervosité, note, originalité, runes, sampi, sceau, ton, type.
CARAPACE. Dossière, écaille, test.
CARBONATE. Calcité, céruse, cérusité, craie, sidérose, soude, zinc.
CARBURANT. Cétane, essence, éthane, gaz, huile, tétraline.
CARCAN. Cangue.
CARCASSE. Ber, charpente, coque, corps, os, ossature, squelette.
CARDIGAN. Gilet.
CARDINAL. Conclave, éminence, est, oiseau, ouest, nord, sud.
CARESSANT. Accolade, câlin, embrassade, enlacement, étreinte.
CARESSER. Cajoler, câliner, enlacer, flatter, frôler, nourrir, peloter.
CARGAISON. Fret, lège, nolis.
CARIBOU. Renne.
CARIE. Bruine.
CARNAGE. Boucherie, hécatombe, holocauste, massacre, tuerie.
CARNASSIER. Belette, carcajou, caracal, cervier, chacal, couguar, coyotte, fauve, félin, guépard, hermine, hyène, jaguar, léopard, lion, loup, loutre, lynx, ours, martre, mouffette, musaraigne, ours, panthère, pékan, puma, putois, ratel, raton, renard, tigre, vison.
CARNET. Agenda, cahier, calepin, chéquier, livret, mémorandum.
CARNIVORE. (Voir carnassier.)
CARPETTE. Moquette, tapis.
CARRÉ. Carreau, case, échiquier, foulard, lange, quadrillé, rectangle.
CARREAU. Azulejo, carrelage, dalle, malade, matras, tuile, vitre.
CARREFOUR. Bifurcation, croisement, embranchement, intersection.
CARRELET. Ablier, colichemarde, plie.
CARRIÈRE. Ardoisière, cours, filon, latomie, mine, profession, stade.
CARROUSEL. Parade, quadrille, tournoi.
CARTE. As, atout, banque, battre, brelan, brisque, cagnotte, capot, carré, contrat, couleur, coup, coupe, couper, coupeur, couverte, dame, défausse, donne, donneur, écart, écarter, enjeu, entame, entamer, étaler, fiche, figure, forcer, fou, fournir, jeton, levée, main, maldonne, manche, mappemonde, marqueur, mise, mort, paire, parole, partie, passe, passe-partout, paquet, pile, pli, poule, quinte, relance, relancer, renonce,

retourne, roi, rubicon, séquence, suivre, talon, taroté, tierce, tour, trio, valet, valeur.

CARTE (SORTE DE JEU). Bataille, beigne, bésigue, black-jack, boodle, bridge, canasta, chicago, chouette, cinq-cents, cochon, cœurs, concentration, concierge, criblage, cuillère, dime, dix, dominos, école, fan-tan, gin, gin-rami, golf, huit, knock-rami, mémoire, michigan, neuf, newmarket, paquet-voleur, parlement, pêche, piquet, pisseuse, poker, rami, romain, rumoli, salade, samba, saratoga, sept, slapstick, soixante-cinq, sorcière, tête-et-queue, trente et un, trifouille, trio, trou-du-cul, valets, vieille, vingt et un, whist.

CARTON. Boîte, bristol, carte, encart, maifair, pâle, pancarte, pochoir.

CARTOUCHE. Balle, bande, barillet, chargeur, culot, fusil, munition.

CARYATIDE. Télamon.

CAS. Alors, circonstance, événement, occasion, occurrence, récidive.

CASANIER. Bannir, pantouflard, sédentaire.

CASCADE. Abondance, chute, eau, fontaine, jet, nappe, saut, tomber.

CASCADEUR. Acrobate, acteur, casse-cou, hardi.

CASE. Alvéole, cabane, compartiment, hutte, paillotte, subdivision.

CASER. Loger, marier, placer.

CASIER. Boîte, nase, réservation.

CASQUE. Armet, cabasset, crête, heaume, képi, morion, salade, toque.

CASSE. Bris, caduc, dommage, erre, faible, fraction, nase, pauvre, séné.

CASSE-PIED. Geurre, raseur.

CASSER. Abolir, briser, broyer, crever, épointer, fendre, péter, rompre.

CASSEROLE. Chaudron, chevrette, marguerite, poêle, poêlon, sauteuse.

CASSOLETTE. Encensoir.

CATALOGUE. Index, liste, pamphlet, répertoire, rôle, rubrique.

CATARRHE. Monfondure, rhume.

CATASTROPHE. Apocalypse, désastre, drame, fléau, malheur, ruine.

CATÉGORIE. Classe, couche, espèce, genre, ordre, rang, série, variété.

CATÉGORIQUE. Clair, entier, évident, explicite, net, positif, précis.

CATHOLIQUE. Bible, latin, maronite, pape, romain.

CAUCHEMAR. Apparaître, rêve.

CAUSE. Germe, idée, mobile, motif, parle, procès, raison, source, sujet.

CAUSER. Alarmer, charmer, donner, ennuyer, influer, jaser, parler.

CAUSTIQUE. Acéré, corrosif, créosote, décapant, mordant, sublimé.

CAUTELEUX. Hypocrite, méfiant, rusé.

CAUTÉRISATION. Adustion, brûlant, ignipuncture.

CAUTIONNER. Avaliser, garantir, répondre, sûreté.

CAVALE. Cheval, jument, évasion.

CAVALIER. Amazone, écuyer, jockey, picador, reître, sinapisé, spahi.

CAVE. Caveau, cellier, chai, creux, nigaud, rentre, silo, sous-sol, tin.

CAVERNE. Abîme, abri, antre, grotte, repaire, spélonque, tanière.

CAVITÉ. Acétabule, aisselle, alvéole, anfractuosité, bouche, excavation, géode, loge, orbite, oreillette, sinus, terrier, trou, utricule, vacuole.
CECI. Ce.
CÉCIDIE. Galle.
CÉDER. Abandonner, caner, capituler, condescendre, échanger, faiblir, flancher, incliner, obéir, plier, prêter, résigner, soumettre, vendre.
CEINDRE. Auréoler, boucler, embrasser, entourer.
CEINTURE. Bande, ceinturon, dan, gaine, obi, ruban, sangle, zone.
CELA. Ça, pour.
CÉLÉBRATION. Cérémonie, épousailles, mariage, noce, service.
CÉLÈBRE. Célébrité, glorieux, illustre, notoire, renommé, réputé, star.
CÉLÉBRER. Amuser, chanter, chômer, dire, fêter, louer, nocer, vanter.
CÉLÉBRITÉ. Célèbre, gloire, renom, vedette, star.
CÉLERI. Ache.
CÉLÉRITÉ. Promptitude, rapidité, vélocité, vitesse.
CELLULE. Alvéole, baside, blastomères, bloc, cachot, gamète, œuf, ovule, neurone, noyau, ovule, plasmode, prison, spore, violon, zoospore.
CELLULOSE. Cellophane, pellicule, viscose.
CELTIUM. Ct.
CENSURE. Blâme, contrôle, critique, index, punition, suspension.
CENTRAL. Âme, axe, cœur, focal, noyau, ombilic.
CENTRALE. Usine.
CENTRE. Âme, axe, cœur, foyer, giron, milieu, nœud, pôle, sein, siège.
CEP. Orne, treille, vigne.
CÉPAGE. Aligoté, aragon, cabernet, carignan, chardonnay, chenin, cinsault, gamay, gewurztraminer, grenache, malbec, merlot, muscat, nebbiolo, picardan, pinot, riesling, sangiovese, sarment, sauvignon, sémillon, syrah, tempranillo, vigne, vin, zinfandel.
CEPENDANT. Malgré, néanmoins, nonobstant, pourtant, toutefois.
CÉRAMIQUE. Faïence, ferrite, grès, terre.
CERBÈRE. Gardien, portier.
CERCLE. Almicantarat, anneau, arc, aréole, boucle, cerceau, cerne, halo, jante, listel, lobe, lune, nimbe, orbe, rayon, rond, rouet, sinus, tour.
CERCUEIL. Bière, sarcophage, tombe.
CÉRÉALE. Avoine, blé, farine, gruau, orge, maïs, riz, sarrazin, seigle.
CÉRÉMONIAL. Apparat, étiquette, ite, protocole, règle, rite.
CÉRÉMONIE. Anniversaire, dreviches, fête, formalité, gala, inauguration, ite, messe, onction, ordre, parade, prescrit, rite, taffetas.
CERF. Biche, chevreuil, cor, daim, élan, faon, orignal, renne, wapiti.
CERISE. Bigarreau, cerisette, griotte, guigne, mahaleb, merise.
CERISIER. Amer, catalina, guignier, merisier, Mississippi, Pennsylvanie, tardif, Virginie.
CÉRIUM. Ce.

CERNER. Assiéger, bloquer, encercler, entourer, investir.
CERTAIN. Constant, évident, infaillible, positif, réel, sûr, un, vrai.
CERTAINEMENT. Sûrement.
CERTIFICAT. Attestation, brevet, licence, parère, passeport, preuve.
CERTITUDE. Absolu, axiome, doctrine, dogme, évidence, oracle, vérité.
CÉRUMEN. Cire.
CERVEAU. Aqueduc, cérébral, cervelle, crâne, encéphale, siège, tête.
CESSATION. Arrêt, fin, mort, relâche, repos, silence, suspension, trêve.
CESSER. Abandonner, arrêter, briser, classer, débrayer, dételer, finir, lever, mourir, négliger, ôter, perdre, renoncer, retirer, sevrer, tarir.
CÉTONE. Ionone.
CHAFOUIN. Ruse, sournois.
CHAGRIN. Dégoût, dépit, déplaisir, ennui, mal, marri, peine, tristesse.
CHAHUT. Bacchanale, bruit, chambsard, tapage, tumulte, vacarme.
CHAÎNE. Acatème, fer, giletière, léontine, lien, récif, sautoir, trame.
CHAIR. Cerneau, charnel, charnu, charogne, dodu, plie, pulpe, viande.
CHAIRE. Ambon, cathère, estrade, homilétique.
CHAISE. Banc, filanzane, litière, palanquin, siège, trorote, vinaigrette.
CHALAND. Acon, client, coche, flette, halé, lé, mahonne, péniche.
CHALDÉE. Astrologie, our, ur.
CHALEUR. Ardeur, canicule, chaud, feu, fièvre, joule, rut, vie, zèle.
CHALEUREUX. Animé, ardent, enthousiaste, fervent, passionné.
CHALUT. Filet, traille.
CHAMARRER. Barioler, orner, veiner, zébrer.
CHAMBRE. Assemblée, cellule, cubiculaire, étuve, galetas, harem, loi, mansarde, odalisque, piaule, pièce, pneu, sénat, tribunal, turne.
CHAMOIS. Isard.
CHAMP. Clos, friche, hippodrome, lopin, plantation, prairie, turf, verger.
CHAMPÊTRE. Agreste, bucolique, campagnard, rural, rustique.
CHAMPIGNON. Acrosperme, agaric, amadouvier, amanite, amanitopsis, armillaire, ascomycètes, basidiomycètes, bolet, bolétin, chanterelle, clavaire, clitocybe, collybie, coprin, cortinaire, craterelle, entolome, eumycètes, géaster, gomphide, gyromitre, hébélome, helvelle, hydne, hygrophore, hypholome, lactaire, lentine, lépiote, levure, marasme, mérule, morille, mycène, myxomycètes, oïdium, omphalie, oreille, pane, panéole, paxille, pézize, phallus, pholiote, phycomycètes, pleurote, plutée, polypore, psalliote, puccinie, russule, sclérodermes, strophaire, trémelle, tricholome, trompette, truffe, vesse-de-loup, volvaire.
CHAMPION. As, défenseur, vainqueur, vedette.
CHAMP. Foirail, hippodrome, lice, linière, luzernière, rizière.
CHANCE. Aléa, atout, filon, guigne, hasard, heur, sort, veine, verni.
CHANCELER. Balancer, branler, chavirer, tituber, trembler, vaciller.
CHANDELLE. Bougie, candélabre, cierge, flambeau, lampillon, lumignon.

CHANGEANT. Bizarre, inégal, instable, léger, variable, versatile, volage.
CHANGEMENT. Avatar, détour, oscillation, métagramme, modification, mue, mutation, nuance, phase, saute, transmutation, variation, virage.
CHANGER. Aérer, altérer, amender, commuer, dégénérer, déliter, dévier, émigrer, évoluer, falsifier, innover, inverser, ossifier, muer, muter, raviser, remanier, remuer, revenir, tourner, varier, virer.
CHANSON. Bacarolle, berceuse, chant, clip, complainte, comptine, couplet, parolier, pot-pourri, refrain, rengaine, romance, ronde, tube.
CHANSONNER. Chanter.
CHANT. Air, cantatrice, capella, chœur, choral, introït, lied, mélopée, monodie, motet, nénies, ode, orphéon, péan, pluriel, prose, psaume, ramage, rhapsodie, solea, voceri, vocero.
CHANTEPLEURE. Robinet.
CHANTER. Attaquer, bramer, capella, chantonner, détonner, hurler, injurier, iodler, iouler, jodler, ramager, roucouler, ténoriser.
CHANTEUR. Alto, basse, chantre, chœur, idole, rocker, soprano, ténor.
CHANTEUSE. Cantatrice, diva, geisha, prima donna, rockeuse.
CHANTIER. Atelier, ouvrier, tas.
CHANTONNER. Chanter, détonner.
CHANVRE. Abaca, cannabis, chènevis, corde, étoupe, haschisch, kif, marijuana, rouet, rouir, tissu, toile, treillis.
CHAPEAU. Béret, bob, bibi, bicorne, bolivar, cape, claque, feutre, gibus, képi, manille, melon, mitre, panama, sombrero, suroît, tricorne, tube.
CHAPELET. Clane, dizaine, psautier, rosaire.
CHAPELLE. Absidiole, baptistère, crypte, église, oratoire, pagode.
CHAPITRE. Article, division, doyen, exergue, livre, partie, poste, titre.
CHAQUE. Élément, exemplaire, respectif, tous, tout, unité.
CHAR. Auto, automobile, bazou, bige, corbillard, engin, panzer, tank.
CHARABIA. Argot, baragouinage, bizarre, galimatias, jargon, obscur.
CHARADE. Devinette, énigme, question.
CHARANÇON. Anthonome, apion, calandre, rhynchite.
CHARBON. Coke, diamant, fusain, gril, houille, lignite, maladie, tourbe.
CHARCUTERIE. Cochonnaille, pâtisserie, porc.
CHARDON. Acanthe, bosse, carde, cirse, pédane, piquant.
CHARGE. Ânée, dette, devoir, édilité, encrer, emploi, étude, excès, faix, fardeau, franco, humide, imager, impôt, lester, mine, peser, poids, port.
CHARGER. Déléguer, engager, facturer, imposer, recharger, transborder.
CHARIOT. Binard, callisto, camion, charrette, diable, wagon.
CHARITABLE. Bon, compatissant, généreux, humain, obligeant, sensible.
CHARITÉ. Aumône, bonté, clémence, don, générosité, quête, tolérance.
CHARIVARI. Bruit, sérénade, tapage.
CHARLATAN. Camelot, imposteur, menteur, parleur, trompeur.

CHARMANT. Adorable, attrayant, beau, coquet, enchanteur, ensorcelant, exquis, fascinant, gai, joli, ravissant, séducteur, séduisant.
CHARME. Appât, attrait, beauté, élégance, goût, grâce, tournure.
CHARNIÈRE. Articulation, combe, gond.
CHARNU. Dodu.
CHAROGNE. Cadavre, carogne, chair, mort.
CHARPENTE. Arêtier, cadre, if, os, ossature, pan, pilier, squelette, tin.
CHARPENTIER. Abeille, équerre, menuisier, rénette, tarière, vrille.
CHARRETTE. Carriole, chariot, diable, ridelle, tombereau, voiture, wagon.
CHARRIER. Charroyer, emporter, exagérer, moquer, traîner, transporter.
CHARRUE. Araire, binet, cep, houe, labour, pelle, rets, rite, soc, trisoc.
CHASSE. Fouée, louveterie, panneautage, piégeage, piper, vénerie, volerie.
CHASSE. Absidiole, affût, battue, drag, piégeage, poursuite, safari.
CHASSER. Bannir, écarter, exclure, déloger, exiler, rejeter, vider, voler.
CHASSEUR. Boucanier, braconnier, corvette, piégeur, trappeur, veneur.
CHÂSSIS. Bâti, cadre, encadrement, fenêtre, moustiquaire, structure.
CHASTE. Décent, prude, puceau, pucelle, pudique, pur, sage, vierge.
CHASTETÉ. Décence, pudeur, honneur, retenue, sagesse, vertu, vœu.
CHAT. Angora, félin, haret, ocelot, lion, lynx, matou, minet, serval, tigre.
CHÂTAIGNE. Bogue, hérisson, marron, oursin, porc, tan.
CHÂTEAU. Castel, eu, if, citadelle, donjon, manoir, navire, palais, ussé.
CHÂTIER. Corriger, fouetter, fustiger, parfaire, polir, punir, venger.
CHÂTIMENT. Dam, exemple, peine, pénitence, punition, sanction.
CHATOUILLEMENT. Papouille, titillation.
CHATTERIE. Câlinerie, friandise.
CHAUD. Ardent, bouillant, brûlant, canicule, thermos, tiède, torride.
CHAUFFAGE. Biénergie, bûche, chaudière, foyer, feu, poêle, surchauffe.
CHAUFFER. Bouillir, cuire, échauffer, griller, réchauffer, rôtir, souder.
CHAUME. Cabane, éteule, étrape, paille, tige.
CHAUSSÉE. Asphalte, digue, duit, jetée, pavée, route, rue, voie.
CHAUSSON. Babouche, bas, gosette, kroumir, mule, pantoufle, savate.
CHAUSSURE. Bas, botte, bottine, derby, espadrille, galoche, grole, grolle, mocassin, mule, pantoufle, patin, sabot, sandale, savate, soulier.
CHAUVE-SOURIS. Céphalote, harpie, myoptère, noctule, vampire.
CHAVIRER. Abîmer, couler, culbuter, émouvoir, renverser, sombrer.
CHEF. Amman, as, caïd, calife, chancelier, cheik, curion, despote, dey, duc, duce, émir, hérésiarque, iman, maire, maître, ovate, pacha, pape, parrain, père, prote, rapin, sachem, satan, shah, shérif, roi, tête, vizir.
CHEMIN. Allée, chenal, descente, détour, funiculaire, guide, itinéraire, lé, piste, rail, ravin, route, rue, sente, sentier, traverse, vie, voie.
CHEMISE. Camisole, gilet, haire, jabot, jaquette, plastron, polo.
CHENAL. Canal, chemin, grau, lit, passe.
CHENAPAN. Bandit, vaurien.

CHÊNE. Bicolore, blanc, bleu, buis, Californie, chapman, chênaie, chinquapin, douglas, eau, écarlate, émory, engelman, gambel, gris, gui, imbriqué, kellogg, liège, marais, marécages, nuttall, prin, quercus, rouge, saule, shumard, teinturier, vélani, vert, yeuse.
CHENILLE. Cocon, coque, épite, larve, mue, nymphe, papillon, ver.
CHEPTEL. Bétail.
CHER. Aimé, chéri, coûteux, onéreux, surpayer.
CHERCHER. Autopsier, courtiser, étudier, fureter, tâtonner, tenter, viser.
CHERCHEUR. Curieux, orpailleur, scientiste.
CHÉRIR. Aimer.
CHÉRUBIN. Ange, enfant.
CHÉTIF. Faible, fragile, gringalet, malingre, mauviette, misérable.
CHEVAL. Amble, anglo-normand, aubère, bourrin, brassicourt, cavale, cob, dada, étalon, genêt, goussaut, mors, mule, outsider, pégase, polo, poney, pur-sang, relais, rosse, roussin, ruer, trotteur, turf, yearling, zain.
CHEVALET. Étai, râtelier, sourdine.
CHEVALIER. Adouber, honneur, noble, omble, paladin, preux, templier.
CHEVAL-VAPEUR. C. H., C. V., H. P., joule.
CHEVELURE. Alopécie, cheveux, coiffure, natte, scalp, tignasse, toison.
CHEVESNE. Able, cabot, meunier.
CHEVEUX. Albinos, canitie, frange, natte, pou, scalpe, tignasse, xérasie.
CHEVILLE. Axe, cabillot, chevron, clou, épite, esse, fiche, tee, trenail.
CHÈVRE. Bique, biquette, bouc, cabri, chevreau, chevrette.
CHEVREAU. Bicot, biquette, capri, chevrette, faon.
CHEVRETTE. Bicot, biquette, capri, chevreau, faon.
CHEVRON. Brisque, cheville, coyau, faîtage, tige.
CHEVRONNÉ. Doyen, émérite.
CHIC. Chouette, classe, élégance.
CHICANE. Argument, bisbille, détour, dispute, équivoque, noise.
CHICANER. Argumenter, contredire, critiquer, disputer, ergoter.
CHIEN. Aboyeur, barbet, basset, bâtard, beagle, berger, bouvier, boxer, braque, cabot, caniche, chenil, chiot, cocker, colley, danois, dingo, dogue, griffon, husky, lévrier, malinois, mastiff, meute, molosse, niche, pataud, ratier, roquet, roussette, setter, teckel, terre-neuve, toutou.
CHIFFONNER. Friper, froisser, plisser, tourmenter.
CHIFFRE. Arabe, calcul, marque, nombre, note, numéro, romain, tomer.
CHIMÈRE. Fantastique, idée, illusion, monstre, rêve, roman, utopie.
CHIMÉRIQUE. Fabuleux, imaginaire, irréel.
CHINER. Acheter, barioler, critiquer, railler.
CHIPIE. Garce.
CHLORE. Cl.
CHLORURE. Calomel, sel.
CHOC. Cahot, collision, contrecoup, coup, heurt, impact, percussion.

CHOIR. Abattre, débouler, dévaler, effondrer, étendre, tomber.
CHOISIR. Adopter, arbitre, élire, nommer, opter, sélectionner, trier.
CHOIX. Alternative, anthologie, élection, option, sélection, tri.
CHÔMER. Fêter, oisif.
CHOPER. Voler.
CHOQUANT. Cru, fâcheux, indécent, offensant, nu, osé, révoltant.
CHOQUER. Agacer, ennuyer, fouetter, heurter, offusquer, ulcérer, vexer.
CHOU. Profiterole.
CHOU-RAVE. Rutabaga.
CHOYER. Aduler, aimer, cajoler, caresser, gâter, soigner.
CHRIST. Calvaire, chrétien, croix, église, Jésus, ouailles, messie, Noël.
CHROMATISME. Coloration.
CHROME. Cr.
CHRONOLOGIE. Âge, agenda, almanach, an, annales, calendes, calendrier, date, ère, hégire, ides, indiction, jour, nones, parachronisme.
CHUCHOTER. Murmurer, susurrer.
CHUTE. Alopécie, cascade, culbute, défloraison, dégringolade, éboulement, écroulement, effondrement, pluie, ptôse, saut, tomber.
CHUTER. Culbuter, glisser, sauter, tomber.
CIBLE. But, carton, mouche.
CIBOULETTE. Cive, civette, oignon.
CIBOULOT. Tête.
CICATRICE. Balafre, cal, couture, entaille, marque, stigmate, tracé.
CIEL. Air, astre, azur, calotte, cieux, éther, exil, frise, lit, olympe, voûte.
CIERGE. Chandelle, cire, fiche, flambeau, if, molène, pointe, souche.
CIGARE. Havane, londrès, manille, panatela.
CIGARETTE. Blonde, cape, cartouche, clope, mégot, pof, robe, sèche.
CIGARILLO. Ninas.
CIL. Cirre, mascara, rimmel.
CIME. Crête, dôme, faîte, hauteur, pinacle, sommet, tête, volis.
CIMENT. Béton, chaux, crépi, dalle, joint, lut, stuc.
CIMENTER. Bétonner, crépir, joindre, maçonner, raffermir, sceller.
CIMER. Écrêter, étêter.
CIMETIÈRE. Catacombe, charnier, columbarium, nécropole, ossuaire.
CINÉMA. Art, caméra, ciné-parc, copie, décor, écran, figurant, salle.
CINGLER. Battre, chapeau, couper, fouetter, naviguer, sévère.
CINQ. Ans, cinquième, lustre, quine, quintette, quintuple, sens, sec, v.
CINQUANTE. Cinquantaine, danaïdes, L, néréides, pentecôte, États-unis.
CINQUIÈME. Cinq, han, jeudi.
CIPPE. Stèle.
CIRCONFÉRENCE. Aube, auge, cercle, orbiculaire, pi, rayon, rond, tour.
CIRCONSCRIPTION. Cité, dème, finage, igamie, préfecture, secteur.
CIRCONSCRIRE. Délimiter, limiter, localiser, mesurer, orbe, paroi.

CIRCONSPECT. Avisé, mesuré, pesé, prudent, réservé, réticent, sage.
CIRCONSPECTION. Compté, discrétion, maîtrise, ménagement, précaution, prude, prudence, retenue, sagesse, sobre.
CIRCONSTANCE. Cas, face, impondérable, lieu, occurrence, rencontre.
CIRCUIT. Aérodrome, bouclage, boucle, castellet, chelem, contour, circonférence, enceinte, homerun, pourtour, randonnée, tour, voyage.
CIRCULAIRE. Couronne, jante, rond, rose, roue, tour, tuyau, venet.
CIRCULATION. Apoplexie, cours, émission, mouvement, pontage, rue.
CIRCULER. Artère, courir, émettre, marcher, passer, tourner, veine.
CIRRHE. Vrille.
CIRE. Ambre, batik, fart, polir, rayon, ruche.
CIRQUE. Acrobate, arène, gave, gradin, magicien, piste, podium, soleil.
CISAILLE. Cueilloir, tailloir.
CISEAU. Bedane, biseau, burin, gouge, molette, onglet, orfèvre, sculpteur.
CITATION. Allégation, assignation, expression, passage, référence, vers.
CITER. Alléguer, intimer, indiquer, nommer, rapporter, signaler, viser.
CITHARE. Lyre, vina.
CITRON. Agrume, citronnier, lime, limette, limonade, punch, zeste.
CIVIÈRE. Bard, brancard, oiseau.
CLAIE. Clayonnage, clisse, douve, éclisse, grille, jonc, natte, osier, parc.
CLAIR. Aigu, apparent, bien, blanc, calme, connu, déchiffré, évident, fluide, manifeste, net, perçant, précis, pur, serein, transparent.
CLAIRE-VOIE. Bard, claie, filet, gril, râtelier, triforium.
CLAIREMENT. Net, nettement.
CLAIRSEMER. Rare.
CLAIRVOYANT. Acuité, argus, astrologue, flair, lucide, numérologue.
CLAMER. Crier, haro, proclamer, vacarme.
CLAMEUR. Cri, haro, vacarme.
CLAN. Classe, famille, parti, partisan, tribu.
CLANDESTIN. Cacher, contrebande, noir, pègre.
CLAQUE. Applaudir, battre, cède, gifle, tape.
CLAQUER. Éreinter.
CLAQUETTE. Claquoir.
CLARIFIER. Élucider, épurer, expliquer, purifier.
CLARTÉ. Jour, limpidité, lueur, lumière, luminosité, netteté, précision.
CLASSE. Amide, caste, catégorie, clan, degré, division, espèce, étude, famille, groupe, niveau, ordre, ptéropode, rang, salle, seconde, section.
CLASSER. Archiver, calibrer, numéroter, ranger, séparer, sérier, trier.
CLASSIFICATION. Choix, hiérarchie, nosologie, ordre, posologie, rang.
CLAUSE. Condition, convention, réméré, réserve, stipulation.
CLÉ. Clef, passe-partout.
CLEF. Clé, passe-partout.
CLERC. Acolyte, diacre, portier.

CLIENT. Acheteur, consommateur, habitué, prospect.
CLIMAT. Atmosphère, ciel, météo, température, temps.
CLIN D'ŒIL. Œillade.
CLOCHARD. Robineux.
CLOCHE. Abri, airain, bourdon, campane, campanulacée, chapeau, clarine, clochette, glas, gong, grelot, sonnerie, sonnette, timbre, tocsin.
CLOCHER. Beffroi, campanile, tour.
CLOCHETTE. Clarine, sonnette.
CLOISON. Charpente, émail, épi, judas, mur, paroi, voile, voûte, zeste.
CLORE. Boucher, celer, classer, fermer, finir, lever, limiter, terminer.
CLÔTURE. Balustrade, claie, haie, mur, palissade, rampe, vitrage.
CLOU. Crampon, furoncle, goujon, piton, rivet, tricouni, tumeur, vis.
CLOUER. Enfoncer, ficher, rabattre, reclouer, river, visser.
COAGULER. Cailler, congeler, cristalliser, figer, grumeler, liguer.
COALITION. Association, bloc, complot, front, ligue, union.
COBALT. Co.
COCAÏNE. Came, coca, coke, coco, crack, neige.
COCCYX. Os.
COCHON. Cochonnet, goret, groin, orictérope, pécari, porc, truie, verrat.
CODE. Code-barres, cryptage, décalogue, deuteronome, loi, règle, titre.
CŒUR. Amour, aorte, arythmie, énergie, milieu, sang, sein, trognon.
COFFIN. Étui.
COFFRE. Bahut, bière, boîte, boîtier, caisse, carton, case, layette, malle.
COFFRET. Boîte, cassette, écrin, écriture, épi, ménagère.
COGITER. Penser.
COIFFURE. Bavolet, béret, bonnet, calot, capeline, cornette, épi, figaro, képi, mitre, pschent, tarbouch, tarbouche, tiare, toque, truffe, turban.
COIN. Amure, angle, angrois, biseau, corne, encoignure, recoin.
COL. Cou, défilé, gorge, goulot, pas, passage, port, tende, tibi.
COLÉOPTÈRE. Agriote, altise, apion, ateuchus, bousier, cétoine, ciron, coque, eumolpe, insecte, ips, lucane, scarabée, scolyte, taret, vrillette.
COLÈRE. Aigri, avertin, ému, fureur, ire, irritation, rage, rogne, tollé.
COLÉREUX. Emporté, irascible, rageur, susceptible.
COLIFICHET. Babiole, bagatelle, bricole.
COLLABORATION. Association, contribution, coopération, participation.
COLLANT. Agglutinant, bas, étroit, pantalon.
COLLATION. Encas, goûter, repas, thé.
COLLATIONNER. Comparer, relire, vidimer.
COLLE. Adhésif, empois, glu, gomme, goudron, mastic, résine.
COLLECTE. Aumône, levée, quête, ramasser.
COLLECTION. Assortiment, bibliothèque, ensemble, fichier, galerie, ménagerie, musée, panoplie, philatéliste, recueil, suite, varia.
COLLECTIONNEUR. Numismate.

COLLÉGIEN. Écolier, étudiant.
COLLER. Adhérer, agglutiner, attacher, encoller, gommer, recoller, tenir.
COLLERETTE. Bride, fraise, pèlerine.
COLLIER. Barbe, boa, carcan, chaîne, fraise, misère, rivière, torque.
COLLISION. Abordage, accident, choc, heurt, impact, tamponnage.
COLLOQUE. Forum.
COLOMBIUM. Cb.
COLONNE. Base, ciel, cippe, échine, rachis, rostrale, stèle, torse, trompe.
COLOPHANE. Arcanson.
COLOQUINTE. Chocotin, tête.
COLORER. Colorier, iriser, panacher, pigmenter, teindre, teinter.
COLORIAGE. Couleur, lavis, laqué.
COLORIS. Couleur, guide, teinte.
COLOSSAL. Démesuré, énorme, immense, monstre, monumental.
COMBAT. Assaut, bataille, boxe, choc, duel, engagement, guerre, joute, lutte, mêlée, opération, pugilat, querelle, rif, salve.
COMBATTRE. Assaillir, battre, lutter, militer, réfuter, toréer.
COMBINAISON. Calcul, coup, poule, projet, réussite, spéculation.
COMBINER. Allier, joindre, mêler, mettre, mixer, ourdir, oxyder, unir.
COMBLE. Apogée, bourré, empli, faîte, ferme, plein, sommet, summum.
COMBLER. Bourrer, emplir, entourer, gâter, gorger, remblayer, remplir.
COMBUSTIBLE. Boulet, charbon, fuel, houille, mazout, méta, tourbe.
COMÉDIE. Bouffonnerie, drame, farce, mime, muse, pièce, plaisanterie, rire, scène, sketch, théâtre, vaudeville.
COMÉDIEN. Acteur, artiste, cabotin.
COMIQUE. Amusant, bouffon, cocasse, drôle, farceur, gai, hilare, rigolo.
COMMANDE. Achat, autorité, demande, exige, manette, ordonne.
COMMANDEMENT. Amirauté, arrêté, autant, autorité, consigne, décret, direction, empire, état-major, loi, ordre, sommation, ultimatum.
COMMANDER. Acheter, exiger, forcer, mener, ordonner, prier, sommer.
COMMENCEMENT. Alpha, aube, aurore, bout, début, entrée, lever, tête.
COMMENCER. Agir, amorcer, apercevoir, créer, dater, débuter, devenir, éclore, engager, entamer, entonner, entreprendre, entrer, faire, gazouiller, germer, naître, partir, poindre, recommencer.
COMMENTER. Annoter, expliquer, interpréter, noter.
COMMENTAIRE. Annotation, explication, interprétation.
COMMÉRAGE. Bavardage, cancan, médisance, potin, ragot.
COMMERÇANT. Ferrailleur, grainetier, marchand, mercanti, négociant.
COMMERCE. Boulangerie, buanderie, dentellerie, ébénisterie, édition, essencerie, firme, gros, oisellerie, librairie, lingerie, maroquinerie, mercerie, meunerie, négoce, orfèvrerie, trafic, traite, troc, vente.
COMMETTRE. Attenter, faire, frauder, gaffer, pécher, perpétrer.
COMMIS. Calicot, employé.

COMMISSAIRE. Ablégat, légat, zétète.
COMMISSION. Achat, boni, bonus, jury, message, remise, salaire.
COMMODE. Aisé, bien, chic, coffre, doux, facile, meuble, sur, utile.
COMMODÉMENT. Aisément, bien-être, convenu, utilement.
COMMODITÉ. Aisance, aise, confort, convenance, selle, toilette, utilité.
COMMUN. Abondant, banal, cliché, connu, général, usuel, vulgaire.
COMMUNAUTÉ. Église, jésuite, moine, nation, oblat, ordre, religieuse.
COMMUNICATION. Anastomose, confidence, dépêche, lettre, note.
COMMUNION. Calice, cène, ciboire, hostène, pale, pâques, patène, rite.
COMMUNIQUER. Aimanter, écrire, imprimer, inoculer, publier, révéler.
COMPACT. Dense, épais, ferme, lourd, mat, plein.
COMPACTER. Tasser.
COMPAGNE. Amie, épouse, collègue, consœur, copine, femme.
COMPAGNIE. Avec, appui, biribi, cie, collège, conseil, société, troupe.
COMPAGNON. Ami, camarade, condisciple, copain, mari, mouton.
COMPAGNONNAGE. Accompagnement, syndicat, truste.
COMPARAISON. Aussi, comme, entre, mieux, moins, parabole, parallèle.
COMPARAÎTRE. Citer, comparoir, contumace, présenter, venir.
COMPARER. Confronter, différencier, gabarier, peser, rapprocher.
COMPARTIMENT. Bulge, case, coffre, horst, loge, réduit, stalle, tiroir.
COMPASSION. Déplorable, intéresser, pitié, sensibilité.
COMPATISSANT. Humain, sensible.
COMPATISSER. Déplorer, intéresser, plaindre.
COMPLÉMENT. Quoi, supplément.
COMPLET. Absolu, accompli, adéquat, consommé, entier, fini, intégral, mûr, parfait, plein, ras, rempli, terminé, total, tout, unanime.
COMPLICATION. Chinoiserie, complexité, confusion, difficulté, nœud.
COMPLICE. Acolyte, auxiliaire, comparse, compère, mèche.
COMPLICITÉ. Accord, collusion, connivence, intelligence, recel, union.
COMPLIMENT. Congratulation, éloge, félicitations, louange, politesse.
COMPLIQUÉ. Ardu, chinois, complexe, confus, difficile, embrouillé.
COMPLIQUER. Caler, embrouiller, mêler, tarabiscoter.
COMPLOT. Attentat, cabale, conspiration, intrigue, ligue, machination.
COMPLOTER. Concerter, conspirer, machiner, ourdir, terminer, tramer.
COMPORTEMENT. Action, agissement, comporter, procédé, réaction.
COMPOSÉ. Mélange.
COMPOSER. Céder, compiler, constituer, créer, écrire, élucubrer, faire, imaginer, imprimer, inventer, lever, mélanger, produire, rédiger.
COMPOSITION. Ballet, cantate, chant, cire, concerto, construction, fard, galée, image, madrigal, motif, octuor, opéra, oratorio, pan, pièce, plan, potée, quatuor, ré, rhapsodie, sonate, stras, strass, stratus, texte.
COMPRÉHENSION. Connaissance, entendement, entente.
COMPRENDRE. Concevoir, démêler, lire, pénétrer, piger, réaliser, saisir.

COMPRIMER. Entasser, épais, masser, presser, pétrir, serrer, tasser.
COMPTABILITÉ. Chiffrier, dû, écriture, garant, reçu, tenue, trésorier.
COMPTE. Actif, avoir, bilan, état, facture, note, passif, taux, taxe, total.
COMPTER. Attendre, dépouiller, escompter, espérer, estimer, nombrer.
COMPTOIR. Caisse, établissement, guichet, loge, magasin, zinc.
CONCÉDER. Accorder, avouer, attribuer, céder, octroyer, permettre.
CONCENTRATION. Contemplation, cuite, densité.
CONCENTRER. Assembler, focaliser, polariser, rallier, ramasser.
CONCEPT. Catégorie, idée, implication.
CONCEPTEUR. Ingénieur.
CONCEPTION. Art, désir, idée, prévision, savoir, sens, théorie, utopie.
CONCERNER. Intéresser, propre, rapport, regarder, relever, toucher.
CONCERT. Accord, aubade, audition, chant, ensemble, sérénade, union.
CONCERTER. Coaliser, comploter, entendre, machiner, préparer.
CONCESSION. Boutique, claim, commerce, entreprendre, octroi, quoique.
CONCEVOIR. Comprendre, croire, former, imaginer, penser, sentir.
CONCIERGE. Cerbère, gardien, geôlier, pipelet, portier, prison.
CONCILIANT. Arrangement, comprendre, facile, indulgent, souple.
CONCILIER. Accommoder, accorder, allier, arrangement.
CONCIS. Bref, condensé, court, dense, précis, serré, sommaire, succinct.
CONCLUSION. Analyse, argument, conséquence, dénouement, donc, enfin, enseignement, épilogue, finir, issue, leçon, morale, péroraison.
CONCOMBRE. Coloquinte, cornichon, courge, ecballium, élatérion, melon.
CORCORDER. Accorder, cadrer, correspondre, répondre, rimer.
CONCOURS. Aide, as, conjoncture, examen, loge, quiz.
CONCRET. Positif, réel.
CONCRÉTISER. Calculer, congeler, cristalliser, pétrifier, réaliser.
CONCURRENT. Adversaire, candidat, compétiteur, émule, favori, rival.
CONDAMNATION. Blâme, damnation, exil, forçat, peine, proscription.
CONDAMNER. Bannir, blâmer, damner, maudire, punir, réprouver.
CONDENSER. Abréger, compact, concentrer, concret, figer, résumer.
CONDESCENDANCE. Charité, complaisant, indulgence.
CONDIMENT. Ail, câpre, ciboulette, épice, gingembre, poivre, sel.
CONDITION. Clause, contrat, état, exigence, fange, loi, qualité, si, vie.
CONDUCTEUR. Aurige, chauffard, chauffeur, chef, cocher, cornac, fil, isolant, mécanicien, métal, musagète, pilote, postillon, routier.
CONDUIRE. Aboutir, administrer, agir, aller, amener, conduite, diriger, emmener, entraîner, gouverner, guider, mener, piloter, surveiller.
CONDUIT. Ânier, canal, chemin, cheminée, collecteur, drain, égout, oura, ouverture, méat, métal, mû, pierrée, pipe, tube, tuyau, va.
CONDUITE. Action, agissement, décente, égout, manège, ton, tuyau.
CONFECTIONNER. Broder, coudre, faire, ourler, ouvrer, piquer, tailler.
CONFÉDÉRATION. Allié, centrale, fédération, ligue, union.

CONFÉRENCE. Colloque, congrès, dire, entretien, expliquer, exposé, orateur, palabre, parler, pourparler, séance, séminaire, sermon.
CONFÉRENCIER. Orateur.
CONFÉRER. Anoblir, baptiser, dire, fonction, parler.
CONFESSER. Attrition, avouer, dire, pénitent, remords, repentir.
CONFESSION. Accusation, aveu, expiation, pénitence, religion.
CONFIANCE. Aplomb, assurance, créance, crédit, croire, foi, sécurité.
CONFIDENT. Ami, intime.
CONFIDENTIEL. Caché, secret.
CONFIER. Acheter, assurer, avouer, communiquer, confidence, croire, déléguer, épancher, laisser, livrer, ouvrir, prêter, transmettre.
CONFIRMATION. Appui, certitude, ratification, renfort, théorie, visa.
CONFIRMER. Avérer, appuyer, assurer, plaider, prouver, ratifier, viser.
CONFISCATION. Embargo.
CONFISERIE. Cédrat, lisse, nougat, pâté, pistache, praline.
CONFISQUER. Ôter, prendre.
CONFITURE. Compote, gelée, marmelade, pâte, raisiné.
CONFLIT. Choc, crise, désaccord, dispute, guerre, lutte, mêlée.
CONFONDRE. Assimiler, démasquer, identifier, mélanger, percer, unir.
CONFORME. Accord, convenable, exact, juste, légal, moral, précis, vrai.
CONFORMÉMENT. Fidèlement, forme, légitimement, même, selon, vrai.
CONFORMER. Adapter, complaire, modeler, observer, régler.
CONFORTABLE. Aisance, bourgeois, commode, cossu, doucet, douillet.
CONFUS. Ambigu, brouillamini, compliqué, galimatias, honteux, incohérent, indistinctif, mêlé, obscur, pathos, piteux, sot, trouble.
CONFUSION. Chaos, désordre, erreur, honte, imbroglio, pêle-mêle.
CONGÉ. Amen, approuvé, été, permission, vacances, vacant, week-end.
CONGÉDIER. Chasser, envoyer, licencier, pousser, remercier, renvoyer.
CONGELER. Coaguler, figer, frapper, geler, glacer, prendre, regeler.
CONGÉNÈRE. Espèce, même, semblable.
CONGÉNITAL. Inné.
CONGÈRE. Banc de neige.
CONGRATULATION. Applaudir, félicitations.
CONGRÈS. Assise, convention, réunion, symposium.
CONIFÈRE. Cèdre, cycadacée, cyprès, cupressacée, épicéa, épinette, genévrier, gymnosperme, if, mélèze, pesse, pin, pinacée, pruche, sapin, séquoi, taxacée, taxode, taxodiacée, thuya, tsuga.
CONJECTURE. Augure, hypothèse, maxime, présage, prévision, prophétie, soupçon, supposition.
CONJOINT. Époux, mari.
CONJOINTEMENT. Concurremment, ensemble.
CONJONCTION. Adonc, adoncques, ainsi, aussi, car, cependant, comme,

donc, et, lorsque, mais, ne, néanmoins, ni, or, ou, pourquoi, pourtant, puisque, quand, que, quoique, si, sinon, soit, suit, toutefois.
CONJONCTURE. Cas, circonstance, concours, occasion, préjuger, situation.
CONJUGAISON. Aoriste, er, grammaire, grecque, ir, latine, oir, re, verbe.
CONJURATION. Complot, incantation.
CONJURER. Exorcisme, exorciste, prier.
CONNAISSANCE. Ami, éducation, érudition, évidence, idée, lumière, notion, ontologie, savoir, science, sens, su, teinture, théorie, vu.
CONNAISSEUR. Amateur, expert, instruit, savant, spécialiste.
CONNAÎTRE. Apprendre, cognitif, compétent, lire, loi, posséder, savoir.
CONNU. Attesté, célèbre, insu, lu, notoire, personnalité, réputé, su, vu.
CONQUÉRIR. Charmer, emparer, envahir, gagner, occuper, soumettre.
CONSACRER. Bénir, dédier, donner, entériner, oindre, sacrer, vouer.
CONSCIENCE. Âme, attention, connaissance, impression, lucidité, moral.
CONSEIL. Assemblée, avertissement, avis, divan, leçon, motion, opinion.
CONSEILLER. Aulique, avertir, mentor, orienteur, recommander, sage.
CONSENTEMENT. Adhésion, approbation, aveu, gré, permission.
CONSENTIR. Accepter, adhérer, céder, permettre, prêter, toper, vouloir.
CONSÉQUENCE. Cause, contrecoup, éclaboussure, effet, fruit, impact, incidence, inconvénient, logique, répercussion, résultat, séquelle, suite.
CONSERVATEUR. Gardien, modéré, tan, tory.
CONSERVATION. Froid, garde, maintien, mémorisation, tutelle, vital.
CONSERVER. Entretenir, garder, préserver, retenir, sauvegarder.
CONSIDÉRATION. But, développement, intention, pour, respect, vue.
CONSIDÉRÉ. Accueilli, classique, estimé, jugé, regardé, réputé, vu.
CONSIDÉRER. Admirer, espérer, estimer, isoler, présumer, trouver, voir.
CONSIGNE. Écrit, note, ordre.
CONSIGNER. Assigner, citer, constater, dépôt, enregistrer, noter.
CONSISTANT. Dense, épais, gelé, gluant, massif, régulier, solide.
CONSOLIDER. Affermir, assurer, cimenter, renforcer, soutenir.
CONSOMMÉ. Achevé, bouillon, bu, commettre, détruire, dévoré, épuisé, fini, mangé, perpétré, potage, sec, tari, vidé, usé.
CONSPUER. Huer, mépriser.
CONSTAMMENT. Assidûment, continuellement, toujours.
CONSTANCE. Continuation, habitude, fermeté, même, persévérance.
CONSTANT. Assidu, durable, ferme, fidèle, fixe, immuable, vertu.
CONSTATATION. Absolution.
CONSTATER. Apparoir, enregistrer, noter, remarquer, trouver, voir.
CONSTELLATION. Astéroïde, balance, bélier, cancer, capricorne, dragon, gémeaux, lion, orion, poissons, sagittaire, scorpion, taureau, verseau, vierge.
CONSTERNER. Abattre, accabler, atterrer, attrister, terrasser.
CONSTITUER. Bâtir, créer, édifier, faire, fixer, fonder, former, monter.

CONSTRUCTEUR. Architecte, bâtisseur.
CONSTRUCTION. Bâtisse, dôme, encorbellement, érection, imagination, hypogée, maison, nid, phraséologie, pont, rouf, serre, termitière, tour.
CONSTRUIRE. Bâtir, dresser, élever, ériger, nidifier, rebâtir, tisser.
CONSULTER. Avis, demander, interroger, pouls, référendum, voir.
CONSUMER. Brûler, détruire, dévorer, épuiser, miner, ronger.
CONTAGION. Choléra, gale, peste, rubéole, transmission, variole, virus.
CONTE. Bobard, fable, flirt, histoire, nouvelle, récit, roman.
CONTEMPLER. Admirer, mépriser, regarder.
CONTEMPORAIN. Actuel, moderne, présent.
CONTENANCE. Air, are, attitude, capacité, maintien, port, ton, volume.
CONTENANT. Boîte, bouteille, canon, enceinte, enveloppe, figure, vase.
CONTENIR. Avoir, inclure, mesurer, receler, renfermer, retenir, tenir.
CONTENT. Aisé, béat, enchanté, gai, heureux, joyeux, ravi, satisfait.
CONTENTEMENT. Aisé, joie, plaisir, satisfaction, veine.
CONTENTER. Accommoder, assouvir, nier, résigner, satisfaire, suffire.
CONTENU. Augée, boîte, bolée, ci-inclus, cuvée, dedans, inclus, teneur.
CONTER. Flirter, narrer, peindre, raconter, retracer.
CONTESTATION. Chicane, conflit, débat, démêlé, discussion, litige.
CONTESTER. Chicaner, controverser, manifester, nier, plaider, renier.
CONTIGU. Attenant, direct, fréquent, joint, proche, voisin.
CONTINENT. Afrique, amérique, asie, chaste, europe, océanie, pur.
CONTINGENT. Accidentel, part, quota, relatif, répartition.
CONTINUATION. Incessant, permanent, perpétuel, stabilité, série, suite.
CONTINUER. Durer, ininterrompre, perpétuer, poursuivre, rester, suite.
CONTINUITÉ. Égalité, permanence, poursuite.
CONTORSION. Grimace, torsion.
CONTOUR. Bord, cerne, côté, forme, galbe, limite, lisière, tour, trace.
CONTOURNER. Border, déborder, détour, éviter, friser.
CONTRACTER. Attraper, crisper, emprunter, lier, plisser, raidir, rigide.
CONTRACTION. Crampe, hoquet, ride, sanglot, spasme, tic, tonus.
CONTRADICTION. Antinomie, démenti, discordance, incompatibilité.
CONTRADICTOIRE. Absurde, codicille, contraire.
CONTRAINDRE. Asservir, exiger, forcer, gêner, lier, obliger, sommer.
CONTRAINTE. Carcan, coercition, gêne, joug, obligation, ordre, nécessité.
CONTRAIRE. Antithèse, antonyme, concurrent, contradictoire, divergent, envers, illégal, incompatible, inverse, opposé, paradoxe.
CONTRARIER. Attrister, chagriner, contrecarrer, ennuyer, fâcher, indisposer, mécontenter, opposer, vexer.
CONTRARIÉTÉ. Chagrin, dépit, ennui, mécontentement, tracas, tristesse.
CONTRASTE. Contraire, opposition.
CONTRAT. Agrément, bail, donation, forfait, gage, pari, police, prêt.
CONTRAVENTION. Amende, procès-verbal.

CONTRE. Anti, malgré, opposé, pour, protester, sur, tort.
CONTREMAÎTRE. Chef, maîtrise, porion.
CONTREFAIRE. Caricaturer, falsifier, imiter, mimer, moquer, parodier, pasticher, plagier, singer, truquer.
CONTREFAIT. Boiteux, bot, difforme, faux, malfait.
CONTREMANDER. Arrêter, révoquer.
CONTREPOISON. Alexipharmaque, antidote.
CONTREVENIR. Désobéir, transgresser, violer.
CONTRIBUTION. Imposition, impôt, prestataire, quote-part, tribut.
CONTRÔLE. Arbitre, émoi, ire, orthogénie, souverain, suivi, vérification.
CONTUSION. Arnica, bigne, blessure, bleu, bosse, contus, ecchymose, escarre, lésion, meurtrissure, pinçon, plaie.
CONVAINCRE. Décider, démontrer, dissuader, persuader.
CONVAINCU. Assuré, certain, crédule, éloquent, sûr.
CONVALESCENCE. Analepsie, guérison, postcure, rétablissement.
CONVENABLE. Adéquat, approprié, bon, conforme, congru, correct, décent, duire, idoine, net, opportun, plaire, séant, seoir, sied, vrai.
CONVENABLEMENT. Approbation, aptitude, congrûment, dignement.
CONVENIR. Accord, adapter, aller, appliquer, avouer, dire, entendre, faire, noter, plaire, reconnaître, seoir, stipuler.
CONVENTION. Abonnement, bail, contrat, entente, pacte, règle, traité.
CONVENU. Dit, entendu, reconnu.
CONVERSATION. Badinage, bribe, cancan, causerie, causette, colloque, commérage, dialogue, échange, entretien, exèdre, fiel, palabre, parlote.
CONVERSER. Bavarder, causer, conférer, deviser, jaser, nouer, parler.
CONVERSION. Abjuration, adhésion, apostasie, changement, ossification, panification, reniement, transformation.
CONVEXE. Bombé, busqué, creux, dos, galbé, quart-de-rond.
CONVICTION. Certitude, croyance, religion, persuasion.
CONVIENT. Habillé, rêvé, va.
CONVIER. Appeler, inviter, réunir, prier.
CONVIVE. Commensal, écornifleur, hôte, invité, parasite, pique-assiette.
CONVOCATION. Appel, ban, indication, invitation.
CONVOI. Enterrement, rame, train.
CONVOITER. Briguer, désirer, envier, guigner, mirer, viser, vouloir.
CONVOLER. Épouser.
CONVULSION. Colère, geste, muscle, soubresaut, spasme, tic, toux.
COPAIN. Ami, camarade, compagnon.
COPIE. Écrire, exemplaire, grosse, imitation, imprimerie, même, pille.
COPIER. Écrire, feuille, imiter, plagier, pseudo, singer, transcrire.
COPULATIF. Et.
COQ. Boxe, chapon, coqueriquer, cuisiner, ergot, perle, poule, tétras.
COQUET. Élégant.

COQUILLAGE. Cauris, cône, coque, couteau, huître, moule, perle.
COQUILLARD. Œil.
COQUILLE. Cauris, écaille, erreur, imprimerie, pèlerin, perle, test, valve.
COQUIN. Bélître, drôle, espiègle, fripon, gredin, gueux, vaurien.
COR. Époi, oignon.
CORBEILLE. Dot, flein, ibéris, moïse, osier, panier.
CORDAGE. Agrès, amarre, aussière, bitord, câble, corde, cravate, drisse, écoute, erse, estrope, étai, filin, gesseau, laguis, liure, ride, tresse.
CORDE. Brin, câble, étendoir, hart, lacet, laisse, lasso, licou, nœud, stère.
CORDELIÈRE. Ceinture, tresse.
CORDER. Classer, empiler, stère.
CORDIAL. Amical, bon, franc.
CORDON. Crénelage, embrasse, enguichure, funicule, lacet, tirant, tirette.
CORDONNET. Câble, ganse, nerf.
CORIACE. Dur, tenace.
CORINDON. Émeri, saphir.
CORNE. Bois, cor.
CORNEMUSE. Biniou, musette.
CORPS. Allure, cadavre, caisse, cube, échine, momie, nœud, torse, tronc.
CORPULENT. Fort, gros, large, obèse, pesant.
CORRECT. Chaste, décent, exact, poli, pur.
CORRECTION. Châtiment, fessée, fouet, raclée, rature, retouche.
CORRESPONDANCE. Dépêche, échange, lettre, missive, pneu, poste.
CORRESPONDRE. Adresser, écrire, envoyer, rédiger, rimer, signifier.
CORRIDOR. Galerie, passage, vestibule.
CORRIGER. Amender, dresser, punir, rectifier, réformer, réviser, revoir.
CORROBORER. Affermir, confirmer, fortifier, prouver, vérifier.
CORRODER. Éroder, ronger.
CORROMPRE. Acheter, croupir, débaucher, dépraver, flatter, gâter, graisser, pervertir, pourrir, rancir, séduire, soudoyer, vicier.
CORROMPU. Aigre, éventé, mangé, piqué, putrifié, rance, taré.
CORROSIF. Âcre, caustique, sublimé, usable.
CORRUPTIBLE. Vénal.
CORRUPTION. Débauche, dégradation, perversion, pourriture, vice.
CORSAGE. Blouse, bustier, chemise, chemisier, corset, jaquette.
CORSAIRE. Boucanier, brigand, écumeur, flibustier, pirate, surcouf.
CORSELET. Hanche, prothorax, thorax.
CORSET. Busc, bustier, ceinture, corsage, gaine, lacet.
CORTÈGE. Convoi, deuil, escorte, suite.
CORYZA. Grippe, rhinite, rhume.
COS. Kos.
COSINUS. Algèbre, angle.
COSMOS. Dao, étoile, infini, univers.

COSSU. Riche.
COSTUME. Domino, ganse, pièce, smoking, toilette, tutu, vêtement.
CÔTÉ. Aile, angle, bord, contribuable, égarer, flanc, lieu, près, versant.
COTONNEUX. Duvet, flanelle, gilet, laine, ouate, satin, tissu, toile, voile.
CÔTOYER. Longer.
COTRE. Dandy, ketch, sloop.
COTTE. Arme, bleu, combinaison, haubert, jaseran, salopette.
COU. Bouteille, col, gorge, hyoïde, jabot, licou, minerve, nuque, tête.
COUARD. Lâche, peureux, pleutre, poltron.
COUCHE. Crépi, derme, écorce, étage, gîte, lange, lit, sauce, strate, uvée.
COUCHER. Aliter, allonger, couver, étaler, étendre, gésir, tapir, verser.
COUCHETTE. Lit.
COUCHIS. Tunage, tune.
COUDE. Accouder, angle, courbe, cubital, détour, genou, olécrane.
COUDRE. Brocher, découdre, faufiler, fil, piquer, suturer, tailler.
COUGAR. Carnassier, couguar, puma.
COULANT. Aisé, fluide.
COULER. Arroser, découler, écouler, filtrer, jaillir, ruisseler, sombrer.
COULEUR. Ambre, aurore, atout, azur, azuré, bleu, bitume, brun, carné, céladon, citron, cœur, coloris, drapeau, ébène, écarlate, étendard, fauve, glacis, gris, inde, jais, jaune, kaki, lilas, mauve, noir, noisette, nuance, ombre, or, pâleur, pavillon, pers, pigment, poil, robe, rose, rouan, rouge, roux, sable, sinople, teinte, teinture, ton, verdure, vert.
COULISSE. Cantonade, plan, rideau, vanne.
COULOIR. Galerie, passage, rameau, seuil, soufflet, vestibule.
COUP. Appel, atémi, besas, beset, blessure, botte, choc, claque, estocade, événement, feinte, gifle, gnon, heurt, horion, lob, œillade, paf, piccolo, putsch, ra, rafale, raté, soudain, taloche, tape, tarte, tornade, volée.
COUPABLE. Concussionnaire, criminel, délinquant, fautif, responsable.
COUPAGE. Sciage.
COUPE. Fend, hémistiche, section, séparation, tranche, trophée, vase.
COUPELLE. Inquartation, têt.
COUPER. Croiser, ébarber, ébouter, écouter, émarger, émincer, émonder, entamer, essoriller, étêter, étraper, hacher, inciser, raser, rénetter, ronger, scier, sectionner, segmenter, tailler, trancher.
COUPLE. Apparier, duo, dyade, élément, paire, pariade.
COUPLET. Chant, épode, stance, strophe.
COUPOLE. Académie, dôme, pendentif, tambour, tholos, voûte.
COUPURE. Blessure, cicatrice, entaille, havage, incision, scarification.
COUR. Atrium, aulique, côté, droit, jardin, justice, pair, patio, préau.
COURAGE. Audace, bravoure, cran, hardiesse, intrépidité, va, vaillance.
COURAGEUX. Brave, hardi, héroïque, intrépide, téméraire, vaillant.
COURANT. Commun, fil, jus, normal, ordinaire, raz, vent, usité, usuel.

COURBATURE. Ankylose, arc, fatigue, flexion, torsion.
COURBE. Anse, arc, arqué, axe, cercle, ellipse, géométrie, lemniscate, myogramme, orbe, orbite, ovale, ove, pôle, plie, spirale, tordu, voûte.
COURBER. Arquer, casser, cintrer, fléchir, plier, recourber, voûter.
COURBURE. Arcure, bosse, galbe, lordose, méplat, ressaut, voûte.
COURCAILLET. Cri.
COUREUR. Débauché, grimpeur, marathonien, pistard, relais, sprinter.
COURIR. Accourir, cavaler, détaler, dribbler, galoper, pédaler, trotter.
COURONNE. Auréole, bandeau, carret, diadème, tiare, timbre, tortis.
COURRIER. Correspondance, estafette, lettre, messager, poste.
COURROIE. Bretelle, enguichure, étrivière, lanière, lien, longe, rêne.
COURROUX. Colère, ire.
COURS. Classe, cote, déroulement, enseignement, fil, leçon, taux, union.
COURS D'EAU. Affluent, alluvion, amont, aval, canal, confluer, crue, défluent, épi, fleuve, flottage, oued, quai, rivière, ru, ruisseau, torrent.
COURSE. Achat, corrida, derby, drag, épreuve, galopade, longueur, marathon, marche, omnium, régate, sprint, sulky, transat, turf.
COURT. Abrégé, bref, concis, direct, limité, ragot, raidillon, succinct.
COURTIER. Agent, intermédiaire, représentant.
COURTISAN. Flatteur, hétaïre, prostitué.
COURTISER. Coqueter, flatter, mugueter.
COURTOIS. Aimable, affable, galant, poli.
COURTOISIE. Affabilité, amabilité, galanterie, joute, politesse.
COUSSIN. Boudin, crin, duvet, édredon, laine, oreiller, plume, sac.
COÛT. Charge, prix, revient, tarif.
COUTEAU. Amassette, arme, bistouri, canif, eustache, machette, mollusque, navaja, plume, poignard, scramasaxe, soie, solen, surin.
COUTELAS. Couperet, épée, eustache, machette, poignard, rasoir, sabre.
COÛTER. Peser, valoir.
COÛTEUX. Cher, onéreux, ruineux.
COUTUME. Errement, habitude, habituel, manie, ordre, pratique, règle, rite, routine, sati, souloir, tradition, us, usage.
COUTUMIER. Routinier.
COUTURE. Bâti, remmaillage, rentraiture.
COUVENT. Abbaye, cloître, lamaserie, monastère, moutier.
COUVERCLE. Cloche, couvrir.
COUVERT. Abri, chargé, gris, ombre, table, vaisselle, vêtement, voilé.
COUVERTURE. Abri, aile, bâche, capote, courtepointe, couverte, dôme, housse, libre, mante, pavage, plaid, reliure, toit, toiture.
COUVEUSE. Incubateur.
COUVRE-CHAUSSURE. Claque.
COUVRE-LIT. Édredon.
COUVRIR. Barder, beurrer, cacher, combler, dissimuler, enduire, enfaîter,

envelopper, garantir, habiller, housser, immuniser, ombrager, peindre, prémunir, préserver, recouvrir, semer, terrer, vêtir, voiler.
CRABE. Cancre, crustacé, étrille, sacculine, tourteau.
CRACHIN. Brouillard, goutte d'eau, pluie.
CRAINDRE. Appréhender, éprouver, épouvanter, redouter, trembler.
CRAINTE. Appréhension, claustrophobie, émoi, peur, trac, zoophobie.
CRAINTIF. Apeuré, embarrassé, inquiet, peureux, poltron, timoré.
CRAMPON. Agrafe, clou, happe.
CRÂNE. Fier, oser, tête.
CRAPAUD. Agua, alyte, anoures, bave, frai, loche, pipa, tannant, têtard.
CRAPULE. Fripouille, kleptomane, vaurien, vil, voyou.
CRAQUER. Bruit, casser, craqueler, crisser, fendiller, rompre.
CRASSE. Chiche, malpropre, saleté.
CRAVATE. Lavallière, régate.
CRAWL. Nage.
CRAYON. Ardoise, dessin, fusain, gomme, pastel, stylo, trait.
CRÉANCE. Dette, gage, garantie, hypothèque, nantissement, traite.
CRÉATEUR. Artiste, auteur, cause, dieu, fondateur, père.
CRÉATION. Fondation, genèse, invention, monde, œuvre, origine.
CRÉDIT. Cr, créance, débit, dette, estime, faveur, prêt, solde, vogue.
CRÉDULE. Amulette, bon, confiant, fou, innocent, jobard, naïf, simplet.
CRÉER. Causer, donner, ériger, engendrer, faire, former, imaginer.
CRÈME. Alexandra, cassate, élite, fleur, mousse, pâtissière.
CRÉMERIE. Laiterie.
CRÊPE. Blini, galette, matefaim.
CRÉPINETTE. Atriau.
CRÉPUSCULE. Aube, brunante, déclin, noir, ombre, soir, tombée.
CRÉTIN. Andouille, imbécile, niais, sot, stupide.
CREUSER. Évider, excaver, forer, fouir, labourer, miner, percer, vider.
CREUSET. Culot, têt, verre.
CREUX. Abîme, anse, baie, cave, cavité, gousset, rentre, trou, vide.
CREVASSE. Craque, fente, fissure, gerce, lézarde, râpe, rimaye.
CREVER. Ampoule, éreinter, mourir, percer, rompre.
CREVETTE. Bouquet, gammare, matane, palémon, salicoque, scampi.
CRI. Ahan, aïe, barrir, beuglement, bis, braillement, bramer, clameur, croassement, dia, évoé, évohé, exclamation, glapissement, gloussement, haïe, han, hue, huée, hurlement, jargon, réclame, roucoulement, rugissement, taïaut, tollé, vagissement, vocifération.
CRI D'ANIMAL. Aigle (glatit, trompette), alouette (grisolle), âne (brait), bécasse (croule), bélier (blatère), bœuf (beugle, meugle, mugit), brebis (bêle), buffle (beugle, souffle), caille (carcaille, margotte), canard (cancane, nasille), cerf (brame), chacal (jappe), chameau (blatère), chat (miaule), cheval (hennit), chèvre (bêle), chien (aboie, hurle, jappe),

chouette (chuinte, hulule), cigale (craquette, stridule), cigogne (craquette, glottale), cochon (grogne), colombe (roucoule), coq (chante), corbeau (croasse), corneille (craille), crocodile (lamente, vagit), cygne (siffle, trompette), dindon (glouglote, glougloute), éléphant (barrit), faisan (criaille), faon (râle), geai (cajole), gélinotte (glousse), grenouille (coasse), grue (glapit, trompette), hibou (hue), hirondelle (gazouille), hyène (hurle), jars (jargonne), lagopède (cacabe), lapin (clapit), lièvre (vagit), lion (rugit), loup (hurle), marcassin (grogne), merle (siffle), moineau (pépie), mouche (bourdonne), mouton (bêle), oie (criaille, siffle), orignal (brame), ours (grogne), paon (braille, criaille), perdrix (cacabe), perroquet (parle), pie (jacasse, jase), pigeon (roucoule), pinson (ramage), pintade (criaille), poule (caquette, glousse), poulet (piaule), poussin (pépie), ramier (roucoule), renard (glapit), rhinocéros (barrit), rossignol (chante), sanglier (grogne), serpent (siffle), souris (chicote), taureau (mugit), tigre (feule, miaule, rate, rauque), tourterelle (gémit, roucoule), vache (beugle, meugle, mugit), veau (beugle, meugle, mugit), yack (beugle, meugle, mugit), zèbre (hennit), zébu (beugle, meugle, mugit).

CRIBLE. Sas, secoueur, trémis, trier.

CRIER. Clamer. (Voir cri.)

CRIEUR. Camelot.

CRIME. Assassinat, atrocité, délit, forfait, méfait, meurtre, piraterie.

CRIMINEL. Assassin, bandit, brigand, forban, forçat, pirate, scélérat.

CRIQUET. Acridien, locuste, sauterelle.

CRISE. Aura, colère, danger, embarras, passion, syncope, tension.

CRISTAL. Baccarat, nicol, noces, quartz, uniaxe, verre.

CRITÈRE. Classification, norme, pragmatisme.

CRITIQUE. Analyse, censeur, commentateur, crucial, décisif, diatribe, difficile, étude, grave, juge, observateur, sérieux, soupçonneux, zoïle.

CRITIQUER. Analyser, blâmer, calomnier, censurer, décrier, dénigrer, éreinter, étudier, examiner, redire, réfuter, réprimander, stigmatiser.

CROCHET. Allonge, araignée, croc, esse, inerme, pélican, unciforme.

CROCODILE. Caïman, croco, lamenter, saurien, vagir.

CROCUS. Safran.

CROIRE. Admettre, avaler, confiance, foi, gober, juger, penser, supposer.

CROISEMENT. Bardot, carrefour, hybride, métis, mulâtre, mulet, nœud.

CROISER. Entrecroiser, mélanger, métisser, rencontrer, traverser.

CROISEUR. Destroyer.

CROISSANCE. Augmentation, développement.

CROISSANT. Gui, lune.

CROÎTRE. Augmenter, grandir, naître, pousser, renaître, repousser.

CROIX. Blason, crucifix, décoration, gammée, gibet, potence, signe.

CROQUE-MORT. Embaumeur.

CROQUER. Broyer, dessiner, gruger, manger, mastiquer, mordre.
CROQUIS. But, canevas, dessin, étude, projet, topo.
CROÛTON. Aillade, meurette, pain, talon.
CROYANCE. Certitude, conviction, déisme, foi, superstition, totémisme.
CRU. Crudité, cuit, leste, libre, osé, raide, salé, vert, vin.
CRUAUTÉ. Atrocité, barbarie, carnage, excès, furie, sadisme, tyran.
CRUCHE. Bouteille, buire, imbécile, jaqueline, niais, sol, stupide.
CRUCIFÈRE. Alysse, dentaire.
CRUEL. Atroce, barbare, brute, dur, féroce, rude, sadique, sanguinaire.
CRUSTACÉ. Anatife, copépode, crabe, crevette, cyclope, écrevisse, étrille, gammare, isopope, langouste, langoustine, ligie, portune, talitre.
CUBE. Dé, peintre, stère.
CUCURBITACÉE. Citrouille, concombre, courge, éponge, gourde, melon.
CUEILLIR. Arrêter, récolter.
CUIR. Affaiter, agneau, basane, corroyer, peau, saladero, suède, tan.
CUIRE. Brûler, cuisiner, étuver, frire, mijoter, mitonner, rôtir, sauter.
CUISINE. Coquerie, culinaire, évier, gastronomie, poêle, popote.
CUISINIER. Chef, coq, cordon-bleu, cuire, cuistot, mitron, saucier.
CUISSE. Aine, bacul, cuissot, gigot, gigue, jambon, pilon.
CUIVRE. Cor, cu, dinanderie, filigrane, musique, oripeau, théâtre.
CUL. Anus, avant, derrière, fesse.
CUL-BLANC. Motteux.
CUL-DE -SAC. Impasse.
CULBUTE. Cabriole, capotage, cumulet, galipette, tonneau.
CULOTTE. Barboteuse, bobette, pantalon, salopette, short, slip.
CULTE. Dulie, égotisme, idole, mythologie, ophiolâtrie, religion, vaudou.
CULTIVATEUR. Agriculteur, colzatier, fermier, paysan.
CULTURE. Agriculture, âne, assoler, béotien, biner, grossier, herse, ignare, instruction, monoculture, riziculture, rural, savoir, sec, sot.
CUMULUS. Nuage.
CUPIDE. Avide, rapace, rapiat.
CUPIDON. Amour.
CURE. Guérison, paroisse, presbytère, recteur, soin.
CURER. Cure-dent, draguer, écurer, nettoyer, ruer.
CURIE. Ci, dicastère.
CURIEUX. Bizarre, étrange, furet, indiscret, particulier, singulier, rare.
CURIUM. Cm.
CURRICULUM VITAE. CV.
CUVE. Abîme, bac, baquet, évier, hotte, papier, pétrin, tub, vendage.
CUVETTE. Bassinette, bidet, évier, lavabo, tub, vasque.
CYCLISTE. Grimpeur, pistard, routier.
CYCLONE. Orage, ouragan, tempête, tornade.
CYLINDRAXE. Axone.

CYLINDRE. Aléser, bobine, culasse, pompe, rouleau, tambour, treuil.
CYNIQUE. Chien, diogène, éhonté, indifférent, philosophe, satyre.
CZAR. Tsar.

D

DACRON. Polyester.
DACTYLO. Doigt, secrétaire.
DALLE. Carreau, foyer, patio, pavé, radier.
DAME. Demoiselle, épouse, femme, hie, marraine, matrone, menine.
DAMNATION. Dam, enfer, peine, perte, réprouvé.
DANGER. Détresse, gravité, menace, perdition, péril, piège, risque.
DANGEREUX. Aléatoire, hasardeux, imprudent, mauvais, scabreux.
DANS. Avertissement, chez, dedans, en, entre, intérieur, intra, milieu.
DANSE. Bal, ballet, boléro, boston, cha-cha-cha, chorégraphie, classique, cracovienne, csardas, figures, forlane, galop, gigue, gopak, hopak, java, jota, mazurka, menuet, mouvements, one-step, polka, polonaise, pop, rock, rumba, sarabande, tango, tarentelle, twist, valse, zorongo.
DANSER. Compas, coryphée, dansotter, évoluer, exécuter, valser.
DANSEUR. Boy, cavalier, équilibriste, étoile, partenaire, valseur.
DANSEUSE. Aimée, almée, ballerine, étoile, girl, partenaire.
DARD. Abeille, aiguille, aiguillon, angon, flèche, harpon, javeline, pointe.
DARDER. Harponner, lancer, piquer.
DATE. Chronologie, époque, événement, hier, moment, période, temps.
DATTE. Lithodome.
DAVANTAGE. Plus.
DÉ. As, besas, cornet, doublet, hasard, jeu, main, palamède, quine.
DÉBALLER. Emballer, étaler, parler.
DÉBARBOUILLETTE. Linge, serviette.
DÉBARCADÈRE. Quai.
DÉBARQUER. Abandonner, décharger, embarquer, sortir.
DÉBARRASSER. Écurer, égoutter, émonder, énouer, épouiller, essorer, guérir, jeter, nettoyer, purger, sarcler, sécher, soulager, stériliser.
DÉBAT. Démêlé, huis clos, querelle.
DÉBAUCHE. Bamboche, libertinage, noce, orgie, ribaud, ripaille, vice.
DÉBIT. Bar, bistrot, buvette, crédit, étiage, vente.
DÉBITER. Déclamer, écouler, fendre, psalmodier, réciter, scier, vendre.
DÉBITEUR. Acheteur, dette, escompte, paye, saisi, terme, vendre.
DÉBLAIEMENT. Débarrasser, déneigement, préparation.
DÉBORDANT. Coulant, exubérant.

DÉBORDEMENT. Crue, déluge, dépassement, embarras, excès, inondation, ire, irruption, pléonasme, sortie, trop-plein.
DÉBOURSÉ. Coût, dépense, frais, payé, remboursement.
DEBOUT. Allure, droit, levé, métatarse, redresser, stèle.
DÉBRAYAGE. Embrayage, grève.
DÉBRIS. Calcin, décombres, épave, moraine, rebus, ruines, tesson.
DÉBROUILLER. Défricher, dégager, démêler, distinguer, éclaircir.
DÉBUT. Commencement, départ, entrée, ouverture, préambule, seuil.
DEÇÀ. Da, delà.
DÉCADENCE. Abaissement, crise, déchéance, déclin, dépérissement.
DÉCALITRE. Dal.
DÉCAMPER. Détaler, fuir, large, partir, plier.
DÉCANTER. Abaisser, épurer.
DÉCAPER. Nettoyer, sabler.
DÉCAPITER. Écimer, étêter, guillotiner, tuer.
DÉCÉDÉ. Défunt, feu, mort, mourir, trépassé.
DÉCELER. Découvrir, détecter, montrer, voir.
DÉCENT. Bien, convenable, correction, digne, séant, sentiment, tenue.
DÉCEPTION. Déboire, désappointement, désillusion, dessillé, tristesse.
DÉCERNER. Adjuger, attribuer, couronner, louer.
DÉCÈS. Fin, mort, perte, posthume, trépas.
DÉCEVOIR. Attrister, frustrer, manquer, peiner.
DÉCHAÎNER. Colère, exciter, fureur, furie, ire, soulever.
DÉCHARGE. Arc, bordée, coup, éclair, feu, foudre, salve, tir, volée.
DÉCHARGER. Alléger, dégrever, éjaculer, libérer, licencier, renvoyer.
DÉCHARNÉ. Efflanqué, maigre, sec, squelettique.
DÉCHÉANCE. Abaissement, avilissement, déposition, destitution, honte.
DÉCHET. Chute, copeau, détritus, freinte, résidu, riblon, rognure, urée.
DÉCHIFFRER. Apprendre, décrypter, lire, traduire.
DÉCHIRER. Casser, chagrin, couper, égratigner, érailler, lacérer, souffrir.
DÉCHIRURE. Accroc, crevasse, éraflure, fragment, morsure, plaie.
DÉCIBEL. Db.
DÉCIDER. Choisir, décréter, déterminer, juger, régler, résoudre, voter.
DÉCILITRE. Dl.
DÉCIMÈTRE. Dm.
DÉCISION. Acte, arrêt, arrêté, bien-jugé, caprice, choix, fiat, jugement, oracle, psychologie, relate, relaxe, sentence, sort, ultimatum, vote.
DÉCLAMATOIRE. Emphatique, ronflant.
DÉCLAMER. Chanter, débiter, réciter.
DÉCLARATION. Affidavit, aveu, dire, énonciation, législation, verdict.
DÉCLARER. Annuler, intimer, invalider, proclamer, renier, révoquer, tu.
DÉCLIN. Âge, agonie, automne, crépuscule, décours, diminution, soir.
DÉCLINAISON. Déclivité, grammaire, pente, solstice.

DÉCLIVITÉ. Déclinaison, oblique, penchant, pente.
DÉCOIFFER. Dépeigner.
DÉCOLLAGE. Départ, envol.
DÉCOMPOSER. Analyser, corrompre, débloquer, déflagrer, désagréger, dissocier, électrolyser, épeler, fuser, ion, pourrir, résoudre, saponifier.
DÉCOMPOSITION. Désagrégation, désintégration, humus, putréfaction.
DÉCONCERTER. Abattement, dérouter, embarras, étonnement, sidérer.
DÉCONSEILLER. Admonester, décourager, dissuader, renoncer.
DÉCOR. Arrière-plan, atmosphère, cadre, fond, milieu, praticable.
DÉCORATION. Croix, écusson, enluminure, ornement, rosette, ruban.
DÉCORER. Aster, garnir, médailler, orner, parer, styliser.
DÉCOULER. Argument, couler, dépendre, effet, émaner, résulter, tenir.
DÉCOUPER. Ciseler, couper, débiter, dépecer, équarrir, hacher, tailler.
DÉCOUPURE. Barbille, incisure, redan, redent.
DÉCOURAGEANT. Démoralisant, désespérance.
DÉCOURAGER. Abattre, affaiblir, céder, dégoûter, démoraliser, désespérer, écœurer, lasser, perdre, rebuter.
DÉCOUVERT. Brûlé, connu, décolleté, dette, nu, repère, révélé.
DÉCOUVERTE. Eurêka, invention, science, trouvaille.
DÉCOUVREUR. Chercheur, dépisteur, trouveur.
DÉCOUVRIR. Apercevoir, chercher, déceler, dégotter, dénicher, dépister, deviner, épier, inventer, percer, repérer, révéler, trouver, voir.
DÉCRASSER. Écurer, laver, nettoyer.
DÉCRIER. Blâmer, critiquer, dénigrer, discréditer, mépriser, raconter.
DÉCRIRE. Analyser, blason, dire, expliquer, peindre, raconter, sinuer.
DÉCROISSANCE. Décours, diminution.
DÉDAIGNER. Mépriser, récuser, refuser, repousser.
DEDANS. Céans, dans, inséré, intérieur, intrinsèque, intro, milieu.
DÉDIER. Consacrer, dédicacer, don, envoi, offrir, présenter, vouer.
DÉDOMMAGER. Compenser, désintéresser, indemnité, payer, réparer.
DÉDUCTION. Abattement, défalcation, mathématique, réflexion.
DÉDUIRE. Conclure, enlever, énoncer, ôter, retenir, soustraire.
DÉESSE. Aphrodite, apsaras, astaroth, astarté, astrée, athéna, artémis, athèna, cérès, cybèle, déjanire, diane, dryade, eir, flore, gé, gorgones, hébé, héra, io, isis, léda, minerve, muses, némésis, nymphes, ondine, ops, pallas, proserpine, psyché, tanit, thémis, vénus, vesta.
DÉFAILLANCE. Absence, évanouissement, faiblesse.
DÉFAILLIR. Évanouir, fiabilité, pâmer, trébucher.
DÉFAIRE. Briser, découdre, défalquer, détruire, effiler, ôter, vaincre.
DÉFAITE. Débâcle, débandade, déconfiture, dégelée, déroute, échec, écrasement, fuite, insuccès, revers, vaincu, veste.
DÉFALQUER. Ôter, retrancher, soustraire, tarer.
DÉFAUT. Asialie, aspect, bêtise, coutumace, défectuosité, déficience,

devers, dureté, étroitesse, faible, illégitimité, imperfection, inadaptation, inadvertance, incurie, inexistence, insensibilité, instabilité, lunure, manque, mésentente, paresse, prosaïsme, raideur, retassure, ridicule, sottise, tare, verbosité, verdeur, vice, zézaiement.
DÉFECTUOSITÉ. (Voir défaut.)
DÉFENDRE. Interdir, plaider, protéger, secourir, soutenir.
DÉFENDU. Illégal, illicite, interdit, permettre, prohibé.
DÉFENSE. DCA, dent, fortification, interdiction, plaidoirie, plaidoyer, prohibition, protection, remparts, retranchement, secours, soutien.
DÉFENSEUR. Allié, avocat, bloqueur, défense, gardien, libéro, procureur, protecteur, soutien, tenant, tuteur.
DÉFÉRER. Accuser, céder, conférer, dénoncer, respecter.
DÉFIANT. Craintif, jaloux, louche, méfiant, ombrageux, prudent, soupçonneux, sournois, suspect, timoré, véreux.
DÉFIER. Affronter, attaquer, braver, contrer, parier, provoquer.
DÉFIGURER. Amocher, changer, déformer, enlaidir, vitrioler.
DÉFINIR. Caractériser, délimiter, exposer, préciser, qualifier, spécifier.
DÉFINITIF. Déterminé, ferme, irrémédiable, irrévocable, radical.
DÉFONCER. Briser, détériorer, enfoncer, éventrer, rompre.
DÉFORMER. Altérer, bosser, cabosser, caricaturer, défigurer, dénaturer, détériorer, dévier, distordre, écorcher, éculer, endommager, estropier, falsifier, massacrer, modifier, mutiler, tordre, transformer.
DÉFRAÎCHIR. Déformer, fatiguer, ternir, user.
DÉFRICHER. Arracher, cultiver, débroussailler, dégrossir, démêler, éclaircir, essarter, essoucher, fertiliser, jachère, ratisser, sarcler.
DÉFUNT. Feu, mort, nécrologie, tué.
DÉGAGER. Avancer, débarrasser, délivrer, émaner, exhaler, extraire, fumer, isoler, libérer, obligation, ôter, retirer, rétracter, spiritualiser.
DÉGARNIR. Absence, démeubler, démunir, dépaver, ôter, vider.
DÉGÂT. Abîmer, avarie, détériorer, dommage, méfait, pillage, ravage.
DÉGEL. Débâcle, fonte.
DÉGÉNÉRER. Abâtardir, biser, changer, détériorer, espèce, tomber.
DÉGÉNÉRESCENCE. Alzheimer, athétose, stéatose.
DÉGLUTIR. Avaler, dysphagie.
DÉGOÛT. Antipathie, aversion, chagrin, écœurement, éloignement, ennui, haut-le-cœur, horreur, lassitude, nausée, répugnance, répulsion.
DÉGOÛTÉ. Dépravé, écœuré, fatigué, ignoble, las, nausée.
DÉGOÛTER. Blaser, choquer, décourager, écœurer, répugner, soûler.
DÉGRADATION. Abrutissement, dégât, dommage, érosion, ruine, usure.
DÉGRADER. Abaisser, abîmer, avilir, détériorer, égratigner, pervertir.
DEGRÉ. Angle, catégorie, cote, dan, échelon, étage, étape, lissé, marche, marche-pied, niveau, nuance, rang, stade, superlatif, teinte, ton.
DÉGROSSISSAGE. Amaigrir, diminuer, limage, smillage.

DÉGUISEMENT. Accoutrement, artifice, costume, fard, fraude, travesti.
DÉGUSTER. Boire, gourmand, goûter, manger, savourer, siroter, tâter.
DEHORS. Apparence, aspect, dessus, éjection, extérieur, hors.
DÉJÀ. Jà, ores.
DÉLABREMENT. Affaiblissement, décrépitude, dépérissement, ruine.
DÉLAI. Atermoiement, crédit, dilatoire, échéance, limite, prolongation, relâche, remise, répit, retard, retardement, sursis, temps, terme.
DÉLAISSER. Abandonner, laisser, négliger, partir, sacrifier, seul.
DÉLASSER. Amuser, distraire, divertir, récréer, reposer.
DÉLATEUR. Accusateur, dénonciateur, traître.
DÉLATION. Accusation, dénonciation, mensonge.
DÉLAYER. Ajouter, couler, détremper, diluer, étendre, gâcher, laver.
DÉLECTER. Plaire, régaler, savourer.
DÉLÉGUER. Détacher, envoyer, mandater, remplacer.
DÉLESTER. Alléger.
DÉLIBÉRATION. Avis, discussion, lecture, pensée, vote.
DÉLICAT. Doux, fin, friand, galant, gentil, mignon, petit, pur, scabreux.
DÉLICATESSE. Discrétion, finesse, goût, pudeur, sensibilité, tact.
DÉLICIEUX. Agréable, bon, charmant, délice, exquis, joie, suave.
DÉLIÉ. Dégagé, effilé, fin, grêle, menu, mince, subtil, svelte, ténu.
DÉLIER. Détacher, libérer, pardon, relever.
DÉLIMITER. Borner, cantonner, déterminer, fixer, jalonner, intercepter.
DÉLINQUANT. Coupable, receleur, usurier.
DÉLIRE. Aliénation, folie, hallucination, mégalomanie, perturbation.
DÉLIT. Crime, escroquerie, faute, outrage, vagabondage, vice, vol.
DÉLIVRER. Dégager, désensorceler, guérir, libérer, quitter, purger, tirer.
DÉLOYAL. Félon, faux-frère, infidèle, judas, perfide, renégat, traître.
DEMAIN. Avenir, bientôt, jour, lendemain.
DEMANDE. Commande, exigence, plainte, prière, question, quête, réclamation, reconvention, requête, sollicitation, supplique.
DEMANDER. Chercher, commander, exiger, implorer, interroger, prier, questionner, réclamer, requérir, revendiquer, solliciter, sonder.
DEMANDEUR. Réquérant, serveur.
DÉMANGER. Brûler, désirer, gratter, griller, picoter.
DÉMARCHE. Allure, course, demande, effort, marche.
DÉMARRAGE. Départ, partir.
DÉMASQUER. Brûler, découvrir, démêler, dénouer, griller.
DÉMÊLER. Dénouer, distinguer, éclaircir, expliquer, peigner, trier.
DÉMENCE. Alzheimer, folie.
DÉMENT. Aliéné, fol, fou, nie.
DÉMENTIR. Contredire, infirmer, nier, réfuter.
DÉMESURÉ. Effréné, énorme, excessif, gigantesque, immense, outrance.
DEMEURÉ. Imbécile.

DEMEURE. Château, gîte, habitation, hôtel, igloo, maison, manoir, motel.
DEMEURER. Coucher, gîter, habiter, loger, rester, séjourner, subsister.
DEMI. Entrouvert, moitié.
DEMI-CEINTURE. Martingale.
DEMI-CERCLE. Fer, rapporteur, voûte.
DEMI-DOUZAINE. Six.
DEMI-FRÈRE. Utérin.
DEMI-LUNE. Gâteau, ravelin.
DEMI-PIQUE. Esponton.
DEMI-UNITÉ. Demi.
DÉMISSION. Abdiquer, départ, désister, fonction, quitter, résigner.
DÉMODÉ. Ancien, caduc, dépassé, désuet, obsolète, périmé, suranné.
DEMOISELLE. Fille, hie, libellule, miss.
DÉMOLIR. Abattre, démanteler, démantibuler, détruire, ruiner.
DÉMON. Démone, diable, enfer, goule, lucifer, lutin, satan, sirène.
DÉMONSTRATIF. Çà, ce, ceci, cela, celle, celles, celui, ces, cet, ceux.
DÉMONTER. Débobiner, défaire, démantibuler.
DÉMONTRER. Apprendre, citer, expliquer, montrer, prouver, refuter.
DÉMORALISER. Abattre, décourager.
DÉMUNI. Abandonné, panné, pauvre, privé.
DÉNATURER. Altérer, changer, corrompre, déformer, déguiser, gâter.
DÉNÉGATION. Démenti, refus.
DÉNEIGER. Ôter, pelleter.
DÉNIAISER. Comprendre, délurer, dépuceler, virginité.
DÉNIER. Démentir, nier, refuser.
DÉNIGRER. Abaisser, accuser, blâmer, critiquer, dauber, débiner, décrier, diminuer, discréditer, médire, mépriser, noircir, vilipender.
DÉNOMBREMENT. Cens, compter, énumération, inventaire, recensement, statistique.
DÉNOMBRER. Compter, dresser, énumérer, recenser.
DÉNOMINATION. Appellation, désignation, nom, qualification.
DÉNONCER. Donner, livrer, moucharder, rapporter, signaler, vendre.
DÉNONCIATION. Délation, plainte.
DÉNONCIATEUR. Accusateur, faux-frère, indicateur, mouchard, renégat.
DENSE. Bref, condensé, délayage, dru, épais, plein, ramassé, riche.
DENT. Abcès, bouche, bridge, canine, carie, couronne, croc, dentition, émail, incisive, mâchoire, molaire, morfil, pissenlit, quenotte, sagesse.
DENTELLE. Bisette, broderie, guipure, macramé, point, réseau, tissu.
DENTIER. Râtelier.
DENTINE. Ivoire.
DÉNUDER. Chauve, dépouiller, dévêtir, nu, tonsure.
DÉNUÉ. Infondé, sot.
DÉPART. Décollage, démarrage, envol, exode, fuite, partance, partir.

DÉPARTEMENT. Division, domaine, ministère, province, région, service.
DÉPARTIR. Abandonner, distribuer, donner, mesurer, renoncer.
DÉPASSER. Devancer, distancer, doubler, exagérer, surpasser, trémater.
DÉPÊCHER. Accélérer, grouiller, hâter, immédiatement.
DÉPECER. Couper, équarrir, partager.
DÉPEINDRE. Brosser, décrire, dessin, dire, parler, peindre, tracer.
DÉPENSER. Débourser, dilapider, donner, frais, gaspiller, gruger, impenses, mettre, payer, placer, prodiguer, régler, sortir, utiliser.
DÉPÉRIR. Affaiblir, consumer, languir, sécher.
DÉPÉRISSEMENT. Affaiblissement, décadence, délabrement, phtisie.
DÉPISTER. Découvrir, dérouter.
DÉPIT. Bouder, crève-cœur, déception, enrager, envie, jalousie, vexer.
DÉPLACEMENT. Abaissement, aberration, cinèse, décaler, démettre, dérive, détaler, excentration, excentrer, luxation, riper, vol, voyage.
DÉPLACER. Abaisser, bouger, décaler, démettre, dériver, dévier, muter.
DÉPLAIRE. Agacer, blesser, choquer, gêner, irriter, peiner, vexer.
DÉPLIER. Dédoubler, étendre, ouvrir.
DÉPLOIEMENT. Faste.
DÉPLORABLE. Mauvais, misérable, piteux, scandaleux, triste.
DÉPLOYER. Allonger, arborer, développer, étaler, étendre, opposer.
DÉPORTER. Abandonner, bannir, contraindre, exiler, interner, reléguer.
DÉPOSER. Confier, désarmer, descendre, destituer, mettre, miser.
DÉPOSSÉDER. Dépouiller, déshériter, évincer, exproprier, ôter, spolier.
DÉPÔT. Amas, arsenal, gain, lie, mise, néritique, précipité, suie, tartre.
DÉPOTOIR. Déchet, usine.
DÉPOUILLÉ. Chenu, mu, nu, plumé, simple.
DÉPOUILLER. Abandonner, arracher, écorcher, déposséder, élaguer, équeuter, nettoyer, ôter, plumer, priver, rober, spolier, tondre, voler.
DÉPOURVU. Gêné, idiot, inerte, laid, pauvre, plat, privé, rigide, tendu.
DÉPRAVER. Avilir, conduite, gâter, immoral, licence, perdre, salir, tarer.
DÉPRÉCIATION. Critique, dévalorisation, discréditer, perte.
DÉPRÉCIER. Avilir, démonétiser, dévaluer, mépriser, rabaisser, ravaler.
DÉPRESSION. Abattement, burnout, cuvette, découragement, pli, ravin, sinuosité, torpeur, tristesse, vallée, vallon.
DEPUIS. Dernièrement, dès, durée, lors, naguère, récemment.
DÉPURÉ. Candi.
DÉPUTÉ. Élu, envoyé, nonce, parlementaire, représentant, sénateur.
DÉRAISON. Aberration, affolement, folie, insanité, ivresse, témérité.
DÉRAISONNABLE. Fou, illogique, inconscient, insane, irrationnel.
DÉRAISONNEMENT. Absurdité, délire, divagation, extravagance.
DÉRANGER. Changer, déplacer, gêner, nuire, importuner, perturber.
DÉRAPER. Glisser, riper, survirer.
DÉRÉGLÉ. Égaré, habitude, libertin, régler, trouble.

DÉRIVER. Découler, provenir, résulter, venir.
DERMATOSE. Acné, adné, derme, peau, psoriasis.
DERMITE. Érésipèle.
DERNIER. Affinage, antépénultième, apois, après, bout, cadet, dessert, extrême, fin, final, limite, morasse, nouvelle, passé, queue, reste, retour, soir, suprême, terme, terminus, testament, tierce, ultime.
DÉROBADE. Fuir, fuite.
DÉROBER. Chiper, dissimuler, éluder, escamoter, esquiver, faiblir, fléchir, kleptomane, prendre, soustraire, subtiliser, voiler, voler.
DÉROULER. Dévider, étendre, évoluer, film, suite, tourner.
DERRIÈRE. Anus, après, arrière, arrière-train, coulisse, croupion, cul, dos, ensuite, fesses, fessier, postérieur, revers, séant, tain.
DÉSACCORD. Brouille, conflit, différend, dissension, divergence, division, divorce, mésentente, opposition, rupture, séparation, tension, zizanie.
DÉSAGRÉABLE. Aigre, amer, ennuyeux, laid, rude, sale, tuile, vilain.
DÉSAGRÉGER. Atomiser, crever, diviser, éclater, effriter, sauter, scinder.
DÉSAPPOINTEMENT. Crève-cœur, déception, déconvenue, désillusion.
DÉSAPPOINTER. Chagriner, décevoir, mécontenter, tromper.
DÉSAPPROBATION. Blâme, condamnation, opposition, réserve.
DÉSASTRE. Abîme, catastrophe, destruction, ennui, malheur, ruine.
DÉSAVANTAGE. Handicap, inconvénient, tare.
DÉSAVANTAGER. Défaut, défavoriser, handicaper, infériorité, léser.
DÉSAVOUER. Blâmer, dédire, démentir, mentir, nier, renier.
DESCENDANCE. Enfant, extraction, fils, ligne, maison, race, sang.
DESCENDANT. Agnat, épigone, issu, lignée, né, postérité, race, rejeton.
DESCENDRE. Dégringoler, dévaler, diminuer, échafaud, tuer.
DESCENTE. Aval, avatar, dégringolade, moquette, pente, slalom, tapis.
DESCRIPTION. Carte, devis, hématologie, image, ophiographie, ophiologie, peinture, plan, signalement, topographie, tracé, trait.
DÉSERT. Aride, bled, caravane, dune, erg, inhabité, manne, mirage, oasis, reg, retraite, sable, seul, solitude, steppe, vide.
DÉSHABILLER. Découvrir, dégarnir, dénuder, dévêtir, enlever, nu.
DÉSHÉRITER. Déposséder, exhéréder, priver.
DÉSHONNEUR. Honte, honteux, humiliation, ignominie, réputation.
DÉSHONORER. Avilir, dégrader, nuire, salir, séduire, souiller.
DÉSIGNER. Citer, choisir, indiquer, montrer, nommer, signaler, voici.
DÉSINENCE. Cas, fin, régir, terminaison.
DÉSINFECTER. Assainir, étuver, purifier.
DÉSINTÉRESSÉ. Altruiste, généreux, gratuit, impartial.
DÉSIR. Ambition, appétit, aspiration, besoin, convoitise, desiderata, envie, faim, imagination, soif, souhait, tendance, tentation, vœu, volonté.
DÉSIRER. Aimer, aspirer, brûler, envier, espérer, rêver, vouloir.
DÉSOBÉIR. Braver, contrevenir, enfreindre, refuser, transgresser.

DÉSOBÉISSANCE. Indiscipline, insubordination, résistance.
DÉSŒUVRÉ. Fainéant, inactif, oisif, paresseux.
DÉSOLÉ. Attristé, chagriné, éploré, navré, peiné, triste.
DÉSORDONNER. Découdre, disparate, emmêler, étourdir, inorganiser.
DÉSORDRE. Anarchie, chaos, confusion, déroute, gabegie, incohérence.
DÉSORMAIS. Avenir, dorénavant.
DESPOTIQUE. Absolu, arbitraire, illégal, satrape, tyrannique.
DESSÉCHER. Aride, brûler, évaporer, momie, rôtir, sécher, tarir.
DESSEIN. But, intention, ligue, objet, plan, projet, visée, voie, vue.
DESSERT. Dernier, fin, lèse, nuit, tort.
DESSERVIR. Aider, enlever, nuire, obédiencier.
DESSIN. Croquis, épure, esquisse, étude, fusain, graphisme, illustration, image, lavis, onde, pastel, paysage, peinture, portrait, racinage, relevé, représentation, sanguine, schéma, silhouette, tatouage, tracé, veine.
DESSINATEUR. Compas, illustrateur, jardiniste, modeliste, règle, té.
DESSINER. Calquer, colorier, croquer, lever, ombrer, planifier, tracer.
DESSOUS. Fond, infériorité, jupon, moindre, secret, semelle, sous.
DESSUS. Avantage, supériorité, sur, surpasser, vaincre.
DESTIN. Astrologie, condition, étoile, fatalité, fatum, fortune, futur, hasard, numérologie, providence, sort, vie, vocation.
DESTINATION. But, de, en, expédition, fin, groupage, pour, usage.
DESTINÉE. Destin, fin, sort, vie.
DESTINER. Aboutir, affecter, arriver, dédier, prédire, réserver, vouer.
DESTITUER. Chasser, démettre, dénuer, déposer, détrôner, évincer, fonction, libérer, limoger, priver, révoquer, sauter, suspendre.
DESTRUCTION. Anéantissement, carie, démolition, ruine, sape, suicide.
DÉSUNIR. Brouiller, disjoindre, dissocier, diviser, séparer.
DÉTACHER. Affecter, arracher, découper, dégraisser, délier, dénouer, dételer, égrapper, égrener, éloigner, ressortir, scalper, séparer, unir.
DÉTAIL. Débit, devis, élément, étude, note, particularité, public, revue.
DÉTAILLER. Découper, énumérer, étudier, noter, relever, spécifier.
DÉTECTION. Découverte, écoute.
DÉTECTIVE. Agent, flic, limier, policier.
DÉTENDRE. Débander, délasser, distraire, lâcher, relâcher, relaxer.
DÉTENDU. Desserré, distrait, lâche, paresseux, relâché, relaxe.
DÉTENU. Otage, prisonnier, tôlard.
DÉTÉRIORATION. Avarie, dégât, dommage, sabotage, vétuste, usure.
DÉTÉRIORER. Abîmer, altérer, amocher, avarier, briser, déchirer, déglinguer, dégrader, délaborer, délabrer, détérioration, détraquer, détruire, ébrécher, éculer, empirer, endommager, esquinter, gâter, geler, manger, miner, mutiler, percer, pourrir, raguer, ravager, rayer, ronger, ruiner, saboter, trouer, user, vétuste.

DÉTERMINATION. Aréométrie, arrêter, centrer, décider, définir, doser, estimer, fixer, identifier, limiter, peser, rationaliser, régir, titrer.
DÉTESTABLE. Abominable, exécrable, haïssable, mauvais, odieux.
DÉTESTER. Abhorrer, abominer, aversion, exécrer, haïr, ressentir.
DÉTOUR. Courbe, fuite, manège, repli, retour, ruse, tour, virage, zigzag.
DÉTOURNÉ. Dévié, écarté, éloigné, indirect, paré, rusé, viré, volé.
DÉTOURNEMENT. Évitement, malversation, péculat, prévarication.
DÉTOURNER. Affecter, distraire, écarter, dissuader, ranger, soustraire.
DÉTREMPER. Décolorer, délaver, délayer, pétrir.
DÉTRIMENT. Absence, désavantage, préjudice, tort.
DÉTRITUS. Déchet, ordure, rebut, résidus.
DÉTROIT. Bass, canal, kertch, manche, palk, pas, raz, sund.
DÉTRUIRE. Abattre, abîmer, abolir, abroger, anéantir, aviner, briser, broyer, casser, chat, dératiser, exterminer, gâter, massacrer, ôter, renverser, raser, rayer, révoquer, ruiner, saper, supprimer, tuer, user.
DETTE. Ardoise, criade, drapeau, dû, échéance, prêt, solde, tribut.
DEUIL. Berne, chagrin, mort, noir, tristesse.
DEUX. Alternative, ambe, bi, bine, bis, couple, di, division, double, doubler, duo, II, jumeaux, métis, paire, réciproque, second.
DÉVALISER. Cambrioler, voler.
DEVANCER. Anticiper, informer, précéder, prévenir, primer, surpasser.
DÉVASTER. Détruire, gâter, piller, ravager, ruiner, saccager.
DÉVELOPPEMENT. Déroulement, diatribe, épiage, essor, explication, exposé, feu, germination, lyrique, passage, pousse, progrès, traitement.
DEVENIR. Amuïr, calmir, mûrir, passer, rancir, rosir, transformer.
DÉVERROUILLER. Ouvrir.
DÉVERSER. Déborder, décharger, évacuer, tomber, verser.
DÉVERSOIR. Daraise.
DÉVÊTU. Dénudé, déshabillé, nu.
DÉVIATION. Anatomie, dérivé, détour, gauche, scoliose.
DÉVIDOIR. Aspe, caret, écheveau, roquetin, séchoir, touret.
DEVINER. Annoncer, anticiper, augurer, calculer, comprendre, conjecturer, déchiffrer, découvrir, dévoiler, entrevoir, espérer, flairer, imaginer, interpréter, intuition, juger, pile, pénétrer, prédire, préjuger, présager, pressentir, prévenir, prévoir, pronostiquer, prophétiser, reconnaître, rencontrer, résoudre, révéler, sonder, soupçonner, transparaître, trouver, vaticiner.
DEVINETTE. Annonce, calcul, divination, énigme, interprétation, présage, pronostic, prophétie, solution, transparent, trouvaille.
DEVISE. Billet, cause, emblème, maxime, monnaie, pesée.
DÉVOILER. Apparaître, cacher, déceler, démasquer, expliquer, révéler.
DEVOIR. Dette, fonction, obligation, office, ost, redevoir, tâche, travail.
DÉVORER. Brûler, lire, manger.

DÉVOT. Béat, bigot, chauvin, croyant, exalté, pieux, tartuffe.
DÉVOTION. Fanatisme, ferveur, piété, religion, zèle.
DIABLE. Belzébuth, chariot, démon, esprit, génie, lucifer, mal, satan.
DIABOLIQUE. Démoniaque, infernal, satanique.
DIACRE. Clerc, ordre, sacre.
DIALECTE. Argot, biscaïen, dorien, erse, gan, ionien, jargon, joual, langage, langue, oc, patois, stichomythie, timée, tupi, wallon, wu.
DIAMÈTRE. Axe, cercle, module, pi, rayon, sinus.
DIARRHÉE. Colique, dysenterie, foire, tourista.
DIASTASE. Amidon, ase, enzyme, lipase, ptyaline.
DIATRIBE. Accusation, pamphlet, satire.
DICOTYLÉDONE. Anonacée, apétale, linacée, méliacée, sésame, tiliacée.
DICTATEUR. Autocrate, despote, tyran.
DICTATURE. Absolu, autocratie, communisme, despotisme, dictatorial, fasciste, thermidorien, totalitaire, tyrannie.
DICTIONNAIRE. Abrégé, encyclopédie, glossaire, lexique, livre.
DICTON. Maxime, proverbe.
DIE. Sine.
DIEU. Adonis, agni, allah, amon, anou, anubis, arès, ases, attis, atys, baal, bêl, ciel, civa, créateur, culte, dagon, déesse, déo, divin, éden, élu, éole, esculape, ésus, éros, éternel, faune, ganeça, hades, horus, laron, mars, neptune, nérée, odin, osiris, pan, pénates, père, râ, rama, rê, saint, seigneur, sérapis, siva, thor, tlatoc, tor, vulcain, wotan, zeus.
DIFFÉRENCE. Absence, agio, écart, contraste, dénivellation, dénivellement, discordance, dissemblance, distinction, divergence, diversité, inégalité, nuance, opposition, sexe, tension, variété.
DIFFÉREND. Autre, contestation, débat, désaccord, démêlé, dispute, distinct, divers, écart, juger, litige, malentendu, procès, querelle.
DIFFÉRENT. Allopathie, alternance, autre, contraire, distant, distinct, divergent, divers, être, inégal, nouveau, nuance, opposé, varié.
DIFFÉRER. Ajourner, atermoyer, caractériser, écarter, remettre, tarder.
DIFFICILE. Abscons, ardu, complexe, compliqué, dur, effort, épineux, indigeste, malaisé, raide, rare, résistant, rétif, rude, soutenu, tenace.
DIFFICULTÉ. Complexité, danger, écueil, entrave, épine, épreuve, hic, inconvénient, nœud, obstacle, os, problème, tirage, tiraillement.
DIFFORME. Bossu, éclopé, forme, laid, tors.
DIFFORMITÉ. Bot, bote, gnome, tordu, pygmée.
DIFFUSER. Émettre, émission, propager, radiodiffuser, répandre.
DIGESTION. Apepsie, assimilation, coction, dyspepsie, manger.
DIGITALE. Gantelée, pavée.
DIGNE. Enviable, équitable, fier, louable, mériter, pape, royal.
DIGNITÉ. Caïdat, dogat, droit, émirat, grade, grand, imamat, nabab, palatinat, pontificat, prêtrise, rang, royauté, tiare, titre, vidame.

DIGRESSION. Dévier, écart, excursus, hors-d'œuvre, parenthèse, récit.
DIGUE. Endiguer, estacade, jetée, levée.
DILAPIDER. Dépenser, gaspiller, manger, prodiguer.
DILATATION. Augmenter, chaleur, étendre, expansion, gaz, varice.
DILETTANTE. Amateur, attitude, plaisir.
DILUER. Couler, délaver, détremper, étendre, liquifier.
DIMANCHE. Avent, dominical, endimancher, missel, pâques, quasimodo, saint, septuagésime.
DIMENSION. Énormité, envergure, étendu, format, proportion, taille.
DIMINUER. Abaisser, abréger, aléser, altérer, amoindrir, amputer, ariser, attiédir, baisser, céder, écourter, décroître, détendre, diluer, éligir, raccourcir, rapetisser, réduire, restreindre, rétrécir, rogner, user.
DIMINUTIF. Et, tantine.
DIMINUTION. Abaissement, amenuisement, amortissement, anémie, détente, encroûtement, frai, oligurie, réduction, retrait, soulagement.
DINGUE. Fou.
DIOLÉFINE. Diène.
DIPHTONGUE. Æ, œ, oi, tréma.
DIPLOMATE. Ambassadeur, consul, émissaire, envoyé, légat, nonce.
DIPLÔME. Brevet, certificat, grade, parchemin, titre.
DIRE. Affirmer, biner, chuchoter, citer, conter, crier, débiter, déclarer, décrire, échapper, épancher, expliquer, mentir, murmurer, nier, opiner, papoter, proférer, prononcer, psalmodier, raconter, réciter, rêver.
DIRECT. Brutal, droit, franc, immédiat.
DIRECTEUR. Administrateur, chef, dirigeant, gérant, principal, recteur.
DIRECTION. Acheminement, administration, autorité, axe, biais, cap, conduite, destination, fil, gestion, route, sens, stratégie, tête, visée.
DIRIGE. Agent, conducteur, guide, meneur, oriente, porteur.
DIRIGER. Accompagner, acheminer, animer, axer, conduire, gêner, gouverner, guider, mener, orienter, router, senestrer, tenir, viser.
DISCERNER. Démêler, dépister, expliquer, flairer, goûter, trier, voir.
DISCIPLE. Ami, apôtre, élève, épigone, satori, talibé, zététique.
DISCIPLINAIRE. Biribi.
DISCIPLINE. Ascèse, cilice, contrepoint, géométrie, haire, matière, mortification, musicologie, ordre, règle.
DISCIPLINER. Enseigner, modérer, ordonner, policer, régler.
DISCONTINUER. Arrêter, cesser, interrompre.
DISCORDANCE. Conflit, dispute, divorce, émeute, lutte, schisme, zizanie.
DISCOURIR. Parler, pérorer, plaider, prêcher, présenter, réciter.
DISCOURS. Allocution, boniment, dissertation, éloge, énigme, exposé, harangue, homélie, laïus, mensonge, oraison, plaidoyer, sornette, topo.
DISCRÉDITER. Avilir, couler, décrier, dénigrer, médire, noircir.
DISCRET. Circonspect, délicat, réservé, retenu, secret, silencieux, sobre.

DISCULPER. Blanchir, défendre, excuser, innocenter, justifier, résigner.
DISCUTER. Critiquer, débattre, délibérer, ergoter, étudier, examiner.
DISETTE. Absence, besoin, faim, famine, manque, pénurie, rareté.
DISGRÂCE. Malheur, revers.
DISGRACIEUX. Laid, vilain.
DISLOQUER. Abîmer, briser, casser, démancher, démonter, luxer.
DISPARAÎTRE. Dissiper, effacer, évanouir, évaporer, partir, volatiliser.
DISPARITION. Absence, analgésie, départ, éclipse, évanoui, fin, mort.
DISPARU. Absent, bu, éteint, mort.
DISPENSER. Abstenir, annuler, distribuer, exempter, exonérer.
DISPERSER. Égailler, éparpiller, épendre, perdre, répandre, semer.
DISPERSION. Aérosol, diffusion, solaire, spectre.
DISPOS. Agile, apte, capable, fatigue, forme, infus, léger, santé, souple.
DISPOSÉ. Enclin, folié, ondé, ordonné, partant, préparé, prédisposé, prêt.
DISPOSER. Avoir, dresser, garnir, mettre, préparer.
DISPOSER. Agencer, ajuster, aménager, anneler, arrimer, croiser, décider, draper, étager, étaler, étirer, imbriquer, mannequiner, masser, organiser, orner, ourdir, placer, prédisposer, prêter, tendre.
DISPOSITIF. Alarme, antivol, bande, capteur, clabot, déclic, frein, lecteur, radar, scanner, stabilisateur, vernier, viseur.
DISPOSITION. Acrimonie, agencement, aptitude, arrangement, clause, cœur, distribution, don, état, être, forme, frein, humeur, irascibilité, legs, nervation, plan, rang, rythme, soumission, structure, vice.
DISPUTE. Altercation, démêlé, discussion, noise, opposition, querelle.
DISPUTER. Chamailler, chicaner, discuter, expliquer, opposer, quereller.
DISQUE. Anneau, cercle, compact, palet, plateau, rayon, rondelle.
DISSENSION. Désaccord, discorde, haine.
DISSIMULATION. Duplicité, fausseté, hypocrisie, sournoiserie, soutenu.
DISSIMULER. Cacher, fourber, inavouer, mentir, sournois, taire, voiler.
DISSIPER. Absorber, chahuter, dépenser, disparaître, disperser, ôter.
DISSOLVANT. Solvant.
DISTANCE. Bordée, écart, éloignement, empan, espacement, longueur.
DISTENDRE. Augmenter, élonger, étirer, étendre, tendre, tirer.
DISTENSION. Claquage, hydronéphrose.
DISTILLERIE. Gaz, liquide, rhumerie.
DISTINCT. Absolu, autre, clair, différent, isolé, net, pur, rare, seul.
DISTINCTION. Différence, élégance, galon, honneur, insigne, sélect.
DISTINGUÉ. Aristocrate, chic, élégant, élu, émérite, noble, racé, raffiné.
DISTINGUER. Différencier, illustrer, signaler, singulariser, voir.
DISTRACTION. Absence, amusement, attraction, délassement, détente, divertissement, étourderie, évasion, inattention, loisir, récréation.
DISTRAIRE. Amuser, délasser, détourner, divertir, égayer, tromper.
DISTRAIT. Absent, absorbé, étourdi, inattentif, préoccupé, rêveur.

DISTRIBUER. Attribuer, départir, dispenser, donner, partager, répartir.
DISTRIBUTION. Attribution, classification, don, partage, répartition, tri.
DISTRIBUTEUR. Diffuseur, fontaine, pompiste, répartiteur.
DIT. Autrement, convenir, discours, émet, émis, émit, sic, succinct.
DIVAGUER. Délirer, dérailler, déraisonner, élucubrer, errer.
DIVAN. Canapé, sofa, turquie.
DIVERS. Autre, différent, mélange, mixte, plusieurs, us, varié.
DIVERSIFIER. Différencier, mélanger, mêler, mixer, varier.
DIVERTIR. Amuser, distraire, ébattre, égayer, jouer, plaire, rire.
DIVERTISSEMENT. Amusement, carnaval, délassement, distraction, ébat, jeu, joute, partie, plaisir, récréation, réjouissance.
DIVIN. Céleste, déesse, dieu, diva, messe, nimbe, saint, surnaturel.
DIVINATION. Cabale, extase, géomancie, oniromancie, présage.
DIVINITÉ. Athéna, atlas, belzébuth, civa, déesse, déise, déité, dieu, éros, faune, furie, gaia, gê, hestia, hymen, idole, isis, naïade, oréade, osiris, prier, rê, ris, satyre, siva, sylvain, thétis, valkyrie, vœu.
DIVISER. Allotir, classer, couper, débiter, découper, fendre, fractionner, graduer, morceler, pair, ramifier, scier, scinder, séparer, tomer.
DIVISION. Acte, bissection, case, clan, déci, décurie, dème, épisode, ène, ère, ese, ion, jeu, lobe, lotissement, mesure, mois, nome, page, part, partition, pico, quartier, saison, schisme, temps, tome, verset, zone.
DIVULGUER. Dévoiler, dire, ébruiter, éventer, publier, révéler, trahir.
DIX. Déca, décade, décadi, décaèdre, décagone, décalitre, décalobe, décalogue, décamètre, décan, décapode, décapole, décathlon, décennal, décennie, déci, décigrade, décilitre, décimal, décimètre, décimo, décupler, dîme, dixième, messidor.
DIXIÈME. Décigrade, décigramme, dîme.
DOCILE. Discipliné, doux, obéissant, sage, souple, têtu.
DOCKER. Arrimeur, porteur.
DOCTEUR. Doctorat, dr, esdras, médecin, santé, thèse, uléma.
DOCTRINE. Abolitionnisme, athéisme, chiisme, classicisme, crédo, déterminisme, dogme, école, égalitarisme, évangile, fatalisme, galénisme, gnèse, gnose, hérésie, humanisme, léninisme, nestorianisme, quiétisme, saktisme, savoir, scepticisme, secte, socialisme, système, stalinisme, suc, théologie, théorie, thèse, volontarisme.
DOCUMENT. Dossier, papier, pièce, rectificatif, source, témoignage.
DODINE. Ballottine.
DOGME. Affirmation, certitude, crédo, croyance, évangile, foi.
DOGUE. Bouledogue, carlin, chien, mastiff, molosse, terrier.
DOIGT. Annulaire, auriculaire, bague, bijou, castagnette, digital, digitopuncture, doigté, doigtier, empan, index, majeur, montrer, ongle, orteil, phalange, phalangette, pouce, shiatsu.
DOIGTIER. Dé.

DOMAINE. Champ, château, ferme, fief, métairie, secteur, terre, villa.
DOMESTIQUE. Boy, chasseur, familial, larbin, maison, serviteur, valet.
DOMINANCE. Épistasie, latéralisation.
DOMINATEUR. Autoritaire, joug, maîtrise, possessivité.
DOMMAGE. Atteinte, avarie, bavage, calamité, dam, dégât, dégradation, détérioration, grief, lésé, mal, perte, préjudice, ravage, ruine, tort.
DOMPTER. Apprivoiser, dresser, mater, régenter, soumettre, vaincre.
DON. Attribution, cadeau, donation, legs, libéralité, octroi, récompense.
DONATION. (Voir don.)
DONC. Adonc, adoncques, ainsi, ergo.
DONJON. Ballon, prison, tour.
DONNÉE. Argument, base, fondement, présent, principe, soignant, titre.
DONNER. Adoucir, aérer, affaler, aider, alerter, américaniser, animer, arabiser, araser, armer, aviver, battre, bécoter, biner, biser, calotter, carrer, catir, causer, céder, chuinter, colorer, corser, définir, doter, élever, enfanter, engendrer, enhardir, ennoblir, ériger, érotiser, étendre, façonner, ficher, fouetter, fréter, gaver, germaniser, gifler, gîter, gréciser, idéaliser, intituler, iriser, lainer, léguer, limiter, loger, louer, lustrer, marier, mesurer, moderniser, moirer, nacrer, nommer, occasionner, occuper, offrir, opaliser, ordonnancer, permettre, ployer, politiser, ravitailler, recevoir, refiler, rehausser, rendre, renforcer, renoter, rénover, renseigner, romancer, ruer, salarier, saluer, servir, soigner, surélever, suriner, taper, tapoter, téléphoner, teinter, tiercer, traiter, travestir, veiller, voter, warranter, urbaniser.
DORÉNAVANT. Avenir, désormais, ores.
DORER. Blondir, embellir, griller, or, orner.
DORLOTER. Cajoler, chouchouter, soigner.
DORMEUR. Dormant, loir, ronfleur.
DORMIR. Reposer, ronfler, roupiller, sommeiller, somnoler, tsé-tsé. PIONCER
DORTOIR. Salle.
DORURE. Or.
DOS. Arrière, cariatide, dorsal, échine, on, programme, télamom, verso.
DOTER. Équiper, gratifier, orner, pouvoir, structurer.
DOUAIRE. Héritage, veuf.
DOUBLE. Alias, battellement, bis, copie, crémone, deux, dilemme, dualité, enrue, fla, géminé, jumeau, pli, rein, siamois, sosie, té, tréma.
DOUBLEAU. Arc.
DOUBLER. Augmenter, damer, dépasser, étendre, jumeler, répéter.
DOUBLURE. Ouatine, parementure, velet.
DOUCE. Amène, câline, caressante, clémente, duveteuse, riante.
DOUCEMENT. Bas, décanter, insinuer, lentement, mollo, piano, tâter.
DOUCEREUX. Doux, fade, hypocrite, mielleux, sournois, sucré.

DOUCEUR. Affabilité, agrément, aménité, baume, bénignité, bonté, clémence, liqueur, mélodie, miel, mignardise, onction, suavité.
DOUER. Animer, as, capable, don, doter, partager, pourvoir.
DOULEUR. Brachialgie, chagrin, colique, courbature, deuil, élancement, gémir, larme, ostéalgie, otalgie, mal, martyre, névralgie, peine, rage.
DOULOUREUX. Accablant, affligeant, algique, amer, chagrin, cruel, cuisant, déchirant, endolori, éprouvant, pénible, sensible, triste.
DOUTE. Critique, hésitation, incertitude, indécision, irrésolution, si.
DOUTER. Contester, critiquer, hésiter, interroger, méfier, suspecter.
DOUTEUX. Ambigu, apocryphe, faux, incertain, louche, suspect.
DOUX. Agréable, aimable, amène, bénin, câlin, caressant, charitable, clément, gentil, indulgent, langoureux, liant, moelleux, mol, mou, ouaté, paisible, riant, satin, sociable, souple, suave, sucré, tendre, tranquille.
DOUZAINE. Demi-douzaine, douze, grosse.
DOUZE. Alexandrin, an, année, apôtres, décembre, mois, pied, pouce.
DRAA. Dra.
DRAINER. Émissaire, purger.
DRAMATIQUE. Crucial, difficile, émouvant, poignant, théâtral, tragique.
DRAME. Cinéma, film, mélodrame, no, œuvre, oratorio, tragédie.
DRAP. Alaise, alèse, habit, linceul, narengo, ratine, sédan, tissu.
DRAPEAU. Bannière, couleurs, étendard, fanion, oriflamme, pavillon.
DRAPERIE. Cantonnière, rideau.
DRESSER. Apprendre, apprivoiser, dompter, établir, exercer, fixer, former, hérisser, hisser, mater, nerver, riper, styler, verbaliser.
DROGUE. Came, neige, orviétan, seng, speed.
DROIT. Autorité, dr, entrée, honnête, intérêt, justice, loi, parallèle, péage, permission, priorité, rectiligne, usage, usus, vertical.
DROITE. Amusant, coup, dextre, diagonal, gauche, hue, main, tribord.
DRÔLE. Bizarre, cocasse, comique, crevant, farce, marrant, rire.
DRÔLEMENT. Très.
DROMADAIRE. Chameau, méhari.
DÛ. Dette, devoir, facture, payer.
DUC. Ducal, duché, maréchal, prince, scops.
DUEL. Combat, défi, escrime, lame, lice, pré, rencontre, terrain.
DUPER. Appât, entuber, lentille, mensonge, rouler, tromper.
DUR. Amer, coriace, impitoyable, implacable, inexorable, rude, sévère.
DURABLE. Constant, continuel, éternel, immuable, inaltérable, indéfectible, invariable, permanent, perpétuel, persistant, stable.
DURANT. Pendant, temporellement.
DURCIR. Endurcir, geler, glacer, rassir.
DURCISSEMENT. Athérome, glaucome, sclérose, sténose, xérodermie.
DURE. Constant, longtemps.
DURÉE. Âge, an, délai, éternité, nuit, nuitée, permanence, soir, temps.

DURER. Demander, étaler, occuper, perpétrer, prolonger, rester.
DURETÉ. Brutalité, fermeté, rigueur, rudesse, sévérité, vigueur.
DURILLON. Cal, cor, oignon.
DUVET. Coton, édredon, eider, kapok, lit, plume.
DUVETEUX. Lanugineux, pubescent, tomenteux.
DYN. Dyne.
DYNAMISME. Activité, force, pep, tonicité, vitalité.
DYNASTIE. Famille, hockey, sassanide, tsing.
DYNE. Barye, din, dyn, erg.
DYSPROSIUM. Dy.
DYSTOCIE. Accouchement.

E

ÉAQUE. Héros, juge.
EAU. Aqua, baille, boisson, cascade, étang, filet, fleuve, flots, glace, lac, lavure, lotion, lustrale, mare, mer, nappe, neige, onde, ondée, pluie, rivière, ru, ruisseau, ruisson, soda, suage, torrent.
EAU-DE-VIE. Alcool, aquavit, armagnac, brandy, calvados, cherry, cognac, fine, genièvre, gin, gnôle, kirsch, rhum, rogomme, rye, schnaps, scotch, tafia, vodka, whisky.
ÉBAHIR. Abasourdir, ahurir, éberluer, épater, estomaquer, étonner, étourdir, méduser, pétrifier, sidérer, surprendre.
ÉBAUCHE. Amorce, aperçu, dessin, esquisse, essai, idée, jet, projet.
ÉBLOUIR. Aveugler, briller, émerveiller, impressionner, épater.
ÉBLOUISSEMENT. Berlue, contrejour, fascination, mirage, vertige.
ÉBOUILLANTER. Blanchir, bouillir, échauder.
ÉBOULIS. Éboulement, ruine.
ÉBOURIFFER. Écheveler, étonner.
ÉBRANCHAGE. Ébranchement, émondage.
ÉBRANCHER. Couper, élaguer, émonder, étêter, houppier.
ÉBRANLER. Affaiblir, agiter, balancer, chanceler, commotionner, étonner, lézarder, ruiner, saper, secouer, traumatiser.
ÉBRÉCHER. Briser, détériorer, écorner, égueuler.
ÉBRIÉTÉ. Ivresse.
ÉCAILLE. Coccolite, coquille, fente, lèpre, plaque, squame, squama.
ÉCALE. Arachide, brou.
ÉCART. Danse, détour, distance, embardée, faute, frasque, fredaine.
ÉCARTELER. Quartier, tirailler.
ÉCARTER. Bannir, carte, éliminer, éloigner, évincer, isoler, retirer.
ÉCARTEUR. Délogeur, dériveur, disloqueur, érine, fourreur.

ECCHYMOSE. Blessure, bleu, contusion, guérir, plaie.
ECCLÉSIASTIQUE. Abbé, aumônier, clerc, église, frère, lévite, liturgie, ordre, prélat, prêtre, religieux, sacerdotal, sœur, synode, tribunal.
ÉCERVELÉ. Braque, étourdi, fou, hurluberlu, irréfléchi.
ÉCHAUFFOURÉE. Bagarre, bataille, combat, escarmouche, rififi, rixe.
ÉCHALAS. Hautain, pieu.
ÉCHANCRER. Casser, entailler, évider, tailler.
ÉCHANCRURE. Anse, baie, calanque, entournure, habit, indentation.
ÉCHANGE. Achat, marché, permutation, rechange, relais, traite, troc.
ÉCHANGER. Aliéner, commuer, discuter, permuter, relayer, troquer.
ÉCHANTILLON. Exemplaire, modèle, spécimen.
ÉCHAPPEMENT. Éclipse, escapade, fugue, fuite, inaperçu, sauf.
ÉCHAPPER. Couler, enfuir, évader, éviter, filer, fuir, sauver, sortir.
ÉCHARPE. Arc-en-ciel, foulard, iris.
ÉCHASSIER. Aigrette, bihoreau, butor, cigogne, courlan, flamant, foulque, gallinule, grue, héron, ibis, outarde, râle, spatule, vanneau.
ÉCHAUFFER. Brûler, chauffer, colère, ébouillanter, irriter.
ÉCHEC. Avortement, blanc, cavalier, clouer, colonne, dame, damer, défaite, échiquier, échouer, faillite, fou, mat, noir, pat, pièce, pion, prise, reine, revers, roi, roque, simultanée, tour, veste.
ÉCHELLE. Escabeau, escalier, iso, jacob, levant, modalité, registre.
ÉCHELON. Degré.
ÉCHELONNER. Étager, étaler, graduer, palier.
ÉCHINODERME. Anémone, astéride, étoile, holothurie, oursin.
ÉCHOUER. Avorter, déconvenue, fiasco, foirer, manquer, obstacle, rater.
ÉCHU. Dévolu.
ÉCIMER. Étêter.
ÉCLAIR. Feu, flash, foudre, fulguration, idée, orage, tonnerre.
ÉCLAIRAGE. Illumination, lampe, lumière, phare.
ÉCLAIRCIR. Décanter, démêler, élucider, expliquer, tailler.
ÉCLAIRCISSEMENT. Embellissement, explication, note, raclement.
ÉCLAIRE. Luire, lux.
ÉCLAIRER. Animer, apporter, briller, édifier, illuminer, instruire.
ÉCLAT. Brillant, bruit, couleur, crevaison, cri, éblouissant, éclair, écornure, feu, lueur, lustre, papillotement, rayonnement, vernis.
ÉCLATER. Briser, casser, colère, crever, exploser, péter, tirer.
ÉCLISSE. Attelle, bandage, strass.
ÉCLORE. Naître.
ÉCŒURANT. Alléchant, dégoûtant, malpropre, nauséabond, révoltant.
ÉCŒURER. Dégoûter, révolter.
ÉCOLE. Collège, conservatoire, cours, couvent, doctrine, institution, lycée, manécanterie, maternelle, pension, polyvalente, système.
ÉCOLIER. Cancre, élève.

ÉCONOME. Avare, cellérier, épargnant, parcimonieux, regardant.
ÉCONOMISER. Épargner, gratter, lésiner, ménager, thésauriser.
ÉCORCE. Arbre, cortical, écale, macis, peau, regros, tan, teille, tille, zeste.
ÉCORCHER. Blesser, éplucher, érafler, érailler, excorier, griffer, peler.
ÉCOT. Quote-part.
ÉCOULEMENT. Débouché, larmoiement, otorrhée, suintement, torrent.
ÉCOULER. Couler, épuiser, liquider, passer, refiler, vendre, vider.
ÉCOUTER. Ausculter, entendre, obéir, ouïr, prêter, suivre.
ÉCRABOUILLER. Anéantir, aplatir, broyer, écraser, lessiver, mater.
ÉCRASER. Accabler, anéantir, aplatir, broyer, comprimer, écorcher, écrabouiller, lessiver, mouliner, piler, réduire, surcharger.
ÉCRIRE. Adresser, calligraphier, composer, consigner, dactylographier, griffonner, marquer, noter, rédiger, taper, tester, tracer, transcrire.
ÉCRIT. Acte, barbouillage, barbouillis, braille, graphisme, gribouillage, journal, libelle, minute, nécrologie, papier, récépissé, script, style.
ÉCRITURE. Atonalité, braille, ogham, plume, style, texte.
ÉCRIVAIN. Auteur, cénacle, nègre, rédacteur, romancier, scribouilleur.
ÉCROUER. Emprisonner, incarcérer.
ÉCROULEMENT. Abaissement, destruction, ruine.
ÉCROULER. Affaisser, dégrader, démolir, ébouler, effriter, enfoncer.
ÉCROÛTER. Biner.
ÉCUELLE. Assiette, batée, gamelle, sébile.
ÉCULER. User.
ÉCUME. Anadyomène, arcot, bave, colère, mousse, mouton, pirate.
ÉCUMER. Baver, crémer, mousser, rager, trier.
ÉCUMEUSE. Crémeuse, mousseuse, spumeuse.
ÉCUREUIL. Fouquet, pétauriste, polatouche, suisse, tamia, xérus.
ÉDEN. Jardin, paradis.
ÉDENTÉ. Ai, dent, fourmilier, pangolin, paresseux, tatou, tortue, uneau.
ÉDIFICE. Construction, dôme, hôtel, odéon, maison, musée, temple.
ÉDIFIER. Bâtir, conduite, construire, ériger, faire, instruire, renseigner.
ÉDIT. Loi, nante, règlement, union.
ÉDITER. Imprimer, livre, paraître, publier, rééditer, tirer.
ÉDITEUR. Coéditeur, imprimeur.
ÉDOM. Idumée.
ÉDOUARD. Ed.
ÉDUCATEUR. Édificateur, enseignant, formateur, instituteur, moniteur, moralisateur, précepteur, prof, professeur, rééducateur.
ÉDUCATION. Édification, élève, enseignement, politesse, savoir-vivre.
ÉDULCORATION. Adoucir, sucrate.
ÉDUQUER. Dresser, édifier, élever, façonner, former, instruire, prêcher.
EFFACER. Biffer, corriger, détruire, gommer, gratter, raturer, rayer.
EFFARER. Effrayer, hagard, troubler.

EFFECTIF. Positif, réel, renfort, solide, troupe, vrai.
EFFECTIVEMENT. Positivement, réellement, véritablement.
EFFECTUER. Accomplir, exécuter, faire, gemmer, réaliser, souder.
EFFERVESCENCE. Agitation, chaleur, ébullition, émoi, passion.
EFFET. Agissement, bagage, cause, choc, coloris, conséquence, gag, impression, mémoire, morsure, ravage, son, théâtral, valeur, vêtement.
EFFICACITÉ. Absolu, action, agissant, énergie, palliatif, positif, utilité.
EFFILER. Aigu, effilocher, mince.
EFFLEURER. Caresser, érafler, friser, frôler, lécher, raser, tâter, toucher.
EFFLUVE. Émanation, exhalaison, odeur, senteur, vapeur.
EFFONDREMENT. Anéantissement, écroulement, ruine.
EFFORT. Ahan, contention, mobilisation, pesée, réaction, rush, tension.
EFFRAYANT. Abominable, alarmant, effroyable, épouvantable, horrible, monstrueux, redoutable, terrifiant.
EFFRAYER. Affoler, alarmer, angoisser, apeurer, effarer, effaroucher, épouvanter, horrifier, inspirer, peur, ressentir, terrifier, terroriser.
EFFROI. Crainte, frayeur, horreur, panique, peur.
EFFRONTÉ. Cynique, déluré, galopin, grossier, hardi, impertinent, impudent, inconvenant, insolent, osé, polisson.
EFFRONTERIE. Culot, cynisme, indiscrétion, insolence, toupet.
EFFROYABLE. Atroce, affreux, effrayant, horrible, terrible.
ÉGAL. Équi, indifférent, iso, même, niveau, pair, pareil, plat, uni.
ÉGALEMENT. Aussi, continuation, semblable.
ÉGALER. Atteindre, balancer, compenser, équivaloir, répartir, valoir.
ÉGALISER. Doubler, niveler, polir, taquer, tempérer.
ÉGALITÉ. Équation, iso, niveau, pair, parité, ressemblance, symétrie.
ÉGARÉ. Adiré, ivre, perdu.
ÉGAREMENT. Délire, effarement, folie, ivresse, mémoire, oubli.
ÉGARER. Adirer, aliéner, dérouter, désorienter, dévoyer, écarter, errer, fourvoyer, ivre, paumer, perdre, pervertir, tromper.
ÉGAYER. Amuser, dérider, divertir, orner, rire.
ÉGLISE. Abbatiale, basilique, cathédrale, clergé, couvent, doctrine, dogme, épiscopat, nef, oratoire, pastoral, sacerdoce, sanctuaire, temple.
ÉGOÏNE. Scie.
ÉGOÏSME. Amour-propre, égocentrisme, individualisme, intérêt, moi, narcissisme, personnel, soi-même.
ÉGORGER. Étrangler, tuer.
ÉGRAPPER. Égrener, émietter.
ÉGRATIGNER. Blesser, déchirer, écorcher, érafler, griffer, rayer.
ÉGRENER. Batteuse, blé, dévider, égrapper, émietter.
ÉGYPTIEN. Arabe, momie, obélisque, papyrus, pharaon, pyramide, stèle.
EINSTEINIUM. Es.
ÉJECTION. Évacuation, lancement.

ÉLAGUER. Dégager, ébrancher, écot, étêter, émonder, tailler.
ÉLAGUEUR. Cisaille, croissant, serpe.
ÉLAN. Ardeur, aspiration, envolée, erre, essor, foucade, fougue, geste, mouvement, orignal, passion, progrès, saut, tremplin, zèle.
ÉLANCÉ. Élégant, fin, mince, svelte.
ÉLARGIR. Aléser, dilater, écarter, étendre, évaser, grossir.
ÉLARGISSEMENT. Libération, stomatoplastie.
ÉLASTICITÉ. Anélasticité, flexibilité, ressort, souplesse.
ÉLECTROCUTION. Exécution.
ELECTRODE. Anode, cathode, diode, penthode, tétrode.
ÉLECTRON-VOLT. Ev.
ÉLÉGANCE. Beauté, chic, classe, cri, distinction, goût, mode, vénusté.
ÉLÉGANT. Beau, chic, coquet, dandy, distingué, élancé, snob, soigné.
ÉLÉMENT. Iode, isotope, partie, pièce, substance, synthèse, unité.
ÉLÉMENTAIRE. Abécédaire, notion, rudimentaire, simple, sommaire.
ÉLÉPHANT. Barrissement, éléphanteau, ivoire, mammouth, pachyderme.
ÉLÉPHANTESQUE. Énorme, gigantesque, mastodonte.
ÉLEVAGE. Apiculture, aviculture, héliciculture, terrarium.
ÉLÉVATION. Altitude, augmentation, éminence, enseuillement, grandeur, hauteur, mont, montagne, noblesse, réa, sublime, tertre.
ÉLEVÉ. Beau, fier, grand, haut, noble, promu, sublime, supérieur.
ÉLÈVE. Apprenti, cadet, collégien, disciple, écolier, érige, étudiant, externe, interne, lycéen, maître, pensionnaire, pilotin, rapin, rat.
ÉLEVER. Bâtir, construire, crier, dispenser, éduquer, ériger, former, grouper, lever, nourrir, poétiser, promouvoir, soulever.
ÉLEVEUR. Oiseleur.
ÉLIMER. Râper, user.
ÉLIMINER. Anéantir, détruire, enlever, évincer, sortir, tirer, trier, tuer.
ÉLIRE. Choisir, nommer, plébisciter, réélire, trier, voter.
ÉLITE. Aristocratie, as, choix, crème, fleur, gratin, lie, supérieur.
ELLE. Éon, femme, fille, soi.
ELME. Érasme.
ÉLOGE. Apologie, compliment, congratulation, dithyrambe, félicitations, flatter, louange, panégyrique, triomphe.
ÉLOIGNÉ. Écarté, détourné, distance, isolé, loin, lointain, perdu, reculé.
ÉLOIGNEMENT. Absence, dégoût, distance, nostalgie, recul, sûreté.
ÉLOIGNER. Absenter, aliéner, arracher, détacher, disparaître, distancer, écarter, évincer, exiler, fuir, isoler, partir, reléguer, retirer, séparer.
ÉLOQUENCE. Art, dire, écrire, faconde, oratoire, rhétorique, verve.
ÉLUDER. Détour, escamoter, esquiver, éviter, négation, non, tourner.
ÉLYTRE. Aile.
ÉMAIL. Allumé, porcelaine, vernis.
ÉMANATION. Arôme, ectoplasme, ichor, odeur, miasme, radon.

EMBALLER. Attacher, emboîter, entourer, envelopper, remballer.
EMBARCATION. Allège, baleinière, bateau, barque, canoë, canot, chaloupe, flette, gondole, oumiak, pirogue, rafiot, verchère, yacht, yole.
EMBARDÉE. Écart.
EMBARQUER. Débarquer, emporter, monter, partir, rembarquer.
EMBARRAS. Aria, complication, difficulté, doute, ennui, gêne, honte.
EMBARRASSANT. Ennuyeux, épineux, gênant, malencontreux, obstacle.
EMBARRASSÉ. Confus, gêné, honteux, penaud, perplexe, sot, timide.
EMBARRASSER. Encombrer, entraver, gêner, obstruer.
EMBASSADEUR. Diplomate, nonce.
EMBAUCHER. Engager, enrôler, recruter, traiter.
EMBECQUER. Gaver.
EMBELLIR. Border, décorer, enjoliver, flatter, ornementer, orner, parer.
EMBELLISSEMENT. Décoration, garniture, ornement, parure.
EMBLÈME. Armoiries, attribut, balance, blason, écusson, image, insigne, lis, médaille, myrte, signe, symbole, tiroir.
EMBOBELINER. Embobiner, enjôler, ficeler.
EMBOÎTER. Ajuster, assembler, encastrer, enchâsser, engager, entrer, envelopper, glisser, infiltrer, insinuer, introduire, mouler, pénétrer.
EMBONPOINT. Enflure, graisse, gros, gourmandise, obésité, rondelet.
EMBOUCHURE. Bouche, delta, estuaire, tétine.
EMBOURBER. Enliser.
EMBOUT. Ferret.
EMBRANCHEMENT. Chemin, fourche, phanérogame, ver.
EMBRASEMENT. Ardeur, crémation, feu, flamme, incendie, sinistre.
EMBRASSEMENT. Accolade, bec, étreinte.
EMBRASSER. Adopter, baiser, biser, choisir, enlacer, étreindre, serrer.
EMBRIGADER. Enjôler, enrôler.
EMBROUILLER. Embarrasser, emmêler, imbroglio, mélanger, mêler.
EMBRYON. Bourgeon, fœtus, ovule, placenta.
EMBÛCHE. Danger, embuscade, piège, ruse.
ÉMÉCHÉ. Ivre, saoul, soûl.
ÉMERGER. Nager, sortir, surgir.
ÉMERVEILLER. Éblouir, étonner, fasciner, surprendre.
ÉMETTRE. Aspirer, claqueter, créer, diffuser, dire, énoncer, jeter, luire.
ÉMIER. Égrener, émietter.
ÉMIETTER. Broyer, égrener, émier, fragmenter, paner.
ÉMIGRATION. Exil, exode.
ÉMIGRER. Essaimer, expatrier, migrer, rapatrier, réfugier.
ÉMINENCE. Cardinal, colline, élévation, ém, hauteur, mont, montagne, protubérance, saillie, téocalli, tertre, tumeur.
ÉMIS. S.O.S.
ÉMISSION. Antenne, irradiation, jet, luminescence, rot, ruissellement.

EMMÊLER. Brouiller, embrouiller, enchevêtrer, mélanger, mêler.
EMMENER. Amener, conduire, emporter, entraîner, traîner.
EMMITOUFLER. Déguiser, envelopper, habiller.
ÉMOLUMENT. Commission, gain, rétribution, salaire.
ÉMONDER. Ébrancher, élaguer, jardiner, tailler.
ÉMOTIF. Colérique, nerveux, sentimental.
ÉMOTION. Agitation, bouleversement, émoi, sentiment, souci, trouble.
ÉMOTIONNER. Angoisser, commotionner, émouvoir, troubler.
ÉMOUSSER. Arrondir, blaser, énerver, épointer, gâter, paralyser, user.
ÉMOUVANT. Attendrissant, bouleversant, déchirant, impressionnant, navrant, pathétique, poignant, saisissant, touchant, troublant.
ÉMOUVOIR. Affecter, agiter, amadouer, apitoyer, attendrir, choquer, fléchir, perturber, remuer, retourner, saisir, sympathiser, toucher.
EMPALMER. Empaumer.
EMPAN. Pan.
EMPARER. Accaparer, approprier, capturer, prendre, saisir, usurper.
EMPÂTÉ. Baveux, épais, gras.
EMPÊCHEMENT. Barrière, écueil, embarras, entrave, obstacle.
EMPÊCHER. Arrêter, barrer, consigner, entraver, éviter, fermer, gêner, interdire, modérer, museler, neutraliser, opposer, retenir, séparer.
EMPEREUR. Bataille, empire, monarque, palmipède, roi, tsar.
EMPESAGE. Amidonnage, raidir.
EMPESTER. Puer, sentir.
EMPÊTRER. Embarrasser, lier, merdoyer, vasouiller.
EMPHATIQUE. Grand, guindé, pompeux, ronflant, solennel.
EMPIÉTER. Anticiper, chasser, déborder, dépasser, envahir, usurper.
EMPILER. Amasser, entasser.
EMPIRE. Autorité, empereur, pouvoir, puissance, royaume.
EMPIRER. Aggraver.
EMPLACEMENT. Abri, étal, lieu, local, place.
EMPLETTE. Achat, acquisition.
EMPLIR. Bourrer, bonder, charger, combler, enfumer, engrener, envahir, garnir, infester, occuper, remplir, truffer.
EMPLOI. Boulot, carrière, place, poste, situation, titre, travail, usage.
EMPLOYÉ. Agent, cadre, clerc, commis, facteur, lampiste, livreur, peseur, postier, préposé, salarié, traminot, usé, usité, utilisé.
EMPLOYER. Action, donner, faire, ménager, occuper, user, utiliser, zèle.
EMPOIGNER. Attraper, émouvoir, prendre.
EMPOISONNÉ. Envenimé, gâté, intoxiqué, toxique, vénéneux.
EMPORTÉ. Déchaîné, enragé, fanatique, furieux, passionné, vif, violent.
EMPORTEMENT. Colère, décharnement, emmener, entraîner, ire, scène.
EMPORTER. Arracher, enlever, entraîner, ôter, rafler, transporter.
EMPOURPRER. Rouge, rougir.

EMPREINT. Morne, sévère.
EMPREINTE. Caractère, coin, ectype, griffe, impression, marque, trace.
EMPRESSÉ. Assidu, complaisant, galant, impatient, zélé.
EMPRESSEMENT. Chaleur, diligence, élan, galanterie, hâte, précipitation.
EMPRESSER. Accélerer, affairer, démener, dépêcher.
EMPRISONNEMENT. Captivité, détention, écrou, enfermement, fermer, incarcération, internement, prison, réclusion, séquestration, tôle.
EMPRISONNER. Détenir, écrouer, incarcérer, interner, séquestrer.
EMPRUNT. Compilation, embarras, imitation, prêt, rente.
EMPRUNTER. Guinder, pseudonyme, prime, puiser, taper, tirer.
EMPUANTI. Irrespirable.
EMPYRÉE. Ciel.
ÉMULE. Lutte, rival.
ENCADREMENT. Bande, bord, cadre, chambranle, côté, marge, zone.
ENCADRER. Border, enserrer, entourer, marger, ourler.
ENCASTRER. Insérer, introduire.
ENCAUSTIQUER. Cirer.
ENCEINTE. Cirque, clôture, contour, mur, parc, pourpris, rempart, ring.
ENCENS. Clerc, encensoir, flatteur, galipot, louange, oliban.
ENCERCLEMENT. Blocus.
ENCERCLER. Enclore, entourer, envelopper, fermer.
ENCHAÎNEMENT. Destin, fil, intrigue, karma, suite, tachypsychie.
ENCHAÎNER. Attacher, continuer, lier, menotter, river, suivre.
ENCHANTEMENT. Bonheur, charme, magie, paradis, ravissement.
ENCHANTÉ. Content, ensorcellé, envoûté, fasciné, ravi, séduit.
ENCHANTER. Charmer, féerer, intéresser, ravir.
ENCHÂSSEMENT. Serte, sertie.
ENCHÂSSER. Emboîter, monter, reliquaire, sertir.
ENCHEVÊTRÉ. Filandreux, plique, tissu, trame.
ENCHEVÊTRER. Brouiller, emmêler, entrelacer, erg.
ENCLIN. Malin, penchant, pervers, porté, sujet.
ENCLOS. Courtine, parc.
ENCLUME. Bigorne, billot, dé, forge.
ENCOIGNURE. Angle, coin.
ENCOLURE. Cheval, cou, jabot, poitrail.
ENCOMBRER. Boucher, embarrasser, embouteiller, obstruer, saturer.
ENCOURAGER. Animer, apporter, approuver, conforter, décider, enhardir, exciter, exhorter, inciter, inviter, piquer, porter, pousser, quête.
ENCOURIR. Attirer, mériter.
ENDETTER. Contracter, grever, obérer.
ENDIABLÉ. Fougueux, indiscipliné, vif.
ENDOMMAGER. Abîmer, avarier, briser, détériorer, gâter, ruiner, user.
ENDORMIR. Assoupir, bercer, dormir, engourdir, ennuyer, tromper.

ENDOSSEMENT. Endos, ordre, signature.
ENDOSSER. Assumer, garantir, mettre, revêtir, vêtir.
ENDROIT. Affût, arrêt, asile, cinéma, clairière, creuset, emplacement, entrée, envers, flottaison, germoir, gué, ici, là, lieu, mangeure, noiseraie, parage, paysage, place, pondoir, précipice, resserre, rouissoir, rûcher, séjour, silo, site, soudure, source, tabagie, tir, vasière.
ENDUIRE. Cirer, crépir, encrer, gluer, luter, recouvrir, résiner, revêtir.
ENDUIT. Apprêt, badigeon, baume, cire, couche, crépi, crépissure, engobe, fard, glaçure, lut, onguent, pommade, solin, stuc, vernis.
ENDURER. Boire, souffrir, soutenir, subir, supporter, tolérer.
ÉNERGIE. Atome, cœur, efficacité, effort, force, tonus, vigueur, watt.
ÉNERVANT. Agaçant, exaspérant, horripilant, insupportable, irritant.
ÉNERVER. Agacer, crisper, exaspérer, excéder, horripiler, irriter, ulcérer.
ENFANT. Bara, bébé, chérubin, démon, diablotin, doux, gamin, fille, fils, môme, moutard, négrillon, nouveau-né, oblat, peste, polisson, poupon.
ENFANTER. Accoucher, créer, engendrer, procréer, produire.
ENFANTILLAGE. Badinerie, caprice, gaminerie, mômerie.
ENFANTIN. Infantile, puéril, tata.
ENFER. Chthonienne, damné, diable, eaque, erèbe, géhenne, infernal, minos, parque, rhadamante, styx, supplice, tartare.
ENFERMER. Boucler, cacher, cloîtrer, coffrer, confiner, emmurer, emprisonner, encercler, enserrer, fermer, fourrer, inclus, interner, murer, priver, ranger, séquestrer, serrer, traquer, verrouiller.
ENFIN. Conclusion, finalement.
ENFLAMMER. Allumer, brûler, colère, embraser, exciter, passionner.
ENFLER. Ballonner, bouffir, dilater, gonfler, grossir, tuméfier.
ENFLURE. Bosse.
ENFONCEMENT. Alcôve, baissière, creux, golfe, salière, trou.
ENFONCER. Caler, enliser, envaser, ficher, introduire, planter, plonger.
ENFOUIR. Cacher, enterrer, terrer.
ENFREINDRE. Contrevenir, déroger, désobéir, faillir, parjurer, violer.
ENFUIR. Déguerpir, échapper, évader, filer, fuir, partir, sauver.
ENGAGEMENT. Affirmation, embauche, entreprise, fiançailles, mariage.
ENGAGER. Demander, embaucher, inciter, louer, recruter, traiter.
ENGENDRER. Créer, enfanter, générer, procréer, produire.
ENGIN. Arme, excavateur, fusée, mine, niveleuse, piège, tunnelier.
ENGLOUTIR. Abîmer, absorber, avaler, perdre, sombrer.
ENGLOUTINER. Absorber, avaler, sombrer.
ENGORGER. Dégorger, obstruer.
ENGOUEMENT. Amour, entichement, folie, mode, passion, vogue.
ENGOURDI. Figé, froid, gelé, gourd, impassible, lent, morfondu, transi.
ENGOURDIR. Assoupir, endormir, hiberner, lent, paralyser, somnoler.

ENGOURDISSEMENT. Apathie, consomption, dolent, épuisement, hibernation, langoureux, langueur, morne, onglée, paresse, torpeur.
ENGRAIS. Compost, fumier, guano, humus, nourrain, purin, urée.
ENGRAISSEMENT. Engraissage, épandeur, pouture.
ENGRAISSER. Appâter, empâter, faluner, grossir.
ENGUEULER. Corriger, enguirlander, injurier, jurer, réprimander.
ÉNIGMATIQUE. Cacher, logogriphe, mystérieux, obscur.
ÉNIGME. Charade, demande, mystère, œdipe, question, secret, sphinx.
ENIVRÉ. Amant, éméché, gris, ivre, passionné, saoulé, soûl.
ENIVREMENT. Enthousiasme, griserie, ivrognerie.
ENIVRER. Boire, émécher, griser, saouler, soûler.
ENJAMBÉE. Allure, pas.
ENJAMBER. Empiéter, marcher, rejeter.
ENJEU. Action, but, jeu, mise, pari, poule, relance.
ENJOINDRE. Avertir, aviser, diriger, endosser, intimer, ordonner.
ENJÔLER. Cajoler, embobiner, flatter, mensonge, tromper.
ENJÔLEUR. Cajoleur, ensorceleur, menteur, patelin, trompeur.
ENJOLIVER. Embellir, idéaliser, orner, parer.
ENJOUÉ. Badin, folâtre, gai, jovial, joyeux, souriant.
ENJOUEMENT. Alacrité, follement, spitant, vivacité.
ENLACEMENT. Caresse, étreinte, nœud.
ENLACER. Entourer, entrelacer, nouer, serrer.
ENLAIDIR. Défigurer, déparer, laidir.
ENLÈVEMENT. Collecte, kidnapping, otage, prise, ramassage, rapt.
ENLEVER. Abolir, confisquer, couper, débarrasser, délainer, démieller, dépoussiérer, ébarber, ébavurer, écaler, écimer, écrêter, écumer, effacer, égrener, éliminer, emmener, émorfiler, emporter, énouer, épiler, érater, essorer, essuyer, étêter, kidnapper, laver, ôter, peler, râcler, ravir, retirer, sauner, soustraire, supprimer, tuer, vider.
ENLIGNER. Viser.
ENNEMI. Adversaire, antagoniste, capulet, concurrent, opposant, ratier.
ENNUI. Aria, déboire, dégoût, désagrément, difficulté, embarras, embêtement, enquiquinement, épine, lassitude, panne, tracas, tuile.
ENNUYÉ. Assommé, embêté, emmerdé, fatigué, las, rasé, tanné.
ENNUYER. Barber, canuler, enquiquiner, lasser, tanner, tartir, vexer.
ENNUYEUX. Agaçant, barbant, embêtant, fâcheux, fade, fatigant, insipide, lassant, long, maussade, monotone, rasant, vexant.
ÉNONCER. Déduire, définir, dire, énumérer, former, juger, stipuler.
ÉNORME. Beaucoup, éléphantesque, grand, immense, monumental.
ENQUÊTE. Accusation, panel, perquisition, recherche, sondage.
ENRAYER. Arrêter, endiguer, étouffer, gêner, juguler, modérer.
ENRÉGIMENTER. Enrôler.
ENREGISTRER. Écrire, graver, immatriculer, lexicaliser, noter, tourner.

ENRICHIR. Abondance, engraisser, étoffer, gain, orner, meubler.
ENRÔLEMENT. Conscrit, engagement, levée.
ENRÔLER. Embaucher, embrigader, engager, lever, persuader, racoler.
ENROUEMENT. Râlement, raucité, toux.
ENROULEMENT. Boucle, coquille, papillote, spirale, volute, vrille.
ENROULER. Bobiner, envider, lover, serpenter, tordre, tortiller.
ENSEIGNANT. Éducateur, instituteur, moniteur, pédagogue, précepteur, prof, professeur.
ENSEIGNE. Bannière, drapeau, étendard, panneau.
ENSEIGNEMENT. Acquisition, apprentissage, classe, collège, conclusion, cours, école, éducation, formation, instruction, leçon, matière, règle.
ENSEIGNER. Apprendre, démontrer, initier, instruire, maître, montrer.
ENSEMBLE. Accord, agio, amas, bloc, état, kit, race, tout, uni, unité.
ENSEMENCER. Semailles, semer, semis.
ENSEVELIR. Enterrer.
ENSUITE. Après, et, puis, subséquemment, suite.
ENTACHER. Anachronique, noir, réputation, tache.
ENTAILLE. Adent, coche, cran, dame, onglet, raie, rainure, ruinure.
ENTAILLER. Cocher, couper, échancrer, entamer, exciser, inciser, tailler.
ENTAMER. Amorcer, ébrécher, engager, manger, mordre, ouvrir.
ENTASSER. Accumuler, amasser, empiler, ensevelir, presser, serrer.
ENTE. Enter, enture, greffe.
ENTENDEMENT. Compréhension, conception, intellect, jugement, raison.
ENTENDRE. Accepter, écouter, ouïr, percevoir, prêter, saisir, union.
ENTERRER. Enfouir, ensevelir, entasser, inhumer, sépulture.
ENTÊTÉ. Acharné, buté, ferme, lutin, mule, obstiné, raide, tenace, têtu.
ENTÊTEMENT. Caprice, fermeté, obstination, préjugé, ténacité, volonté.
ENTHOUSIASME. Ardeur, brio, délire, élan, ivresse, transport, zèle.
ENTHOUSIASMER. Emballer, exalter, extasier, griser, rêver, zéler.
ENTIER. Complet, ferme, intégral, plein, raide, têtu, total, tout, un.
ENTIÈREMENT. Absolument, absorbant, complètement, exclusif, intégral, pleinement, radicalement, systématique, totalement, tout.
ENTONNOIR. Cornet, culot, cuvette, siphon, trémie, verveux.
ENTORSE. Distorsion, écart, élongation, foulure.
ENTOURAGE. Ambiance, cercle, cour, milieu, monde, trémus.
ENTOURÉ. Ceinture, cerner, clore, encerclé, enclore, environner, épiner, île, enserrer, investir, gencive, lac, langer, lardé, lover, rober, tortillé.
ENTRAILLES. Éviscérer, flanc, intestin.
ENTRAIN. Animation, ardeur, brio, élan, fougue, joie, vie, vivacité, zèle.
ENTRAÎNEMENT. Élan, entraîneur, erre, habitude, surentraînement.
ENTRAÎNER. Abuser, amener, causer, impliquer, perdre, rentraîner.
ENTRAVE. Abat, abot, embarras, frein, libre, obstacle, saboteur, tribart.
ENTRAVER. Enrayer, gêner.

ENTRE. Avancer, ingrédient, inter, milieu, moyen, parmi, tiède.
ENTRECROISEMENT. Croix, nœud, tissure.
ENTRÉE. Accès, admission, gorge, irruption, parvis, passage, porte, seuil.
ENTREFILET. Article, feuille, journal.
ENTRELACEMENT. Armure, croisé, lacé, natte, nœud, réseau, tresse.
ENTRELACER. Croiser, enlacer, lacer, natter, nouer, tisser, tramer.
ENTREMÊLER. Enchevêtrer, imbriquer, intriquer, mélanger, mêler.
ENTREMETS. Flottant, île.
ENTREPOSER. Ensiler, remiser, transporter.
ENTREPÔT. Cellier, magasin, parc.
ENTREPRENDRE. Agir, atteler, créer, essayer, intenter, oser, tenter.
ENTREPRISE. Aventure, établissement, firme, tentée, trust, voltige.
ENTRER. Aborder, ficher, garer, mettre, parlementer, pourrir, rentrer.
ENTRETENIR. Caresser, causer, choyer, maintenir, parler, tenir, vivre.
ENTRETIEN. Aparté, colloque, demande, devis, dialogue, tête-à-tête.
ENTREVUE. Audience, colloque, congrès, palabre, réunion, visite.
ENTUBER. Escroquer.
ÉNUMÉRATION. Articulation, bordereau, détail, item, liste, litanie.
ENVAHI. Colonisé, trichiné.
ENVAHIR. Déborder, emplir, entrer, inonder, parasiter.
ENVAHISSANT. Indiscret, parasite.
ENVELOPPE. Ampoule, baie, balle, barder, bogue, brou, clisse, cocon, coque, cosse, couverture, écale, étui, gaine, genouillière, légume, momie, peau, pli, rétine, robe, sac, taie, tégument, test, tunique, zoécie.
ENVELOPPER. Bander, barder, enrober, emmitoufler, nouer, vêtir.
ENVERS. Arrière, avec, dos, endroit, médaille, pour, renverser, revers.
ENVIE. Besoin, désir, faim, jalousie, nausée, péché, repos, soif, sommeil.
ENVIRON. Abords, alentour, approximativement, autour, dans, quelque.
ENVIRONNEMENT. Écologie, entourage.
ENVISAGER. Concevoir, considérer, juger, prévoir, réfléchir, regarder.
ENVOI. Colis, dédicace, don, lancement, livraison, paquet, passe, renvoi.
ENVOL. Avion, essaim, essor, vol.
ENVOYER. Adresser, éloigner, émettre, lancer, livrer, porter, télécopier.
ENZYME. Amylase, autolyse, coenzyme, diastase, émulsine, érepsine, estérase, kinase, myrosine, pepsonine, présure, rénine, zymase.
ÉOLIDE. Éolie.
ÉPAIS. Andouille, brume, compact, consistant, dense, dru, dur, empâté, fourni, gluant, gras, gros, lard, lourd, opaque, pâteux, touffu, serré.
ÉPAISSIR. Cailler, concentrer, cristalliser, figer, grossir, grumeler, lier.
ÉPAISSISSEMENT. Empattement, pachydermie.
ÉPANCHEMENT. Confiance, ecchymose, effusion, expansion.
ÉPANOUIR. Dilater, floraison.
ÉPANOUISSEMENT. Anthèse, dilatation, essor, éveil, floraison, joie.

ÉPARGNE. Grâce, lésine, lésinerie, magot, masse, parcimonie, pécule.
ÉPARGNER. Économiser, éviter, garder, ménager, pardonner, prodiguer.
ÉPARPILLER. Disperser, émietter, épandre, parsemer, semer.
ÉPAR. Épars.
ÉPATER. Ébahir, éberluer, éblouir, étonner.
ÉPAULARD. Orque, orqual.
ÉPAULE. Bras, buste, carré, cou, froc, garrot, lever, longe, saie, saye.
ÉPAULER. Aider, dévissé, protéger, soutenir.
ÉPAVE. Lagan.
ÉPÉE. Arme, bague, bandal, botte, braquemart, brette, briquet, cape, cimeterre, claymore, colichemarde, dague, damoclès, durandal, espadon, estoc, estocade, estramaçon, fer, fil, flamberge, fleuret, glaive, haute-claire, joyeuse, lame, rapière, sabre, yatagan.
ÉPERON. Bride, broche, collet, ercot, molette, pique, rosette, rostre.
ÉPERONNER. Piquer, stimuler.
ÉPICE. Absinthe, ail, aneth, angélique, anis, aspic, badiane, basilic, cannelle, cardamome, cari, carvi, cayenne, céleri, cerfeuil, chile, ciboulette, coriandre, cumin, curcuma, échalote, estragon, fenouil, genièvre, gingembre, girofle, hysope, laurier, livèche, macis, maniguette, marjolaine, mélisse, menthe, moutarde, muscade, oignon, origan, paprika, persil, piment, poivre, romarin, safran, sarriette, sauge, sel, serpolet, sésame, thym.
ÉPICURIEN. Ataraxie, jouisseur, secte, sensuel.
ÉPIDÉMIE. Choléra, grippe, lèpre, maladie, peste, rubéole, variole.
ÉPIDERME. Desquamation, gale, peau, pellicule, squame.
ÉPIE. Fleuret.
ÉPIER. Espionner, filer, guetter, observer, regarder, rôder, suivre.
ÉPILEPSIE. Aura, convulsion, mal, grand-mal.
ÉPINCETER. Énouer, épincer.
ÉPINE. Aiguillon, écharde, essart, filet, haie, inerme, os, queue.
ÉPINETTE. Arbre, blanche, bleue, brewer, engelmann, japon, noire, norvège, rouge, sitka, virginal.
ÉPINGLE. Bigoudi, camion, sixtus.
ÉPIQUE. Chant, élevé, épopée, geste, rare.
ÉPISODE. Aventure, événement, pont, rapsodie.
ÉPITHÈTE. Adjectif, apposition, épiphane, qualificatif.
ÉPÎTRE. Lettre, missive.
ÉPLUCHER. Décortiquer, écaler, écosser, gratter, lire, peler.
ÉPONGE. Amnistie, grâce, pardon, polype, spongia, spongieux, spongille.
ÉPONGER. Effacer, essuyer, sécher.
ÉPOPÉE. Épique, histoire, saga.
ÉPOQUE. Âge, ère, frai, période, pondaison, semailles, siècle, terme.
ÉPOUSE. Bourgeoise, compagne, conjointe, femme, légitime, ménagère. MOITIÉ

ÉPOUSER. Marier, redorer.
ÉPOUVANTABLE. Affreux, apocalypse, atroce, effrayant, effroi, terrible.
ÉPOUVANTE. Alarme, crainte, effroi, frayeur, horreur, peur, terreur.
ÉPOUX. Compagnon, conjoint, futur, légitime, mari, moitié.
ÉPREUVE. Compétition, coupe, course, cromalin, éliminatoire, essai, examen, final, fumé, guerre, malheur, match, ordalie, raid, stage, test.
ÉPRIS. Amoureux, féru, toqué.
ÉPROUVÉ. Angoissé, eu, misandre, oppressé, ressenti.
ÉPROUVER. Avoir, brûler, craindre, endurer, enrager, flairer, goûter, pâtir, peiner, regretter, ressentir, sentir, subir, tâter, tressaillir.
ÉPROUVETTE. Tube.
ÉPUISÉ. Bu, échiné, éreinté, fatigué, flapi, forfait, las, sec, tari, usé, vidé.
ÉPUISER. Accabler, briser, exténuer, fatiguer, miner, tarir, user, vider.
ÉPUISETTE. Écope.
ÉPURATEUR. Décantateur, filtre, purificateur, raffineur.
ÉPURER. Affiner, décaper, écumer, expurger, filtrer, purger, purifier.
ÉQUERRE. Biveau, esquarre, règle, sauterelle, té.
ÉQUIDÉ. Âne, ânesse, bidet, cheval, hémione, jument, mule, poulain.
ÉQUILIBRÉ. Apte, assiette, niveau, pondéré, sensé, stable.
ÉQUILIBRE. Aplomb, balance, iotomie, lest, niveau, santé, stabilité.
ÉQUILIBRER. Balancer, ballaster, boucler, compenser, contrebalancer, gymnastique, immobile, otolithe, pondérer.
ÉQUIPE. Armateur, gang, groupe, relève.
ÉQUIPEMENT. Apparaux, armement, bagage, barda, navire, outillage.
ÉQUIPER. Appareiller, armer, fournir, outiller.
ÉQUIPIER. Allier, avant, centre, défenseur, gardien.
ÉQUITABLE. Droit, égal, impartial, juste, légitime, loyal, objectif.
ÉQUITÉ. Droiture, justice.
ÉQUIVALENT. Égal, homologue, semblable, synonyme.
ÉQUIVOQUE. Ambigu, douteux, éon, faux, louche, obscur, trouble.
ÉRABLE. Argenté, blanc, champêtre, circiné, épis, floride, ginnala, japon, montagne, négondo, négundo, noir, norvège, palmé, pennsylvanie, rouge, sucre, sycomore.
ÉRAFLER. Blesser, déchirer, écorcher, érailler, grafigner, râcler.
ÉRASME. Elme, saint.
ERBIUM. Er.
ÈRE. Chronologie, cycle, époque, glaciaire, hégire, jurassique, miocène, néogène, période, permien, précambrien, temps, tertiaire.
ÉREINTER. Blâmer, claquer, critiquer, démolir, fatiguer, lasser, lessiver.
ERGOT. Doigt, éperon, ergotine, ongle.
ÉRIGAN. Pô.
ÉRIGÉ. Systématique.
ÉRIGER. Bâtir, codifier, construire, dresser, élever, établir.

ÉRIGNE. Érine.
ÉRODER. Ronger, user.
ÉROSION. Corrosion, usure.
ÉROTIQUE. Cochon, libidineux, luxure, obscène, sensuel, sexy, vicieux.
ERRANT. Nomade, robineux, rônin.
ERRE. Allure, manière, train, vitesse.
ERRER. Divaguer, écarter, égarer, flâner, marcher, rôder, vaguer.
ERREUR. Aberration, abus, bévue, coquille, correction, égarement, errement, faute, gaffe, illusion, loup, méprise, oubli, perle, sophisme.
ERS. Lentille.
ÉRUCTATION. Rot.
ÉRUCTER. Renvoi, roter.
ÉRUDIT. Calé, docte, savant.
ÉRUDITION. Encyclopédique, recherche, savoir.
ÉRUPTION. Exanthème, herpès, impétigo, rash, roséole, urticaire.
ÉRYSIPOLE. Érisipèle.
ESCALIER. Degré, échelle, escabeau, escalator, gat, gémonies, marche.
ESCAMOTER. Dérober, disparaître, éluder, soustraire.
ESCAPADE. Dérobade, évasion, fugue, fuite.
ESCARBILLE. Tison.
ESCARGOT. Cagouille, colimaçon, hélice, hélix, limaçon, luma.
ESCARPÉ. Abrupt, ardu, raide.
ESCARPEMENT. Crêt, précipice.
ESCARPOLETTE. Balançoire.
ESCLANDRE. Scandale.
ESCLAVE. Affranchi, anagnoste, asservir, captif, domestique, eunuque, fer, galérien, hiérodule, ilote, nègre, prisonnier, serf, servile, sujétion.
ESCOMPTER. Anticiper, espérer, réescompter, tabler.
ESCORTE. Ami, cavalier, cortège, croiseur, destroyer, frégate.
ESCRIMEUR. Épéiste, ferrailleur, fleurettiste, sabreur.
ESCROC. Aigrefin, bandit, estampeur, filou, fripon, truand, voleur.
ESCROQUER. Arnaquer, estamper, entuber, pirater, truander, voler.
ESCROQUERIE. Arnaque, filouterie, vol.
ESKIMO. Aléoute, inuit.
ESPACE. An, année, arène, ciel, cosmos, cour, durée, empan, enclos, étage, île, journée, laos, laps, longueur, lunaison, lustre, nagée, nuitée, oasis, ouverture, ruelle, soirée, stand, temps, terrain, tonsure, travée, volume, vide, vie, zone.
ESPACER. Allonger, distancer, échelonner, étager, étendre, ouvrir.
ESPADON. Épée, poisson-épée.
ESPÈCE. Acabit, aspect, essence, état, genre, ordre, race, sorte, type.
ESPÉRANCE. Assurance, attente, désir, espoir, promesse, songe.
ESPÉRER. Allécher, attendre, désespérer, repaître, souhaiter.

ESPIÈGLE. Badin, démon, gamin, luron, lutin, malicieux, mutin, vif.
ESPIÈGLERIE. Démoniaque, niche, polissonnerie.
ESPION. Affidé, cafard, curieux, délateur, épieur, mouchard, traître.
ESPIONNER. Épier, filer, guetter, moucharder, observer, trahir.
ESPRIT. Âme, bon, diable, démon, éon, génie, idée, lutin, satan, sens.
ESQUISSE. Canevas, croquis, description, dessin, ébauche, idée, projet.
ESQUIVER. Éluder, enfuir, éviter, fuir, obvier, pallier, parer, partir.
ESSAI. Épreuve, examen, expérience, répétition, stage, tentative, test.
ESSAYER. Goûter, oser, risquer, sonder, tâter, tendre, tenter, tester.
ESSAYISTE. Modiste.
ESSENCE. Arbre, entité, huile, lampe, nature, principe, propre.
ESSENTIEL. Capital, clé, clef, fond, important, indispensable, inhérent, intrinsèque, nécessaire, nœud, principal, principe, vital, vrai.
ESSOR. Élan, envol, relance, reprise, vol.
ESSUYER. Balayer, éponger, essorer, frotter, malmener, nettoyer, recevoir, refus, sécher, subir, supporter, torcher.
EST. Alizé, devient, être, existe, levant, orient, ouest.
ESTAMPE. Eau-forte, épreuve, gravure, image, planche, trait, vignette.
ESTAMPEUR. Escroc, frappeur, graveur, illustrateur, imprimeur.
ESTAMPILLER. Estamper, frapper, graver, imprimer, marquer.
ESTER. Inventer, lactone, oléate, trister.
ESTIMATION. Appréciation, cotation, dire, devis, évaluation, valeur.
ESTIME. Cote, égard, hommage, honneur, mérite, orgueil, prisé, vogue.
ESTIMER. Croire, évaluer, goûter, jauger, juger, noter, priser, trouver.
ESTIVAL. Été.
ESTOC. Épée, estocade, race, racine.
ESTOMAC. Abomasum, bile, bonnet, buste, caillette, cœur, feuillet, gésier, io, jabot, mulette, panse, rumen, sac, sein, ulcère, ventre.
ESTRADE. Chaire, échafaud, plancher, podium, ring, tréteau, tribune.
ESTRAMAÇON. Épée.
ET CETERA. Etc.
ÉTABLE. Bercail, bergerie, écurie, porcherie, soue, tect.
ÉTABLI. Assis, banc, campé, fondé, ordre, poste, rangé, sis, titre, vigie.
ÉTABLIR. Baser, bâtir, camper, créer, embrayer, fixer, fonder, instituer, instrumenter, justifier, mettre, nouer, ponter, poster, prouver, unir.
ÉTABLISSEMENT. Aciérie, aérium, alumnat, asile, bains, clinique, collège, crémerie, dancing, école, familistère, haras, internat, lycée, medersa, mission, moulière, nourricerie, observatoire, orphelinat, polarisation, prison, restaurant, sanatorium, succursale, usine, zaouïa.
ÉTAGE. Attique, degré, escalier, grenier, impériale, mezzanine, niveau, palier, plancher, premier, rez-de-chaussée, second, trias.
ÉTAGÈRE. Archelle, clayette, dressoir, fruitier, juchoir, tablard.
ÉTAIN. Sn, fer-blanc, métal, noces, plomb.

ÉTALAGE. Esbroufe, étal, faste, flafla, inventaire, parade, vitrine.
ÉTALER. Afficher, éployer, étendre, exposer, montrer, tomber.
ÉTALON. Cheval, jauge, matrice, modèle, or, plan, standard, unité.
ÉTAMER. Miroiter, rétamer.
ÉTANÇON. Étai, soutien.
ÉTANG. By, canardière, eau, grau, ide, lac, lagon, marais, mare, vivier.
ÉTAT. Aisé, cité, dans, en, liste, ordre, pays, plus, prêt, rut, sujet, sur.
ÉTAYER. Buter, étançonner, étrésillonner, soutenir, supporter.
ÉTEINDRE. Calmer, cesser, fermer, finir, mourir, périr, pompe, tison.
ÉTEINT. Couvre-feu, détruit, disparu, mort, nul, terne.
ÉTENDARD. Bannière, couleurs, drapeau, emblème, enseigne, labarum.
ÉTENDRE. Allonger, détirer, épandre, étaler, étirer, lever, paver, semer.
ÉTENDU. Ample, arène, district, envergure, espace, extensible, gisant, grand, infini, large, limite, long, mesure, plaine, prairie, pré, reg, registre, ressort, terre, traite, travers, universel, vaste, volume, vue.
ÉTENDUE D'EAU. Étang, fleuve, lac, lagon, mare, mer, océan, rivière.
ÉTERNEL. Durable, indéfectible, infinité, même, perpétuel, sempiternel.
ÉTERNELLEMENT. Futur, indéfiniment, perdurer.
ÉTINCELER. Briller, éblouir, éclairer, flamboyer, pétiller, scintiller.
ÉTIQUETTE. Décorum, écriteau, inscription, marque, protocole, vignette.
ÉTIRER. Égrener, élonger, étendre.
ÉTOFFE. Alépine, alun, basin, bord, bure, casimir, cati, cotonnade, drap, escot, étamine, feutre, gaze, granité, lé, linge, ottoman, mérinos, moire, pan, ras, ratine, rep, satin, satinette, soie, suédine, surah, tarlatane, tartan, tenture, textile, tissu, tulle, tussor, un, uni, velour, zénana.
ÉTOILE. Aldébaran, altaïr, anémone, arcturus, astérie, astre, berger, bételgeuse, céphée, constellation, destin, dragon, édelweiss, épi, météore, nébuleuse, nova, pléiades, rat, sidéral, sirius, vedette, véga.
ÉTONNANT. Bizarre, énorme, étrange, imprévu, inouï, miraculeux.
ÉTONNEMENT. Ça, effroi, miracle, quoi, stupéfaction, stupeur, surprise.
ÉTONNER. Ahurir, ébahir, éberluer, éblouir, émerveiller, épater, esbroufer, hébéter, interdire, ravir, saisir, sidérer, surprendre.
ÉTOUFFE. Braisière, efface, éteignoir, insonore, neutre, suffoque.
ÉTOUFFER. Asphyxier, couvrir, enrayer, éteindre, noyer, refréner.
ÉTOURDERIE. Imprudence, inattention, irréflexion, maladresse, oubli.
ÉTOURDI. Ahuri, ébahi, écervelé, évaporé, évent, frivole, idiot, sonné.
ÉTOURDIR. Abasourdir, assommer, casser, estourbir, griser, soûler.
ÉTOURDISSEMENT. Vertige.
ÉTOURNEAU. Militaire, sansonnet, sot.
ÉTRANGE. Bannir, bizarre, curieux, différent, extraordinaire, inouï.
ÉTRANGETÉ. Extraordinaire, extravagant, inexplicable, singularité.
ÉTRANGLER. Étouffer, pendre, réserver, resserrer, serrer, tuer.
ÊTRE. Autre, chose, durer, force, forme, genre, verbe, vie, vivre.

ÉTREINDRE. Caresser, enlacer, presser, serrer.
ÉTREINTE. Caresse, enlacement.
ÉTROIT. Aigu, exigu, fin, juste, menu, mince, petit, resserré, rétréci.
ÉTUDE. Bryologie, classe, droit, écologie, éthologie, géochimie, géographie, gérontologie, graphologie, ichtyologie, iconologie, laryngologie, malacologie, mémoire, myologie, odontologie, onirologie, orogénie, orographie, otologie, pétrographie, science, stage, urologie.
ÉTUDIANT. Carabin, élève, externe.
ÉTUDIER. Analyser, apprendre, comparer, creuser, délibérer, discuter, éplucher, examiner, explorer, observer, peser, sonder, scruter.
ÉTUI. Cartouchière, cassette, dé, douille, gaine, housse, sac, trousse, tube.
ÉTYMOLOGIE. Commencer, grammaire, lexicologie, origine.
EU. Avoir, éprouvé, possédé, trompé.
EUROPIUM. Eu.
EUX. Ils.
ÉVACUATEUR. Déversoir, échappement, selle, spiracle, train.
ÉVACUATION. Déjection, éjection, émission, éruption, péril, purge.
ÉVACUER. Dégorger, émettre, expulser, sortir, uriner, vider.
ÉVALUATION. Chiffrage, estimation, inventaire, jauge, mesure.
ÉVALUER. Apprécier, calculer, chiffrer, compter, coter, estimer, juger, nombrer, priser, réputer, stérer, supputer, taxer, ventiler.
ÉVANGÉLISTE. Homélie, missionnaire, prédicateur, synoptique.
ÉVANOUIR. Défaillir, disparaître, pâmer, syncope, tomber.
ÉVAPORER. Éventer, étourdir, sécher.
ÉVASER. Élargir, fraiser, ouvrir.
ÉVEILLÉ. Conscient, dégourdi, délié, espiègle, lutin, mutin, vif.
ÉVEILLER. Alerter, frapper, ramener, ranimer, réveiller.
ÉVÉNEMENT. Acte, aléa, bénédiction, cas, chose, crise, date, drame, fait, fléau, heur, mésaventure, récit, scène, signe, sort, tuile, vicissitude.
ÉVENTRÉ. Étourdi, étripé, évaporé.
ÉVENTUEL. Casuel, circonstance, possible.
ÉVIDENT. Appert, certain, clair, constant, criant, flagrant, formel, indiscutable, manifeste, notoire, palpable, patent, positif, sûr, visible.
ÉVITER. Écarter, échapper, effacer, éluder, fuir, obvier, parer, volte.
ÉVOLUER. Changer, graviter, manœuvrer, parader.
EXACT. Certain, conforme, correct, fin, juste, réel, précis, textuel, vrai.
EXACTEMENT. Fidèle, littéral, pile, régulièrement, rigoureusement.
EXACTITUDE. Assiduité, certitude, discrétion, justesse, précision, vérité.
EXAGÉRATION. Abus, excès, emphase, outrance, paranoïa, sédation.
EXAGÉRÉ. Abusif, excès, excessif, forcé, outré, polydipsie, salé.
EXAGÉRER. Abuser, attiger, charrier, dramatiser, forcer, grossir, outrer.
EXALTANT. Encourageant, enivrant, grisant.
EXALTATION. Apothéose, éréthisme, folie, lyrisme, pythie, sibylle.

EXALTER. Élever, enivrer, énorguellir, expirer, griser, louanger, vanter.
EXAMEN. Analyse, autopsie, colonoscopie, essai, oral, test, visite.
EXAMINER. Arraisonner, débattre, étudier, inspecter, observer, peser, regarder, réviser, revoir, scruter, sonder, tâter, vérifier, visiter, voir.
EXASPÉRANT. Énervant, insupportable, irritant.
EXAUCER. Demande, écouter, satisfaire, vœu.
EXCAVATION. Antre, caverne, cavité, creux, fossé, fouille, mine, puits.
EXCAVER. Creuser, déblayer, fouiller.
EXCÉDÉ. Las, ras-le-bol, roué.
EXCÉDENT. Bagage, boni, excès, prime, surplus.
EXCÉDER. Crisper, déplaire, énerver, exaspérer, exciter, outrepasser.
EXCÉDER. Abuser, accabler, combler, dépasser, irriter, surmener.
EXCELLENT. Beau, bien, bon, divin, éminent, fin, habile, parfait, qualité.
EXCENTRIQUE. Bizarre, original.
EXCEPTER. Exciper, hormis, omis, ôté, sauf, sinon, tous, tout.
EXCEPTIONNEL. Anormal, bizarre, étonnant, inouï, rare, seul, unique.
EXCÈS. Abus, adipose, aérogastrie, comble, démesuré, emphase, exagération, intempérance, luxe, naïveté, obésité, ribote, surplus, trop.
EXCESSIF. Avare, bigot, démesuré, déraisonnable, énorme, extrême, fol, fou, ladre, monstrueux, outrancier, prude, rage, torride, trop, violent.
EXCITATION. Appel, cunnilingus, ivresse, orgasme, rage, stimulus.
EXCITER. Activer, agacer, agiter, altérer, animer, attirer, attiser, aviver, émoustiller, énerver, éveiller, exalter, inciter, piquer, remuer, sus, va.
EXCLAMATION. Ah, aïe, allo, bah, bon, ça, chut, crac, eh, eurêka, fi, ha, hé, hein, ho, hom, oh, ouf, paf, pan, pécaïre, pif, zut.
EXCLUANT. Bannissement, caste, divorce, exception, monopole, seul.
EXCLURE. Bannir, chasser, écarter, excepter, exiler, ôter, radier, rayer.
EXCRÉMENT. Bouse, caca, crottin, fiente, merde, selle, urine.
EXCROISSANCE. Coque, corne, crête, épine, fic, fongus, galle, tubercule.
EXCUSE. Absolution, alibi, allégation, bourde, couverture, défense, échappatoire, indulgence, invocation, justification, pardon, prétexte.
EXCUSER. Absoudre, adoucir, alléguer, couvrir, éluder, pallier, tolérer.
EXÉCRER. Abominer, détester, haïr, maudire, sacrer.
EXÉCUTANT. Anticipant, bricoleur, joueur, ponceur, saboteur, tueur.
EXÉCUTER. Accomplir, électrocuter, enlever, évoluer, faire, fignoler, fusiller, jouer, mouler, remplir, réussir, roder, saboter, tirer, tuer.
EXÉCUTION. Achèvement, électrocution, faire, massacre, opération.
EXEMPLE. Comme, échantillon, modèle, règle, sillage, spécimen.
EXEMPT. Blanc, franc, intact, libre, net, propre, pur, sain, sauf, serein.
EXEMPTER. Abriter, absoudre, écarter, excuser, gracier, libérer.
EXEMPTION. Abri, amnistie, décharge, dispense, faveur, remise.
EXERCÉ. Expérimenté, habile, rétenteur, retrayant, versé.

EXERCER. Action, cumuler, devoir, diriger, dominer, faire, manœuvre, plié, réagir, régner, remplir, sévir, sport, tenir, tirer, travailler, verser.
EXERCICE. Acrobatie, action, conférence, dictée, gymnastique, marche, manœuvre, mouvement, pratique, salve, sport, thème, xyste.
EXÉRÈSE. Ablation.
EXHALER. Dégager, émaner, fumer, puer, rendre, sentir, sortir, suer.
EXHAUSSER. Augmenter, élever, hausser, remonter, surélever.
EXHUMER. Déterrer.
EXIGEANT. Difficile, pointilleux, précis, rigoureux, sévère.
EXIGER. Demander, imposer, obliger, prendre, rançonner, vouloir.
EXIGUÏTÉ. Étroitesse.
EXIL. Expatriation.
EXILER. Bannir, chasser, déporter, proscrire, rappeler, reléguer.
EXISTENCE. Concret, état, être, matière, présence, réalité, vérité, vie.
EXISTER. Compatible, durer, être, précéder, régner, subsister, vivre.
EXONÉRER. Décote, impôt, ôter.
EXPANSIF. Communicatif, explosif, franc, jubilatif, prospère.
EXPATRIATION. Exil, péril.
EXPATRIER. Bannir, chasser, émigrer, exiler.
EXPECTATIVE. Attente, espérance, patience.
EXPÉDITION. Campagne, course, envoi, épreuve, safari, voyage.
EXPÉRIENCE. École, éprouvette, essai, habileté, pratique, test, usage.
EXPÉRIMENTÉ. Averti, adroit, distingué, émérite, ferré, fort, versé.
EXPÉRIMENTER. Éprouver, essayer, goûter, observer, subir, tester.
EXPERT. As, capable, expérimenté, habile.
EXPIER. Compenser, infliger, payer, purgatoire, réparer, sévir.
EXPIRATION. Délai, éternuement, prescription, souffle, terme, toux.
EXPIRER. Aspirer, finir, mourir, périr, respirer, souffler.
EXPLICATION. Avis, car, exégèse, exposé, notice, raison, théorie.
EXPLIQUÉ. Commenté, défini, éclairé, enseigné, justifié.
EXPLIQUER. Décrire, définir, élucider, énoncer, exposer, lire, montrer.
EXPLOIT. Action, geste, performance, prestation, prouesse, record.
EXPLOITANT. Agriculteur, colon, consortage.
EXPLOITATION. Charlatanisme, concession, ferme, gérance, salin.
EXPLORATEUR. Chercheur, examinateur, fouilleur, spéléologue, voyageur.
EXPLORER. Chercher, étudier, fouiller, palper, scruter, sonder, tâter.
EXPLOSER. Détonner, éclater, partir, sauter.
EXPLOSION. Bruit, détonation, éclatement, hilarité, ire, moteur, rire.
EXPOSÉ. Aperçu, éventé, mémoire, notice, plan, sommaire, sujet, topo.
EXPOSER. Aérer, braver, énoncer, ensoleiller, étaler, éventer, formuler, insoler, irradier, montrer, motiver, narrer, risquer, saisir, traiter.
EXPOSITION. Étalage, foire, floralie, galerie, salon, salut, stand.

EXPRÈS. Délibéré, messager, net, volontairement.
EXPRESSIF. Atone, éloquent, jovial, parlant, significatif.
EXPRESSION. Accent, air, art, caractère, juron, mine, style, ton, voix.
EXPRIMER. Dire, écrire, émettre, énoncer, gémir, maudire, mimer, parler, presser, prier, rédiger, remercier, rire, souhaiter, traduire.
EXPULSER. Bannir, chasser, éjecter, évacuer, exiler, renvoyer, virer.
EXPULSION. Avortement, défécation, éviction, exil, xénélasie.
EXQUIS. Agréable, bon, délicat, suave.
EXTENSION. Développé, entorse, étendue, plan, stretching, traction.
EXTÉRIEUR. Aile, apparence, aspect, au-dehors, dehors, hors, zeste.
EXTERMINER. Anéantir, décimer, dératiser, détruire, éteindre, tuer.
EXTINCTION. Aphonie, brûler, fin, finir, nirvana, rachat.
EXTIRPER. Arracher, déraciner, enlever, énucler, éradication, ôter.
EXTRACTION. Benne, enfleurage, énucléation, évulsion, lixiviation, métallurgie, naissance, noble, origine, race, sang, sous-produit.
EXTRAIRE. Essorer, ôter, puiser, retirer, sauner, tirer, traire, vider.
EXTRAIT. Abrégé, citation, essence, iode, passage, sérum, suc, sucre.
EXTRAORDINAIRE. Abracadabrant, bizarre, épatant, épique, étonnant, excessif, gigantesque, héros, incroyable, inouï, magique, merveilleux, phénoménal, prodigieux, rare, sensationnel, surnaturel, unique.
EXTRAVAGANT. Absurde, bizarre, dément, farfelu, insensé, unique.
EXTRÊME. Absolu, apogée, bout, infini, limite, sommet, summum.
EXTRÊMEMENT. Infiniment, profondément, radicalement.
EXTRÉMITÉ. About, abside, aileron, airure, bec, bord, bout, confins, contour, épi, externe, fin, flèche, lance, limite, lisière, mort, mufle, œilleton, penne, pied, pôle, queue, scion, talon, tête, têteau, trayon.
EXTRUDER. Cumulo-dôme, expulser.
EXULTER. Action, réjouir, transporter, ulcérer.
EXUTOIRE. Assainir, débarrasser, émonctoire, ulcération.
EX-VOTO. Don, inscription, sanctuaire, vœu.
EYRA. Puma.

F

FA. Clé, clef, note.
FABLE. Allégorie, conte, légende, mensonge, morale, mythe, parabole.
FABRICANT. Armurier, faussaire, fromager, huilier, luthier, opticien.
FABRICATION. Fagotage, grosserie, industrie, matériau, préparation.
FABRIQUE. Aluminerie, arsenal, câblerie, cidrerie, ferronnerie, huilerie, imagerie, malterie, poudrerie, saboterie, soierie, stéarinerie, usine.

FABRIQUER. Composer, créer, façonner, faire, inventer, usiner.
FABULEUX. Admirable, chimère, extraordinaire, homérique, mythe.
FACE. As, aspect, avant, côté, façade, figure, front, lit, pan, visage.
FÂCHER. Agacer, aigrir, bouder, briser, déplaire, irriter, offenser, vexer.
FACILE. Aisé, clair, digeste, docile, friable, léger, rire, simple, usuel.
FACILEMENT. Aisément, fluide, naturellement, simplement, souple.
FACILITÉ. Agilité, aider, aisance, marge, naturel, routine, simple.
FAÇON. Ainsi, air, art, allure, biais, comme, manière, méthode, ton.
FAÇONNER. Ajuster, équerrer, faire, former, modeler, pétrir, sculpter.
FACTEUR. Coefficient, élément, information, porteur, postier.
FACTIONNAIRE. Garde, gardien, guetteur, sentinelle, vedette.
FACTURE. Compte, note, pro forma.
FACULTÉ. Discernement, énergie, entendement, imagination, intelligence, mémoire, motricité, raison, sens, ubiquité, volonté, vue.
FADA. Niais.
FADE. Aigre-doux, dégoût, délavé, insipide, languissant, plat, terne.
FAGOT. Cortex, fascine, gerbe, habit, hart, paquet, rouette, traîne.
FAIBLE. Bénin, bon, débile, léger, menu, mou, pâle, petit, veule, vil.
FAIBLEMENT. Délicatement, doucement, indécision, légèrement, rosé.
FAILLITE. Banqueroute, débâcle, déficit, échec, krach, ruine, sinistre.
FAIM. Appétit, boulimie, désir, fringale, polyphagie, repu.
FAINÉANT. Cagne, oisif, paresseux, rien, roi, rossard.
FAIRE. Abaisser, accuser, adresser, affaler, affecter, agir, airer, amener, analyser, annoncer, annoter, apaiser, arrêter, assermenter, avaler, avancer, avertir, bâcler, bâtir, bourrer, bricoler, broder, cabotiner, cabrer, caresser, causer, cerner, chanter, cirer, claquer, commenter, composer, concurrencer, conter, coter, coudre, créer, crever, crâner, creuser, crisser, cuisiner, débuter, déclarer, déconner, dédier, dégriser, denteler, dérouter, dessiner, détruire, draver, dresser, ébranler, éclabousser, éclater, écoper, écrire, effacer, égrener, élever, éliminer, émettre, empiffrer, employer, empoisonner, endiguer, enquêter, enregistrer, entailler, envoyer, épanouir, épiler, escamoter, essayer, estimer, étatiser, éteindre, éterniser, éternuer, étrenner, évacuer, exécuter, expédier, façonner, feindre, festoyer, ficher, finir, fonder, forcer, former, frauder, frire, fuguer, fulminer, garer, gaver, gesticuler, griser, haler, honorer, immoler, innover, interposer, instrumenter, inventorier, laminer, lancer, languir, légiférer, léser, lire, luxer, macérer, malfaire, marcher, mater, médire, méditer, menacer, mettre, mijoter, minuter, molester, narrer, nicher, notifier, noyer, nuancer, nuire, opérer, oser, ouvrir, parier, passer, pédaler, percer, périr, perler, personnaliser, péter, pincer, plier, plisser, potiner, procréer, punir, raisonner, rééditer, référer, rehausser, régenter, réitérer, relancer, relier, rendre, renverser, résorber, résoudre, ressusciter, retenir, réveiller, réussir, révéler, revenir, rêver, rimer,

rissoler, ronronner, roter, rôtir, rouer, saboter, saler, sauter, sermonner, siéger, sinuer, sonner, soumettre, strier, supprimer, surcharger, suspendre, suturer, tarir, témoigner, tempêter, tester, tinter, tirer, tisser, tomber, torturer, tourner, tousser, travailler, trôner, vaquer, vendre, verser, violenter, vocaliser, uriner, user, utiliser, zigzaguer.
FAISCEAU. Amas, balai, botte, bouquet, gerbe, grappe, lumière, spot.
FAIT. Acte, action, cas, épisode, événement, exemple, exploit, modalité.
FALSIFIER. Altérer, changer, fausser, frelater, imiter, tromper, truquer.
FAMILIARITÉ. Affabilité, amitié, camaraderie, connaissance, fraternité.
FAMILIÈREMENT. Tu.
FAMILLE. Chez, clan, foyer, maison, ordre, parenté, race, tribu, type.
FANATISME. Dévotion, fureur, intolérance, passion, persécution, zèle.
FANFARON. Casseur, crâneur, faraud, fendant, prétentieux, vantard.
FANFARONNADE. Blague, bravade, craque, parade, rodomontade.
FANFARONNER. Blaguer, braver, crâner, craquer, fausser, tromper.
FANFRELUCHE. Ornement.
FANION. Bannière, couleurs, drapeau, enseigne, étendard, pavillon.
FANTAISIE. Caprice, désir, idée, humour, gré, lubie, mode, volonté.
FANTASSIN. Chasseur, peltaste, péon, pion, soldat, voltigeur.
FANTÔME. Apparition, esprit, génie, revenant, spectre, vampire.
FARCE. Attrape, blague, bouffonnerie, canular, fumisterie, pasquinade.
FARCEUR. Baladin, bouffon, comique, fumiste, loustic, plaisantin.
FARCIR. Entrelarder, fourrer, hachis, niche.
FARD. Affectation, blanc, blush, couleur, démaquillant, rimmel, rouge.
FARDEAU. Charge, coltineur, faix, joug, lourd, main, poids, tortillon.
FARDER. Cacher, déguiser, maquiller.
FARFADET. Lutin.
FARINE. Blé, maïs, minot, mouture, pain, pâte, poudre, salep, semoule.
FAROUCHE. Âpre, hagard, insociable, méfiant, misanthrope, sauvage.
FASCE. Burèle, burelle, équipollé.
FASCINER. Charmer, éblouir, émerveiller, épater.
FASTE. Luxe.
FATAL. Funeste, immuable, inévitable, invariable, néfaste, vamp.
FATALITÉ. Destin, fatum, hasard, malheur, nécessaire, prédestiné, sort.
FATIGANT. Agaçant, claquant, ennuyant, éreintant, soûlant.
FATIGUE. Abattu, amaigri, anémie, avachi, charge, ennui, épuisé, fardeau, fourbu, harassé, las, lassitude, peine, poids, rendu, tiré, usé.
FATIGUER. Ahaner, briser, crever, harceler, lasser, peser, tirer, user.
FAUBOURG. Agglomération, banlieue, village, ville.
FAUCHER. Abattre, couper, renverser, tailler, voler.
FAUCON. Busard, buse, crécerelle, émerillon, épervier, pèlerin.
FAUSSER. Feindre, forcer, gourer, mentir, simuler, truquer, voiler.

FAUTE. Ânerie, bêtise, connerie, coquille, confusion, délit, erratum, erreur, gaffe, mal, méprise, parachronisme, sinon, vénielle, vice.
FAUTEUIL. Canapé, chaise, crapaud, ouvreuse, siège, trône.
FAUVE. Alezan, bois, carnassier, lion, once, tigre.
FAUVETTE. Azurée, blanche, bleue, buissons, calotte, canada, capuchon, cendrée, colima, couronne, croupion, flamboyante, grise, hybride, jaune, kentucky, kirtland, lunettes, masquée, mexique, moustache, noire, obscure, orangée, parula, passereau, pins, plastron, polyglotte, rayée, swainson, terrestre, tigrée, townsend, triste, verdâtre, vermivore, verte, virginia.
FAUX. Absurde, douteux, erroné, fourbe, irréel, pseudo, toc, vain.
FAVEUR. Aumône, bienfait, grâce, passe-droit, récompense, tolérance.
FAVORABLE. Ami, atout, bien, bon, éclaircie, embellie, mécène, pour.
FAVORISER. Aider, choyer, donner, doter, douer, lotir, seconder, servir.
FAVORITISME. Chouchoutage, népotisme, passe-droits.
FAYOT. Haricot.
FÉBRILE. Agité, fiévreux, impatient, nerveux, pondéré, typhose.
FÉCOND. Fertile, gras, lapinisme, nil, riche, ubéreux.
FÉCULE. Amylique, sagou, tapioca.
FÉDÉRATION. Allié, coalition, confédération, société, union.
FÉE. Fougère, génie, magicienne.
FEINDRE. Affecter, boiter, semblant, simuler.
FEINTE. Frime.
FÊLER. Craquer, étoiler, fendiller, rayer, rompre, strier.
FÉLICITER. Adresser, complimenter, congratuler, témoigner, vanter.
FÉLIN. Chat, lion, ocelot, once, tigre.
FEMELLE. Agnelle, ânesse, biche, cane, chèvre, chienne, daine, guenon, hase, laie, lapine, levrette, lice, lionne, louve, mère, meurette, oie, ourse, paonne, poule, rate, reine, tigresse, truie.
FEMME. Ambassadrice, amie, ânière, batelière, beauté, bédasse, bonne, brue, catin, chipie, coiffeuse, comtesse, dame, déesse, dinde, doctoresse, duchesse, écrivaine, éleveuse, escrimeuse, ève, épouse, fée, filandière, garce, glaneuse, gonzesse, gouvernante, grue, impératrice, laideron, lionne, logeuse, luronne, mairesse, maîtresse, marquise, marâtre, marraine, matrone, mégère, mémère, ménagère, menine, menteuse, mère, moitié, nabote, naine, ogresse, perle, pie, pimbêche, poétesse, poule, poupée, prêtresse, rameuse, rani, reine, rombière, rousse, sainte, salope, sauvagesse, servante, sirène, sœur, soubrette, spectatrice, sultane, tigresse, touffe, traînée, tsarine, vamp, virago.
FENDILLER. Craqueler, craquer, crevasser, déchirer, écarter, inciser.
FENDRE. Casser, cliver, couper, fêler, fissurer, rompre, scier, scinder.
FENÊTRE. Baie, chassis, croisée, oculus, œil-de-bœuf, lucarne, vasistas.
FENOUIL. Aneth, vespétro, visnage.

FENTE. Bouterolle, crevasse, fêlure, fissure, grigne, ouverture, seime.
FER. Acier, coin, coutre, dard, digon, étain, fe, lame, métal, soc, tôle.
FERME. Bastide, domaine, dur, énergique, entêté, exploitation, fermette, fort, hardi, inébranlable, inflexible, mas, métairie, obstiné, opiniâtre, persévérant, ranch, résolu, robuste, solide, stoïque, tenace, volontaire.
FERMENT. Broche, charnière, espagnolette, fiche, panture, tourniquet.
FERMENTER. Cuver, gâter, germer, lever, tourner, travailler.
FERMER. Arrêter, barrer, boucher, boucler, cligner, clore, coudre, lacer.
FERMETÉ. Détermination, énergie, opiniâtreté, stoïcisme, ténacité, ton.
FERMETURE. Barreau, cadenas, clé, clef, cloison, clôture, croisée, fin, jalousie, loquet, occlusion, serrure, tirette, trappe, verrou, volet.
FERMIUM. Fm.
FÉROCITÉ. Barbarisme, brutalité, cruauté, inhumain, sadique, sauvage.
FERRAILLE. Mitraille, ravageur.
FERRONNERIE. Atelier, boutique, crampon, fer, quincaillerie.
FERRURE. Aiguillon, charnière, fiche, penture, té.
FERTILE. Fécond, fructueux, généreux, plantureux, prolifique, riche.
FERVENT. Ardent, chaud, enthousiaste, vœu.
FESSER. Battre, frapper.
FESTIN. Banquet, bombe, beuverie, fête, foire, noce, repas, ripaille.
FÊTE. Amusement, assemblée, anniversaire, bal, célébration, cérémonie, commémoration, festin, festivité, foire, gala, jubilé, kermesse, noce, nouba, orgie, raout, réjouissance, rodéo, soirée, têt, tournoi.
FÊTER. Célébrer, chômer, commémorer, festoyer, pavoiser, sanctifier.
FÉTICHE. Amulette, hasard, mascotte, porte-bonheur, superstition.
FÉTU. Brin.
FEU. Ardeur, brasier, chaleur, décédé, flamme, foyer, mort, passion, tir.
FEUILLE. Encart, fane, folio, journal, livre, page, rame, thé, tôle, tract.
FEUILLET. Bœuf, cédule, fascicule, feuille, folio, garde, page, rôle, tract.
FEUILLETER. Bouquiner, compulser, lire, parcourir.
FEUTRE. Drap, feutrine, manchon, mélusine, nappe, stylo, surligneur.
FIANCÉ. Accordé, futur, prétendu, promis.
FIBRE. Abaca, agave, câble, coir, dacron, dralon, filament, kevlar, lin, lycra, nylon, orlon, orlontagal, papier, pite, raphia, tampico, tractus.
FIBROME. Tumeur, ulcère.
FICELER. Attacher, lier, saucissonner, tringler.
FICELLE. Corde, fil, filion, ligneul, lisse, mèche, nerf, ruse.
FICHU. Châle, chéret, écharpe, fanchon, guimpe, marmotte, pointe.
FICTIF. Fiction, imaginaire, invention, irréel.
FIDÈLE. Ami, constant, dévot, dévoué, éprouvé, juste, loyal, sûr.
FIDÉLITÉ. Amitié, amour, foi, hommage, loyauté, sûreté, vérité.
FIEL. Amer, bile.
FIENTE. Bouse, crotte, crottin, épreinte, excrément, merde.

FIER. Altier, arrogant, crâne, enflé, hautain, noble, rogue, superbe, sûr.
FIÈVRE. Aphteuse, brucellose, crise, pyrexie, sueur, température.
FIÉVREUX. Agité, excité, frénétique, malade, passionné, rouge.
FIGER. Cailler, coaguler, congeler, immobiliser, scléroser, transir.
FIGUIER. Banian, benjamin, commun, étrangleur, indien, lyrée.
FIGURATION. Casting, choriste, rôle.
FIGURE. Angle, chaîne, cône, dame, dièdre, face, idole, litote, ovale, roi, rond, sphère, strophe, tau, tête, tonneau, trope, type, valet, visage.
FIGURER. Accoler, dessiner, imaginer, réfléchir, représenter.
FIGURINE. Jaquemart, netsuké, poupée, santon, tanagra.
FIL. Basin, borne, cantatille, caténaire, corde, coton, soie, solénoïde.
FILAMENT. Charpie, fibre, fibrine, hyphe, ouate, poil, rivulaire.
FILE. Défilé, ligne, procession, queue, rangée, suite.
FILER. Couler, courir, déguerpir, disparaître, épier, fuir, lâcher, larguer, partir, passer, pister, rouet, surveiller, suivre, tisser, tordre.
FILET. Ableret, appât, bâche, chalut, cordon, drague, embûche, émouchette, épervier, flanc, folle, hamac, haveneau, havenet, lac, magret, nasse, orle, panneau, picot, piège, réseau, résille, rets, ridée, rissole, ru, seine, senne, thonaire, tirasse, vannet, venet, verveux.
FILLE. Adolescente, demoiselle, étudiante, fillette, gamine, gosse, nièce, prostituée, putin, servante, sœur, vestale, vigaro. (Voir femme.)
FILM. Actualité, bande, documentaire, métrage, pellicule, projection.
FILON. Amulette, bonheur, éponte, galerie, hasard, salbande, veine.
FILOU. Arnaqueur, bandit, escroc, flibustier, fripon, rat, voleur.
FILS. Aîné, enfant, fiston, frère, garçon, héritier, neveu, petit, rejeton.
FILTRATION. Colature, épuration, purge, purification, tamisage.
FIN. Aboutissement, achèvement, adroit, arrêt, borne, but, cessation, clôture, expiration, extrémité, futé, habile, limite, malin, ménopause, menu, mince, mort, nuit, rusé, soie, soir, soyeux, terme, terminaison.
FINAL. But, définitif, dernier, éliminatoire, issue, terminal, ultime.
FINANCIER. Argentier, monétaire, nucingen, payeur, pécuniaire.
FINASSER. Biaiser, ruser.
FINESSE. Adresse, astuce, clairvoyance, délicatesse, délié, finasserie, flair, intelligence, maigre, menu, minceur, perspicacité, raffinement, ruse, sagacité, sel, spirituel, stratagème, subtilité, tact, ténuité.
FINI. Bu, striquer, tari, tué, usé, vidé.
FINIR. Arrêter, bâcler, cesser, clore, lever, ôter, tarir, terminer, vider.
FIOLE. Bouteille, flacon, topette.
FIRMAMENT. Air, astrologie, ciel, étoile.
FISSURE. Craque, crevasse, faille, fente, filon, fuite, lézarde, sillon.
FISTON. Fils, rejeton.
FIXE. Appui, atone, défini, ferme, immobile, point, précis, solide, stable.

FIXER. Ancrer, amarrer, arrêter, arrimer, claveter, clouer, déterminer, évaluer, fermer, figer, lier, pendre, reclouer, régler, terminer, visser.
FLACON. Bouteille, burette, fiole.
FLAGELLER. Battre, fesser, fouetter, rosser, rouer.
FLAIR. Clairvoyance, futur, intuition, nez, odorat, pifomètre.
FLAIRER. Halener, pressentir, sentir, soupçonner.
FLAMBEAU. Chandelle, cierge, lampe, torche.
FLAMME. Amour, ardeur, crise, étincelle, feu, oriflamme, pennon, zèle.
FLAMMÈCHE. Bougie, étincelle.
FLANC. Aile, côté, crêt, filet, iliaque.
FLANELLE. Hockey, sainte, tennis.
FLÂNER. Amuser, badauder, baguenauder, balader, batifoler, errer, lasser, marcher, muser, promener, rôder, traîner, vadrouiller.
FLÂNEUX. Badaud, promeneur, traîneux.
FLAQUE. Gouille, mare.
FLASH. Éclair, rapide.
FLATTER. Aduler, allécher, amadouer, bénir, cajoler, câliner, vanter.
FLATTERIE. Cajolerie, complaisance, compliment, encens, galanterie, hypocrisie, louange, mamours, mensonge, tromperie.
FLATTEUR. Adulateur, courtisan, élogieux, flagorneur, thuriféraire.
FLÉAU. Balance, calamité, catastrophe, lèpre, malheur, peste, plaie.
FLÈCHE. Arc, carquois, dard, javelot, penne, pointe, sagaie, trait.
FLÉCHIR. Arquer, attendrir, céder, courber, crisper, plier, ployer.
FLEGME. Calme, impassible, indifférent, inertie.
FLÉTRIR. Enlaidir, faner, ratatiner, rider, stigmatiser.
FLEUR. Achillée, ada, adonis, agave, amaryllis, arabis, aristoloche, aroïdée, arum, asclépiade, aster, astilbe, azalea, bellis, caltha, canna, celosia, clématite, cosmos, crocus, dahlia, draba, ébéris, érica, forsythia, gaillarde, galium, gaura, geum, hosta, inula, iris, œillet, orchidée, immortelle, impatient, inula, iris, ixia, ledum, lilas, lilium, lin, lis, lotus, lys, malva, marguerite, nepena, nidularium, panicule, pélargonium, pensée, pétunia, phlox, potentille, rose, rudbeckia, salvia, scilla, sedum, spirea, statice, tagetes, técum, thymus, tigridie, trillium, tulipe, uve, victoria, viola, weigela, xéranthème, yucca, zinnia.
FLEURET. Botte, épée, escrime, fer, mouche, plastron.
FLEURIR. Épanouir, réussir.
FLEUVE. Bras, cours, embouchure, fluvial, rive, rivière.
FLEUVE (NOM). Aa, amazone, amou-daria, amour, ania, arkansas, arno, brahma poutre, bug, chari, churchill, colorado, columbia, congo, dal, danube, darling, don, dniepr, drina, ebre, elbe, élorn, ems, erne, euphrate, fraser, gange, gota, han, hoang-ho, iaxartes, iénissei, ili, indus, irraouaddi, irtych, kuma, la paix, lek, léna, léthé, luléa, mackenzie, madeira, maritza, mékong, mississippi, missouri, murray, nelson, niger,

nil, ob, obi, ohio, orange, orénoque, oural, paraguay, parana, rio-grande, rio-negro, rupel, salween, sao-francisco, saint-laurent, saskatchewan, sée, seine, selenga, si-kiang, sind, styx, tana, tigre, tocantins, uléa, ulla, umé, una, upsal, volga, waal, yalu, yang steu kiang, yapura, yromus, yukon, zambèze.
FLEXIBLE. Élastique, influençable, maniable, pliable, souple.
FLIRT. Amour, amourette, caprice.
FLORILÈGE. Anthologie.
FLORIN. Fl, or.
FLOT. Abondance, affluence, bouillon, couler, eau, enfant, flux, houle, lame, marée, masse, mer, multitude, onde, vague.
FLOTTE. Armada, bateau, eau, escadre, flottille, rein, vaisseau.
FLOTTER. Claquer, heureux, nager, ondoyer, surnager, voler, voltiger.
FLOUER. Dérober, enlever, faucher, frauder, piller, piquer, voler.
FLUIDE. Air, clair, diffusion, eau, émersion, gaz, humeur, liquide.
FLÛTE. Diaule, fifre, fistule, larigot, monaule, octavin, piccolo, pipeau.
FLUX. Balancer, eau, faisceau, flot, humeur, marée, mer.
FOC. Génois, tourmentin, voile.
FŒTUS. Accouchement, embryon, fœtal, fruit, gestation, œuf.
FOI. Canon, confiance, croyance, jurer, mystère, religion, vérité, zèle.
FOISONNER. Abonder, augmenter, beaucoup.
FOLÂTRER. Batifoler, ébattre, folichonner, marivauder, papillonner.
FOLICHONNER. (Voir folâtrer.)
FOLIE. Aliénation, asile, crise, dada, délire, imagination, lubie, manie.
FOLLE. Amoureuse, cinglée, dingue, idiote, sotte, toquée, tordue.
FONCTION. Chaire, charge, décanat, emploi, génération, office, olfaction, mission, place, position, poste, priorat, respiration, rôle, titre, travail.
FONCTIONNAIRE. Agent, directeur, employé, magistrat, sous-ministre.
FONCTIONNEL. Symptôme, utilitaire.
FONCTIONNEMENT. Déclenchement, enclenchement, fiabilité, jeu.
FONCTIONNER. Agir, aller, démarrer, faire, marcher, organiser, partir.
FOND. Acul, ancre, bas, base, cale, cul, lie, limite, réseau, sole, vasard.
FONDAMENTAL. Base, capital, crucial, dogme, fond, tendance, vital.
FONDANT. Coulant, fusion, herbue.
FONDATEUR. Bâtisseur, commencer, chef, créateur, entrepreneur.
FONDATION. Assise, base, établissement, fondement, soutènement.
FONDER. Baser, bâtir, créer, élever, établir, instaurer, instituer, tabler.
FONDRE. Dégeler, dégivrer, déglacer, délayer, dissoudre, infuser, unir.
FONDUE. Chinoise, flou, fromage, fusible, léger, raclette, suisse, vaporeux.
FORÇAT. Argousin, bagnard, fer, galérien, prisonnier.
FORCE. Activité, ardeur, bras, courage, énergie, fougue, inévitable, lion, mana, nerf, poids, poigne, pouvoir, résistance, vent, vigueur, volume.
FORCER. Aliter, augmenter, obliger, poursuivre, torturer, violenter.

FORÊT. Bocage, bois, bosquet, futaie, maquis, parc, pinède, taïga, verger.
FORFAIT. Abonnement, convention, crime, fixe, marchandage, trahison.
FORFICULE. Perce-oreille, pince-oreille.
FORGER. Cingler, corroyer, fabriquer, inventer.
FORMALITÉ. Cérémonie, convention, enregistrement, facilité, préavis.
FORMAT. Album, dimension, feuille, grandeur, légal, standard, tabloïd.
FORMATION. Brigade, colonne, commando, création, diplôme, prairie, ravinement, salification, steppe, thrombose, toundra, tuf, unité.
FORME. Carré, état, pointu, rectangulaire, rond, tubulaire, triangulaire.
FORMER. Composer, constituer, créer, diriger, dresser, élever, entraîner, établir, étirer, fabriquer, façonner, faire, fonder, habituer, instituer, mixer, mouler, nouer, organiser, penser, pétrir, produire, rouler, styler.
FORMIDABLE. Épatant, étonnant, sensationnel, super, terrible.
FORMULE. Adieu, dédicace, équation, modèle, recette, règle, veto, visa.
FORMULER. Écrire, émettre, énoncer, ériser, exposer, exprimer, fulminer, insinuer, intenter, poser, rédiger, reformuler, règle, stipuler.
FORT. Âcre, bon, costaud, dru, énergique, grand, haut, nerveux, plein, puissant, redoutable, résistant, robuste, solide, violent, vigoureux.
FORTERESSE. Bicoque, bastille, bunker, citadelle, donjon, fort, fortin.
FORTIFICATION. Château, donjon, éperon, fort, fortin, ligne, redoute.
FORTIFIER. Affermir, armer, invétérer, munir, nourrir, prémunir.
FORTUNE. Aise, bien, bonheur, chance, destin, hasard, richesse, trésor.
FOSSE. Canal, cavité, creux, douve, oubliette, purot, silo, tombe, trou.
FOSSILE. Ambre, ammonite, anas, calamite, géologie, reptile.
FOU. Aliéné, amoureux, barjo, braque, cinglé, dément, dingue, fada, fêlé, fol, givré, idiot, imbécile, insensé, niais, sonné, sot, toqué, tordu.
FOUDRE. Choc, éclair, épart, fulgurer, lueur, paratonnerre, tonnerre.
FOUDROYER. Électrocuter, mourir, soudain.
FOUET. Aile, cravache, garcette, knout, martinet, nerf, sangle, verge.
FOUETTER. Battre, cingler, exciter, fesser, flageller, rosser, sangler.
FOUGÈRE. Adiantum, cétérach, filicales, indusie, ophioglosse, osmonde.
FOUGUE. Ardeur, bravoure, élan, entrain, feu, véhémence, violence.
FOUGUEUX. Ardent, déluré, emporté, enragé, impétueux, vif, violent.
FOUILLER. Chercher, excaver, fouiner, fureter, ratisser, rechercher.
FOUILLIS. Désordre, mélange.
FOUINARD. Indiscret, rusé.
FOULARD. Écharpe, étoffe.
FOULE. Amas, armée, cohue, essaim, masse, meute, monde, nuée, tas.
FOULER. Damer, éreinter, opprimer, piétiner, pilonner, presser, tasser.
FOUR. Aire, alandier, âtre, bouche, cuisinière, fourneau, grille, voûte.
FOURBE. Effronté, escobar, fripon, impudent, rusé, sournois, trompeur.
FOURBU. Claqué, crevé, éreinté, exténué, fatigué, lassé, sué, trimé, usé.
FOURCHE. Bident, caudines, dent, fouine, gibet, harpon, trident.

FOURCHETTE. Cheval, couvert, échec, glome, ustensile.
FOURGONNETTE. Camionnette, van.
FOURMI. Miellat, pangolin, reine, soldat, termite, travailleuse.
FOURNEAU. Chaudière, cratère, creuset, cuisinière, poêle, réchaud, té.
FOURNIR. Apporter, armer, atteler, débiter, donner, doter, entretenir, livrer, monter, munir, nipper, nourrir, ravitailler, servir, verser, vêtir.
FOURRAGE. Gazon, ivraie, litière, millet, ortie, paille, trèfle, vulpin.
FOURREAU. Bas, dard, étui, gaine, manchon, nu, porte-épée.
FOURRE-TOUT. Sac.
FOURRURE. Armeline, aumusse, blaireau, boa, caracul, carcajou, castor, chat, chinchilla, coyote, écureuil, étole, hermine, isatis, kid, lapin, lièvre, loup, loutre, lynx, martre, menu, mite, mouffette, myopotame, ocelot, ondatra, opossum, ours, peau, pékan, pelage, poil, putois, ragondin, rat, raton, renard, roselet, vair, vison, zibeline, zorille.
FOURVOYER. Aberrer, égarer, errer.
FOYER. Âtre, brasier, centre, cheminée, famille, feu, lare, maison, phare.
FRACTION. Abattement, division, escouade, part, partie, tendance.
FRACTIONNER. Casser, couper, débiter, diviser, rompre, scinder.
FRACTURE. Blessure, bris, cassure, esquille, fêlure, fente, rupture.
FRAGILE. Chétif, délicat, frêle, grêle, menu, mince, ostéoporose, vain.
FRAGILITÉ. Attaquable, délicatesse, éphémère, néant, précaire, vanité.
FRAGMENT. Aréoso, bout, bribe, chicot, crossette, éclat, épave, miette, morceau, parcelle, part, partie, pas, pièce, récitatif, semoule, tronc.
FRAGMENTER. Couper, éclater, morceler, segmenter, tronçonner.
FRAIS. Agio, dépens, dépense, froid, jeune, nouveau, récent, vert.
FRAISER. Évaser, percer.
FRANC. Clair, cru, direct, droit, loyal, naturel, net, pur, sincère, vif, vrai.
FRANCHEMENT. Librement, net, simplement, sincèrement, vraiment.
FRANCHIR. Enjamber, escalader, passer, sauter, traverser.
FRANCHISE. Clarté, crudité, liberté, loyauté, netteté, sincérité, véracité.
FRANCHISSEMENT. Traversée.
FRANCIUM. Fr.
FRANGE. Crépine, effilé, torsade.
FRANGIN. Frère, frérot.
FRAPPANT. Étonnant, impressionnant, lumineux, tapant.
FRAPPE. Bat, écu, éprouvé, ictus, médail, méduse, obsolescent, sou.
FRAPPER. Asséner, assommer, battre, boxer, cingler, cogner, ébahir, étonner, férir, fesser, geler, heurter, infliger, marteler, plaquer, poignarder, proscrire, sonner, taper, tapoter, tondre, trépigner.
FRASQUE. Caprice, conduite, digression, écart, faute, incartade.
FRATERNEL. Alter ego, frère.
FRATERNISER. Aimer, amitié, chérir, engouer, enticher, plaire.
FRATERNITÉ. Accord, amitié, club, fenian, secte.

FRATRICIDE. Assassinat.
FRAUDE. Contrefaçon, escroquerie, surpercherie, tromperie, vol.
FRAUDER. Falsifier, frelater, priver, resquiller, tricher, tromper, voler.
FRAYEUR. Alarme, crainte, effroi, épouvante, peur, terreur, transe.
FREDAINE. Chanson, folie, répétition, sienne.
FREIN. Aile, arrêt, cheval, mors, obstacle, sabot, servofrein.
FRÉMIR. Balancer, colère, palpiter, peur, trembler, vibrer.
FRÊNE. Blanc, bleu, cantharide, caroline, fraxinelle, fraxinus, gregg, mannitol, noir, odorant, orégon, orne, pubescent, rouge, texas, velu.
FRÉNÉSIE. Délire, enthousiasme, folie, furie, passion.
FRÉQUEMMENT. Communément, souvent, tant, toujours.
FRÉQUENCE. Chaîne, file, hertz, litanie, modulation, rythme, série, suite.
FRÉQUENT. Commun, constant, perpétuel, souvent, tant, toujours.
FRÉQUENTATION. Contact, côtoiement, rapport, relation.
FRÉQUENTER. Côtoyer, courtiser, flirter, lier, pratiquer, voir, voisiner.
FRÈRE. Curé, frangin, frérot, garçon, germain, lait, moine, oncle.
FRET. Cargaison, nolis, pacotille, transport.
FRIANDISE. Biscuit, bonbon, douceur, gâterie, nanan, œuf, tire, touron.
FRIC. Argent, billet, bourse, douille, fonds, magot, mise, radis, rond.
FRICTIONNER. Frotter, oindre, masser.
FRIME. Apparaître, dissimulation, fard, feinte, simulation, zéro.
FRIMOUSSER. Bouger, danser, gigoter, remuer, tricoter, valser.
FRINGANT. Actif, alerte, animé, arrogant, déluré, chaud, cheval, vif.
FRINGUER. Attifer, draper, fagoter, habiller, parer, revêtir, vêtir.
FRIPON. Coquin, escroc, espiègle, gredin, vif.
FRIPPER. Chiffonner, froisser.
FRISER. Anneler, bichonner, boucler, crêper, frôler, onduler, raser.
FRISSON. Fièvre, froid, horreur, peur.
FRISURE. Ratinage.
FRIVOLE. Bagatelle, étourdi, futile, léger, marionnette, niaiserie, volage.
FROID. Bise, distant, frigide, frimas, gel, glacé, glacial, hiver, lucide.
FROISSER. Blesser, choquer, colère, fâcher, fripper, piquer, rider, vexer.
FRÔLER. Caresser, côtoyer, effleurer, friser, frotter, raser, toucher.
FROMAGE. Brie, calando, camembert, cheddar, emmental, feta, gouda, grana, gruyère, oka, olivet, parmesan, roquefort, sbrinz, sérac, suisse.
FROMENT. Blé, cari, champart, écautre, engrain, méteil, orge.
FRONT. Avant, chanfrein, coalition, impoli, ride, sourcil.
FRONTIÈRE. Barrière, borne, limite, pays.
FROTTER. Bagarrer, cirer, huiler, limer, lisser, oindre, polir, racler, user.
FRUCTUEUX. Gain, payant, prospère, rentable, utile.
FRUIT. Abricot, agrume, akène, alise, ananas, api, arbouse, aubergine, baie, banane, café, câpre, cénelle, cerise, citron, coco, coing, cola, cône, datte, drupe, faîne, fève, figue, follicule, fraise, framboise, gland, gousse,

grain, intérêt, kaki, lime, mangue, melon, merise, mûr, mûre, nèfle, noisette, noix, olive, orange, péché, pêche, pistache, poire, pois, pomme, produit, profit, prune, raisin, résultat, sorbe, tomate, vanille.
FUGITIF. Fugace, fuyard, passager, réfugié.
FUGUE. Absence, escapade, strette.
FUIR. Courir, décamper, enfuir, évader, éviter, filer, lever, partir.
FUNÈBRE. Deuil, glas, lugubre, macabre, mortuaire, obsèques, triste.
FUNÉRAILLES. Deuil, ensevelissement, enterrement, tombe.
FUNESTE. Fatal, mal, malheur, mauvais, néfaste, noir, nuisible, tragique.
FUREUR. Colère, démence, explosion, ire, irriter, passion, rage, rusé.
FURIE. Délire, erinye, fanatisme, frénésie, ivresse, pythie, rage, violence.
FURONCLE. Abcès, clou, orgelet, staphylocoque, tumeur, ulcère.
FUSEAU. Bobine, centromère, dentellière, fusée.
FUSIL. Arme, busc, carabine, chien, crosse, escopette, espingole, flingue, hammerless, lebel, pétoire, tromblon.
FUSILLER. Exécuter, tirer, tuer, viser.
FUSION. Absorption, acier, association, fonte, mélange, réunion, union.
FÛT. Astragale, baril, bollard, grenadière, pommeau, tambour, tonneau.
FUTÉ. Adroit, habile, rusé.
FUTILE. Babiole, baliverne, bête, frime, frivole, inutile, léger, rien, vain.
FUTUR. Anticipation, avenir, conjugaison, éternité, fiancé, prophétie.
FUYARD. Couard, fugitif, lâche, libre, peureux, pleutre, poltron.

G

GABARDINE. Étoffe, manteau, tissu.
GABARIT. Dimension, dispositif, forme, modèle, outil, portique, taille.
GÂCHER. Bâcler, bousiller, gaspiller, gâter, manquer, saboter, saloper.
GADOLINIUM. Gd.
GADOUE. Boue.
GAGEURE. Pari.
GAGNANT. Jeu, lauréat, travailleur, vainqueur, victorieux.
GAGNE-PAIN. Métier, profession.
GAGNER. Endoctriner, envahir, mériter, obtenir, remporter.
GAI. Alerte, amusant, bon, dispos, drôle, éveillé, luron, riant, vif.
GAIETÉ. Comique, entrain, gaillardise, hilarité, joie, réjouissance, rire.
GAIN. Avantage, bénéfice, boni, fruit, intérêt, profit, revenu, salaire.
GAINE. Corset, écorce, enveloppe, étui, fourreau, mèche.
GALANT. Cajoleur, courtisan, enjôleur, flirteur, poli, séducteur.
GALÈRE. Bagne, bateau, espalier, mahonne, réale, trière, trirème.
GALERIE. Arcade, jubé, loge, préau, salon, spectateur, tunnel, xyste.

GALÉRIEN. Argousin, bagnard, déporté, espalier, forçat, relégué.
GALETTE. Biscuit, crêpe, fric, gâteau, lire, oseille, placenta.
GALLINACÉ. Coq.
GALLIUM. Ga.
GALON. Bande, bordure, chevron, degré, laisse, ruban, sardine, tresse.
GALOP. Allure, bague, canter, cheval, course, danse, trot.
GALVANISER. Électriser, enflammer.
GAMIN. Cadet, crapaud, enfant, flot, galopin, gavroche, mioche.
GAMINE. Fillette.
GAMME. Degré, éventail, hymne, médiante, mode, note, sol, ton.
GANGSTER. Bandit, brigand, escroc, filou, pillard, truand, voleur.
GANT. Ceste, gantelet, main, mitaine, moufle, suède.
GARAGE. Abri, box, dépôt, hangar, parc, remise, stationnement.
GARANTIE. Assurance, aval, caution, endossement, foi, gage, otage.
GARANTIR. Abriter, assurer, couvrir, donner, protéger, soutenir.
GARÇON. Fils, gars, gosse, lad, loufiat, marmot, mitron, puceau, serveur.
GARDE. Défense, dogue, escorte, gardien, gorille, piquet, vigie, vigile.
GARDE-BOUE. Aile, pare-boue.
GARDE-FOU. Clôture, parapet, pilastre, rampe.
GARDE-ROBE. Armoire, basique, penderie, placard, selle.
GARDER. Aliter, attendre, détenir, receler, réserver, retenir, tenir.
GARDIEN. Agent, cerbère, consignataire, eunuque, geôlier, huissier.
GARER. Arrêter, éviter, parquer, placer, ranger, remiser, stationner.
GARNEMENT. Chenapan, galopin, gredin, vaurien.
GARNI. Abondant, bagué, farci, meublé, touffu.
GARNIR. Armer, baguer, boiser, bourrer, décorer, doubler, gréer, enrubanner, ferrer, lotir, mâter, meubler, munir, orner, parer, tapisser.
GARNITURE. Calandre, ferrement, fanfreluche, grébiche, jabot, parure.
GASPILLER. Dépenser, dilapider, gâcher.
GÂTEAU. Baba, bûche, éclair, galette, gaufre, moka, opéra, roulé, sablé.
GÂTER. Abîmer, altérer, carier, corrompre, dénaturer, détériorer, endommager, gâcher, pervertir, pourrir, salir, tarer, troubler, vicier.
GAUCHE. Babord, empêtré, empoté, épais, incapable, maladroit, paysan.
GAUFRE. Bricelet, gâteau, gaufrette.
GAZ. Anode, argon, azote, bulle, chlore, néon, pet, rot, soda, vent, xénon.
GAZE. Blessure, mèche, mousseline, tutu, voile.
GAZON. Herbe, pelouse.
GÉANT. Colosse, cyclope, énorme, grand, hercule, ogre, titan, titanique.
GELÉE. Aspic, confiture, frimas, galantine, giboulée, givre, glace, transi.
GELER. Congeler, figer, frapper, frigorifier, glacer, prendre, transir.
GÉMISSEMENT. Cri, geignement, lamentation, larmoiement, plainte.
GEMME. Diamant, lapis-lazuli, pierre, résine, zircon.
GENDARME. Carabinier, hareng, pic, policier, punaise, saucisse.

GENDRE. Époux, fiancé.
GÊNE. Besoin, embarras, ennui, entrave, misère, obstacle, pitié, purée.
GÉNÉALOGIE. Ancêtre, arbre, ascendant, commencement, descendant, famille, implexe, origine, pedigree, phylogénie.
GÊNER. Embarrasser, empêtrer, entraver, incommoder, nuire, serrer.
GÉNÉRAL. Armée, capitaine, chef, collectif, commandant, commun, ensemble, indécis, major, principe, supérieur, universel, vague.
GÉNÉREUX. Bon, charitable, chic, clément, large, libéral, noble, sensible.
GÊNEUR. Empêcheur, ennuyeux, fâcheux, importun.
GENÉVRIER. Cade, commun, deppe, ginkgo, occidental, pinchot, pleureur, polocarpe, rocheuses, sabine, utah, virginie.
GÉNIE. Capacité, don, esprit, gnome, imagination, intelligence, lutin, lyre, ondin, penchant, muse, nature, sylphe, talent.
GENIÈVRE. Encens, gin, sandaraque, vernis.
GÉNISSE. Io, taure, vache, veau.
GÉNITEUR. Grand-père, parent, paternel, père, reproducteur.
GENRE. Catégorie, espèce, féminin, manière, masculin, société, sorte.
GENS. Cohorte, foule, homme, individu, monde, personne, public.
GENT. Espèce, famille, race.
GENTIL. Aimable, beau, charmant, gracieux, joli, mignon, païen.
GENTILHOMME. Aristocrate, noble, sire.
GEÔLE. Bagne, cachot, cellule, pénitencier, prison, tôle, violon.
GEÔLIER. Cerbère, garde, gardien, sentinelle.
GERÇURE. Crevasse, fendillement, fente, fissure, peau.
GÉRER. Administrer, cogérer, diriger, entreprendre, régir.
GERMANIUM. Ge.
GERME. Embryon, fœtus, graine, levain, malt, œuf, source, sperme.
GESTE. Action, allure, exploit, façon, manière, menace, mine, outrage.
GIBIER. Affût, chasse, civet, dépister, lièvre, rabattre, tire, traquer.
GICLER. Couler, eau, jaillir.
GIFLE. Baffe, claque, coup, mornifle, soufflet, taloche, tape, torgnole.
GIGANTESQUE. Éléphantesque, énorme, géant, grand, haut, titanesque.
GIGOT. Baron, cuisse, souris.
GIGOTER. Agiter, bouger, branler, danser, mouvoir, piétiner, remuer.
GIRON. Bercail, blason, église, endroit, intérieur, sein.
GISEMENT. Bassin, gîte, mine.
GÎTE. Abri, antre, asile, bauge, lièvre, mine, refuge, repaire, tanière.
GIVRE. Frimas, gelée, glace, neige.
GLACE. Fixe, froid, granite, iceberg, miroir, neige, tain, verglas, vitre.
GLACER. Apeurer, figer, fixer, geler, intimider, paralyser, transir.
GLACIAL. Blizzard, froid, polaire.
GLADIATEUR. Cavalier, hoplomaque, laniste, mercenaire, parmulaire.
GLAIVE. Ancipité, épée.

GLAND. Alvéole, balanos, capuchon, floche, paraphimosis, prépuce.
GLANDE. Adénome, cortex, exocrine, ovaire, pore, sein, suc, thymus.
GLISSEMENT. Butée, coulissement, dérapage, tremblement.
GLISSER. Chasser, couler, errer, patiner, ramper, rouler, skier, tomber.
GLOBE. Ampoule, boule, bulbe, carte, équateur, sphère, verrine.
GLOBULE. Bulle, hématite, hydrémie, kalicytie, neutropénie, sang.
GLOIRE. Apogée, auréole, éclat, honneur, mérite, nom, prestige, renom.
GLORIEUX. Flanelle, magnifique, orgueilleux, vaniteux.
GLORIFIER. Auréoler, bénir, célébrer, exalter, flatter, louer, parer.
GLOUSSER. Éclater, marrer, moquer, pouffer, railler, rire, tordre.
GLOUTON. Avaleur, avide, goinfre, gourmand, mangeur, porc, vorace.
GLOUTONNERIE. Avidité, cupidité, goulafre, gouliafre, rapacité.
GLUCIDE. Amidon, cellulose, glucose, holocide, inuline, mannose, oside.
GLUCINIUM. Gl, glucide.
GLUCOSE. Dextrose, esculine, fructose, maïs, salicine, saccharine.
GNÔLE. Alcool, eau-de-vie, gnaule, gniôle.
GNOME. Cabalistique, esprit, génie, lutin, nain, talmudique, troll.
GNON. Choc, claque, coup, gifle, heurt, taloche, tape, touche.
GOBELET. Cornet, quart, rince-bouche, sol, tasse, timbale, verre.
GOBER. Aimer, appât, avaler, croire, happer.
GOÉLETTE. Bateau, brigantin, fortune, shooner, voilier.
GOLFE. Anse, baie, calanque, crique, fjord, fleuve, port, rade.
GOMME. Cati, cire, dégommer, efface, encoller, gommette, laque, résine.
GONFLEMENT. Crue, enflure, fluxion, œdème, tuméfaction, tumeur.
GONFLER. Ballonner, bouffir, cloquer, dilater, enfler, exagérer, rebondir.
GORGE. Amygdale, col, décelé, gave, gosier, ingurgitation, pharynx, sein.
GORGER. Boire, emplir, gaver, grasseyer, ingurgiter, rassasier, soûler.
GOSIER. Avaloir, gargamelle, gorge, sifflet.
GOUFFRE. Abîme, aven, cavité, fosse, précipice, profondeur, trou, vide.
GOULOT. Bouteille, capsule, col.
GOUPIL. Renard.
GOURDE. Bidon, bouteille, calebasse, piastre, réserve.
GOURDIN. Barre, bâton, billot, bois, bûche, épieu, jonc, pieu, tige.
GOURMAND. Friand, gastronome, glouton, goulu, pansu, ventru, vorace.
GOÛT. Acidité, âcre, âpre, faim, fort, palais, rage, salé, saveur, sens, sûr.
GOÛTER. Aimer, allécher, déguster, essayer, jouir, plaire, raffoler.
GOUTTE. Arthrite, orteil, pâté, perle, rhumatisme, tectile, tophus.
GOUVERNAIL. Barre, barreur, commande, dérive, mèche, safran, timon.
GOUVERNEMENT. Aristocratie, dey, état, gérontocratie, junte, royauté.
GOUVERNER. Barrer, diriger, lofer, obéir, régenter, régir, régner.
GOUVERNEUR. Chef, émir, exarque, maître, mentor, pacha, palatin.
GRÂCE. Adresse, agrément, attrait, beauté, bienfait, bienveillance, charme, élégance, faveur, merci, pardon, remise, rémission, service.

GRACIEUX. Accort, aimable, élégant, félin, gentil, talentueux.
GRADE. Adjudant, amiral, brigadier, capitaine, caporal, classe, colonel, commandant, dan, degré, doctorat, échelon, galon, général, licence, lieutenant, maître, major, maréchal, sergent, vice-amiral.
GRAIN. Ave, averse, bouton, brin, cacahuète, fève, germe, grume, lentille, naevus, pépin, pignon, pluie, riz, sas, silo, son, spore, van.
GRAISSE. Adipeux, beurre, gras, huile, lard, oing, panne, suif.
GRAMINACÉE. Avoine, bambou, canne, ivraie, maïs, nard, orge, riz.
GRAMINÉE. Blé, coléoptile, cram-cram, crételle, orge, panicum, phléole.
GRAMMAIRE. Actif, adjectif, adverbe, analyse, article, cas, féminin, figure, genre, langage, langue, locution, masculin, mode, nom, passif, phonétique, pluriel, pronom, rime, singulier, syntaxe, temps, verbe.
GRAND. Ample, bon, fort, gigantesque, gros, haut, intense, long, tant.
GRAND-MÈRE. Aïeule, grand-maman, mamie, mémère, mère-grand.
GRAND-PÈRE. Aïeul, bon-papa, grand-papa, pépé, pépère, papi.
GRANDE. Aînée, chiée, craquée, rio.
GRANDEUR. Ampleur, délire, dimension, élévation, étalon, étendue, gravité, hauteur, immensité, importance, longueur, majesté, taille.
GRANDIOSE. Épique, frappant, impressionnant, rare, touchant.
GRANITE. Orthose, pegmatite, porpegmatite, rhyolite, roche.
GRAPHIQUE. Canevas, dessin, ébauche, myographie, trace.
GRAPPE. Amas, diète, épi, panicule, rafle, raisin, régime, vendange.
GRAPPIN. Ancre, croc, harpon.
GRAS. Adipeux, arrondi, beurre, dodu, épais, étoffé, graisse, gros, huileux, lard, onctueux, pansu, pâteux, plein, potelé, replet, taché.
GRATIFICATION. Aumône, cadeau, don, pourboire, prime, rétribution.
GRATIN. Aristocratie, crème, élite, fleur, supérieur.
GRATITUDE. Gré, reconnaissance, remerciement.
GRATTER. Abraser, effacer, égratigner, entamer, frotter, fouiller, râcler.
GRAVE. Alto, bas, lourd, posé, raser, redoutable, sage, sérieux, taré.
GRAVER. Buriner, chiffrer, écrire, entailler, imprimer, inscrire.
GRAVIR. Escalader, grimper, haut, monter, remonter.
GRAVITÉ. Dignité, énormité, flegme, froideur, réserve, retenue, sérieux.
GRAVURE. Burin, cliché, épreuve, estampe, image, pointillé, vignette.
GRÉ. Accord, malgré, volonté, volontiers.
GRÉEMENT. Agrès, ancre, croc, dame, écope, gaffe, garnir, mât, voile.
GREFFE. Bouture, ente, enture, greffon, isogreffe, marque, parabiose.
GREFFER. Bouturer, enter, entoir, greffage, marquer, regreffer, tailler.
GRÊLE. Ascaride, délié, érepsine, faible, gracile, intestin, menu, mince.
GRELOT. Cloche, clochette, sonnette, tintinnabuler.
GRELOTTER. Branler, frémir, frissonner, secouer, trembler, trépider.
GRENAT. Alabandine, almandine, escarboucle, pierrerie, rouge.
GRENIER. Fenil, maison, mansarde, pailler, réserve.

GRENOUILLE. Batracien, crapaud, coasser, ouaouaron, rainette.
GRÈS. Alios, argile, cérame, jaqueline, jarre, quartzite, séricine, tourie.
GRIFFE. Bijou, égratignure, empreinte, marque, ongle, serre, signature.
GRILLER. Braiser, brûler, chaleur, rôtir, torréfier.
GRIMACE. Contorsion, convulsion, distorsion, moquer, moue, rictus, tic.
GRIMPER. Escalader, gravir, haut, hisser, marcher, monter.
GRINCEMENT. Aigu, bruit, crissement.
GRINCER. Crier, crisser, grinçant, strider.
GRINCHEUX. Acariâtre, hargneux, pimbêche, revêche, ronchon.
GRISÂTRE. Aviné, beige, grège, nuageux, pinchard, terreux.
GRISER. Ébriété, émécher, enivrer, étourdir, rêver, saouler.
GRIVOIS. Épicé, gaillard, léger, leste, licence, osé, salé.
GRIZZLI. Ours.
GROGNER. Feuler, murmurer, pester, protester, rager, râler, renauder.
GROIN. Butoir, museau.
GRONDER. Attraper, bougonner, rabrouer, réprimander, tancer.
GROS. Bâti, enflé, épais, fort, gras, lourd, massif, obèse, potelé, rond.
GROSSE. Douze, douzaine, enceinte, ronde.
GROSSIER. Brut, brutal, cru, dur, emporté, épais, féroce, gras, imparfait, lourd, malappris, massif, mufle, rude, rustre, salé, vil, violent, vulgaire.
GROSSIÈRETÉ. Barbarie, bassesse, brutalité, crudité, muflerie, ordure.
GROSSIR. Bomber, bouffer, dilater, empâter, enfler, épaissir, gonfler.
GROTESQUE. Bouffon, burlesque, caricature, fou, ridicule, risible.
GROTTE. Abri, calcaire, caverne.
GROUPE. Atelier, cadre, chœur, clique, équipe, espèce, essaim, îlot, macle, parti, pool, race, réunion, secte, série, trait, troupe, type.
GROUPER. Allier, attrouper, fédérer, joindre, masser, rallier, réunir.
GRUGER. Broyer, croquer, éroder, manger, rogner, ronger, voler.
GUÊPE. Abeille, ammophile, corset, eumène, frelon, poliste, sphex.
GUÈRE. Feu, peu, trop.
GUÉRIDON. Table.
GUÉRIR. Calmer, opérer, panser, sauver, soigner, soulager, traiter.
GUERRE. Bataille, combat, conflit, dispute, lutte, révolte, sécession.
GUERRIER. Martial, militaire, militant, pair, soldat, samouraï, truste.
GUET. Affût, cachette, embuscade, faction, garde, surveillance.
GUETTER. Attendre, éclairer, épier, observer, regarder, surveiller.
GUEULETON. Gastronomie, gourmandise, repas.
GUIDE. Chef, cicérone, conducteur, cornac, mentor, phare, pilote, rêne.
GUIDER. Conduire, conseiller, diriger, mener, orienter, piloter.
GUIDOUNE. Catin, péripatéticienne, poule, prostituée, putain, pute.
GUIMBARDE. Languette, musique, rabot, tacot.
GUIRLANDE. Couronne, dessin, feston, fête, fleurs, sculpture, tortis.

GUITARE. Balalaïka, banjo, cithare, lyre, luth, mandore, mandoline, sistre, touchette, ukulélé.
GYMNASTE. Athlète, coureur, sauteur, sportif, trapéziste.
GYPSE. Clivage, plâtre, roche, rose.
GYROPHARE. Ambulance, phare, policier, pompier.

H

HABILE. Adroit, agile, apte, bon, calé, capable, expert, fin, finaud, futé, ingénieux, intelligent, maître, malin, roublard, rusé, sorcier, subtil, vif.
HABILITÉ. Adresse, art, astuce, dextérité, don, grâce, ruse, tact, truc.
HABILLEMENT. Atour, gant, harde, jupe, layette, parure, toilette.
HABILLER. Accoutrer, draper, ganter, parer, revêtir, rhabiller, vêtir.
HABIT. Costume, fringue, froc, ornement, spencer, tenue, uniforme.
HABITANT. Âme, citadin, colon, hôte, insulaire, natif, peuple, rural.
HABITATION. Case, chalet, demeure, domicile, ermitage, fourmilière, gîte, HLM, igloo, immeuble, isba, logement, logis, maison, manoir, ménage, nid, pénate, piaule, propriété, ruche, tanière, taule, tipi, toit.
HABITER. Demeurer, hanter, loger, nicher, occuper, résider, séjourner.
HABITUDE. Dada, manie, mœurs, norme, rite, routine, tic, us, usage.
HABITUER. Aguerrir, amariner, dresser, exercer, façonner, former.
HACHE. Arme, bipenne, doleau, herminette, laye, merlin, tomahawk.
HACHIS. Farce, godiveau, haché, pâté, taboulé.
HAFNIUM. Hf.
HAGARD. Dépaysé, dérouté, désorienté, écarté, effaré, égaré, perdu.
HAINE. Amertume, animosité, aversion, horreur, inimitié, rancune.
HAÏR. Abhorrer, aigrir, détester, exécrer, irriter, rebuter, ulcérer.
HALER. Remorquer, tirer, touer, traîner.
HALLUCINATION. Fantasme, folie, onirisme, vision.
HALLUCINOGÈNE. Drogue, LSD, lysergique, psilocybine.
HALO. Aura, auréole, cercle.
HALTE. Arrêt, étape, pause, relais, répit, scale, stop.
HAMPE. Banderole, bois, dard, digon, drapeau, faux, pique, tige, trabe.
HANDICAP. Cheval, désavantage, gêne, golf, pénalisant.
HANTER. Fréquenter, obséder, poursuivre, préoccuper, tourmenter.
HARASSER. Éreinter, estrapasser, fatiguer, fourber, lasser, rendre.
HARCELER. Acculer, ennuyer, huer, obséder, suivre, taquiner.
HARDI. Audacieux, assuré, brave, cavalier, courageux, culotté, cynique, décidé, déluré, déterminé, effronté, ferme, osé, résolu, téméraire.
HARDIESSE. Aplomb, audace, courage, cran, culot, cynisme, toupet, sûr.
HAREM. Gynécée, odalisque, sérail.

HARENG. Aine, caque, clupéidé, gendarme, pec, saurin, sor, trinquart.
HARGNEUX. Acariâtre, bougonneux, bourru, maussade, rêche, teigneux.
HARMONIE. Accord, avenant, équilibré, mélodie, symétrie, unité.
HARMONIEUX. Balancé, cohérent, épanoui, musical, régulier.
HARMONISER. Accorder, arrondir, assortir, équilibrer, homogénéiser.
HARNAIS. Collier, guide, harnachement, licou, mors, timon, trait.
HARPONNER. Affecter, arrêter, attraper, clouer, mordre, percer, piquer.
HASARD. Aléa, bonheur, chance, destin, fortune, jeu, pile, sort, veine.
HASARDER. Aventurer, brusquer, commettre, essayer, risquer, tenter.
HASARDEUX. Aléatoire, aventureux, extrême, fortuit, glissant, risqué.
HAST. Angon, épieu, faux, hache, hampe, haste, lance, pique, vouge.
HÂTER. Avancer, avorter, brusquer, dépêcher, forcer, presser.
HAUSSER. Augmenter, diéser, élever, hisser, lever, majorer, relever.
HAUT. Aigu, crête, élevé, faîte, grand, pôle, sommet, summum, tête.
HAUTAIN. Altier, arrogant, cavalier, fier, orgueilleux, prude.
HAUTEUR. Altitude, dessus, élévation, grandeur, montée, orgueil, taille.
HAUT-LE-CŒUR. Nausée.
HAVRE. Abri, paix, port, repos.
HAVRESAC. Sac.
HECTOLITRE. Hl.
HECTOMÈTRE. Hm.
HÉLAS. Las.
HÉLER. Appeler, attirer, convier, interpeller, inviter, mander, sonner.
HÉLICE. Écrou, pale, spirale, tire-bouchon, tors, turbine, vis, vrille.
HÉLIUM. He.
HERBAGER. Éleveur.
HERBE. Alfa, andain, cataire, chiendent, éléa, fines herbes, fléole, foin, fourrage, gazon, isoète, ivraie, narcisse, ortie, pulicaire, regain, zostère.
HÉRISSON. Échinoderme, oursin, porc-épic.
HÉRITAGE. Bien, dot, espérance, hoir, hoirie, legs, magot, patrimoine.
HÉRITIER. Diadoque, hoir, légataire, préciput, présomptif, successeur.
HERMÉTISME. Alchimie, ésotérisme, garniture, nébuleux, obscur.
HÉROÏNE. Championne, conquérante, courageuse, diamorphine, épique, guerrière, héros, noble, personnage, valeureuse.
HÉROS. Champion, conquérant, épique, guerrier, noble, valeureux.
HERTZ. Hz, mégahertz.
HÉSITER. Balancer, barguiner, osciller, perplexe, réticence, tâtonner.
HEURE. Demi-heure, horaire, gmt, minute, montre, none, seconde, top.
HEUREUX. Béat, bon, content, euphorique, fortuné, réussite.
HEURTER. Battre, buter, cogner, frapper, tamponner, télescoper, vexer.
HIBOU. Chouette, duc, effraie, grand duc, harfang des neiges, hululer, moyen duc, nyctale, petit duc, prédateur, strigidé, ululer.
HIDEUR. Affreux, infâmie, laideur, méchanceté, moche, ord, vilain.

HIE. Dame, demoiselle.
HIER. Avant, veille.
HILARITÉ. Comique, gaieté, joie, rire.
HINDOUISME. Atman, çivaïsme, darshan, dharma, mantra, sivaïsme.
HIRONDELLE. Aronde, bicolore, granges, pourprée, rivage, sable, sterne.
HISSER. Arborer, déployer, dresser, élever, envoyer, guinder, lever.
HISTOIRE. Analyse, anecdote, annales, archives, aventure, biographie, conte, ère, étude, mensonge, mythologie, narration, récit, relation, vie.
HISTORIEN. Biographe, chroniqueur, conteur, médiéviste, narrateur.
HIVER. Bise, déclin, frimas, froidure, hivernal, loup, misère.
HOLIUM. Ho.
HOLLANDAIS. Batave, néerlandais.
HOMICIDE. Assassinat, meurtre.
HOMMAGE. Culte, dédicace, devoir, duale, lige, offrande, préface.
HOMME. Abruti, aigrefin, amant, andouille, âne, apiculteur, Apollon, architecte, arlequin, athlète, attorney, avocat, avorton, bête, blanc, blanc-bec, brancardier, brave, cabochard, caïd, capitaliste, captif, cavalier, chauffeur, chef, conférencier, crétin, dandin, dandy, drôle, écrivain, énergumène, épave, époux, esclave, escogriffe, être, eunuque, exploiteur, ferrailleur, fils, fort, gaillard, garde, génie, gentleman, gnome, greffier, hère, idiot, ilote, imposteur, individu, jaune, lapin, lascar, lion, loup, luron, mâle, mari, marin, matelot, mec, meneur, millionnaire, mime, moniteur, mortel, mufle, nain, narciste, navigateur, nègre, noceur, nocher, noir, notaire, nouille, ogre, orateur, ours, ouvrier, palefrenier, paon, pantin, papa, paria, paysan, père, pistolet, plongeur, polichinelle, porc, prêtre, rat, renard, robin, rufian, salaud, satyre, scribe, sire, soldat, somite, sot, sourcier, ténor, tête, thane, touriste, usurier, vassal, vaurien, vautour, vigie, viril, voix, voleur, zéro.
HONNÊTE. Décent, intègre, poli, probe, scrupuleux, vertueux.
HONNEUR. Dignité, élite, estime, gloire, ovation, rang, renommée.
HONORER. Adorer, combler, décorer, fêter, révérer, saluer, vénérer.
HONTE. Affront, avanie, ignominie, opprobre, scandale, vergogne.
HONTEUX. Embarrassé, interdit, lâche, pauvre, penaud, piteux.
HÔPITAL. Asile, clinique, hospice, léproserie, maladrerie, osto, salle.
HORIZON. Almicantarat, ascendant, aube, jour, méridien, nuit.
HORLOGE. Ancre, carillon, clepsydre, minuterie, morbier, pendule.
HORLOGER. Aiguilleur, bijoutier, régulateur.
HORMONE. Adrénaline, auxine, folliculine, ocytocine, phytohormone.
HORREUR. Dégoût, effroi, émotion, exécrer, frisson, haine, peur, stupeur.
HORRIBLE. Abominable, affreux, atroce, effrayant, hideux, vilain.
HORRIPILER. Aigrir, aviver, énerver, excéder, fâcher, irriter, révolter.
HORS. Absent, excepté, extravagant, fors, hormis, réprouvé, surplomber.
HORTICULTEUR. Bagueur, floriculteur, jardinier, rosiériste.

HOSTILE. Adversaire, contre, défavorable, ennemi, inamical, sentiment.
HÔTE. Amphitryon, convive, diffa, logeur, receveur.
HÔTEL. Auberge, caravansérail, motel, palace, pension, rambouillet.
HOTU. Nase.
HOUE. Bêchoir, fossoir, hoyau, sarcloir.
HOUILLE. Brai, briquette, charbon, coke, fine, lignite, mineur, pyrène.
HOULEUX. Acculée, agité, moutonneux, tempête.
HOUP. Oup.
HOUPPE. Floc, floche, freluche, pompon, touffe.
HOUSSE. Caparaçon, cape, chabraque, cocon, coque, enveloppe, sac, taie.
HUCHE. Coffre, maie.
HUILE. Ail, anis, basilic, bergamotier, bigarade, bornéol, brillantine, cajeput, camomille, camphre, cannelle, carvi, chénopode, chrême, citron, coriandre, créosol, cyprès, estragon, eucalyptus, fenouil, genévrier, géranium, gingembre, ginseng, girofle, hysope, lavande, marjolaine, mélisse, menthe, menthol, muscade, néroli, niaouli, noix, oignon, oléolat, oranger, origan, oxycèdre, pétrole, pin, ricin, romarin, santal, santoline, sarriette, sauge, spic, térébenthine, terpine, thuya, thym, thymol, verveine, ylang-ylang.
HUIT. Août, canon, huitaine, huitième, octave, octogone, triolet.
HUÎTRE. Acul, belon, cancale, coquillage, nacre, ostracé, peigne, valve.
HUMAIN. Bon, compatissant, doux, être, homme, mortel, sensible.
HUMBLE. Bas, doux, effacé, faible, obscur, petit, simple, timide, vil.
HUMECTER. Arroser, baigner, bassiner, mouiller, saucer, tremper.
HUMER. Avaler, blairer, enrôler, flairer, pifer, ressentir, sentir.
HUMEUR. Bile, ennui, flegme, mucus, rogne, salive, sueur, tracassin.
HUMIDE. Détrempé, hygrophobe, marécage, moite, mouillé, trempé.
HUMIDIFIER. Arroser, diluer, imbiber, infuser, macérer, mouiller.
HUMILIATION. Abaissement, avanie, déshonneur, honte, vilenie.
HURLER. Aboyer, bêler, crier, rugir, tonitruer, tonner, ululer, vociférer.
HURLUBERLU. Anormal, bizarre, braque, écervelé, étourdi, fou, zigoto.
HUTTE. Buron, cabane, cahute, case, igloo, loge, niche, tente, wigwam.
HYBRIDE. Lavandin, léporidé, mélange, métis, mulet, tigron, triticale.
HYDROCARBURE. Alcane, butane, diène, mazout, octane, pentane.
HYGIÉNIQUE. Diététique, naturel, sain, salubre, sanitaire.
HYMNE. Cantique, chant, ode, péan, séquence, psaume, stance, verset.
HYPOCRITE. Bigot, déloyal, faux, fourbe, simulateur, sournois, tartufe.
HYPOTHÈSE. Conjecture, présupposer, prévision, si, supposition.
HYPOTHÉTIQUE. Argument, centile, éventuel, incertain, léporide.
HYSTÉRIE. Excitation, folie, nervosité, névrose, psychiatrique.
HYSTRICOÏDE. Chinchilla, porc-épic, rongeur.

I

IAMBE. Choriambe, pied, poésie, satire, théâtre.
IBÉRIEN. Espagnol, ibère.
IBIDEM. Ib, ibid, même.
ICHTYOL. Nase.
ICI. Ça, céans, ci, ci-gît, dedans, là.
IDÉAL. Absolu, accompli, archétype, art, but, idylle, parfait, rêvé, type.
IDÉE. Cafard, chimère, concept, dada, dyade, ectopie, fantaisie, fiction, illusion, image, lubie, manie, opinion, pensée, projet, rêve, songe.
IDEM. Id, même, pareil.
IDENTIQUE. Même, pareil, semblable, seul, tel.
IDIOME. Langue, langage, patois.
IDIOT. Bête, con, crétin, nase, sot, stupide.
IDOLE. Amour, belphégor, dieu, fétiche, héros, totem.
IDUMÉE. Édom.
IDYLLE. Amour, caristys, idéal, pastorale.
IDYLLIQUE. Arcadien, idéal.
IGNOBLE. Abject, affreux, bas, hideux, laid, odieux, repoussant.
IGNORANCE. Ânerie, candeur, incompétence, insu, naïf, nuit, nullité.
IGNORANT. Âne, buse, candide, ignare, illettré, incompétent, naïf, nul.
IL. Lui, se, soi.
ÎLE. Archilel, atoll, if, îlet, îlette, îlot, insulaire, javeau, oasis, ré.
ILLÉGAL. Défendu, illicite, interdit, interlope, noir, pirate, proscription.
ILLICITE. (Voir illégal.)
ILLIMITÉ. Amplifié, démesuré, immense, infini.
ILLUMINER. Allumer, briller, chatoyer, éblouir, éclairer, embraser, ensoleiller, étinceler, fêter, luire, miroiter, pétiller, reluire, visionner.
ILLUSION. Erreur, leurre, mirage, phantasme, rêve, songe, utopie.
ILLUSOIRE. Chimérique, creux, fantaisiste, faux, frivole, fugace, futile, imaginaire, prestige, puéril, rêverie, simulacre, superficiel, vain.
ILLUSTRE. Célèbre, connu, fameux, gloire, personnage, renommé.
ÎLOT. (Voir île.)
ILOTE. Esclave, hilote.
IMAGE. Cliché, dessin, effigie, enluminure, emblème, estampe, figure, gravure, icône, idée, métaphore, peinture, statue, symbole, tableau.
IMAGINAIRE. Conte, esprit, faux, fictif, inexistant, irréel, utcpie.
IMAGINATION. Délire, idée, manie, pensée, rêve, songe, thème, vision.
IMAGINER. Créer, croire, forger, juger, penser, rêver, supposer.
IMBÉCILE. Âne, conard, crétin, demeuré, fat, idiot, naïf, poire, sot, taré.
IMBÉCILLITÉ. Crétinisme, idiotie, naïveté, sottise, stupidité.
IMBIBER. Abreuver, arroser, asperger, aviner, baigner, baptiser, bruire, détremper, doucher, inonder, mouiller, teindre, tremper.

IMBROGLIO. Désordre, détour, mélange, micmac.
IMITATION. Calque, caricature, contrefaçon, copie, faux, mime, pastiche, plagiat, parodie, reproduction, simili, simulation, singerie, toc.
IMITER. Contrefaire, copier, jouer, mimer, pasticher, singer, veiner.
IMMÉDIATEMENT. Aussitôt, go, illico, promptement, subitement, tôt.
IMMENSE. Colossal, énorme, éléphantesque, géant, grand, infini.
IMMERGER. Baptiser, couler, mouiller, nager, noyer, plonger.
IMMERSION. Baignade, bain, étuve, trempette.
IMMEUBLE. Bâtiment, habitation, hôtel, maison, propriété, tour.
IMMOBILE. Atone, ferme, fixe, inactif, inerte, passif, stable, stupéfait.
IMMOBILISER. Ancrer, arrêter, clouer, coincer, ficher, figer, fixer, river.
IMMOLER. Dévouer, donner, laisser, renoncer, sacrifier, tuer, vendre.
IMMONDICE. Boue, cloaque, débris, décharge, égout, gadoue, ordure.
IMMORAL. Grivois, impur, malpropre, malséant, mœurs, obscène.
IMMORTALISER. Assurer, conserver, éterniser, pérenniser, perpétuer.
IMMUABLE. Arrêté, durable, fixe, inaltérable, même, stéréotypé.
IMMUNISER. Exempter, inoculer, protéger, réceptif, trier.
IMPAIR. Incapable, ethmoïde, habilité, maladroit.
IMPARFAIT. Avorté, boiteux, brut, écorné, hâtif, inachevé, inexact.
IMPARTIAL. Égal, équitable, histoire, indifférent, intègre, juste, neutre.
IMPASSIBLE. Calme, flegmatique, froid, immobile, imperturbable.
IMPATIENTER. Agacer, bouillir, crisper, énerver, exciter, tourmenter.
IMPAYER. Arriéré, déficit, dette, devoir, dû, emprunt, prêt, solde.
IMPÉRATIF. Bref, inconditionnel, ordre, va, verbe.
IMPÉRATRICE. Reine, tsarine, tzarine.
IMPERFECTION. Défaut, faute, malfaçon, manque, tache, tare, vice.
IMPÉRIEUX. Absolu, autoritaire, entier, exclusif, magistral, relatif.
IMPERMÉABLE. Anorak, canard, ciré, clos, étanche, gabardine, imper.
IMPERTINENT. Désinvolte, inconvenant, insolent, pimbêche, taquin.
IMPÉTUEUX. Emporté, endiablé, fougueux, furieux, véhément, violent.
IMPIE. Apostat, athée, incroyant, païen, pêcheur, profane, renégat.
IMPLACABLE. Cruel, dur, endurci, impitoyable, inhumain, rigoureux.
IMPLANTER. Établir, insérer, planter.
IMPLICITE. Sous-entendu, tacite.
IMPLIQUER. Agir, aider, apaiser, arranger, causer, débarrasser, défendre, entreprendre, intervenir, mêler, nécessité, plaider, supposer.
IMPLORER. Adjurer, conjurer, humilier, invoquer, prier, réclamer.
IMPOLI. Effronté, grossier, inconvenant, insolent, rustaud, sans-gêne.
IMPORTANCE. Ampleur, capital, essentiel, étendue, gabarit, gravité, gros, intérêt, poids, pressant, sérieux, suffisant, urgent, utilité, valeur.
IMPORTANT. Capital, fort, grand, grave, majeur, tout, urgent, vital.
IMPORTER. Acheter, aggraver, apporter, imposer, introduire.
IMPORTUN. Collant, fléau, gêneur, gluant, intrus, poison, raseur, trop.

IMPORTUNER. Assiéger, assommer, cramponner, déranger, embêter, ennuyer, excéder, obséder, persécuter, peser, raser, suer, tanner.
IMPOSANT. Grandiose, grave, majestueux, magistral, noble, solennel.
IMPOSER. Charger, commander, dicter, donner, obliger, saler.
IMPOSSIBILITÉ. Acalculie, atonie, constipation, paralysie, sclérose.
IMPOSSIBLE. Absurde, erronné, faux, imparable, insensé, saugrenu.
IMPÔT. Accise, annone, contribution, dîme, droit, fisc, taxe, TPS, TVQ.
IMPRÉGNER. Abreuver, aluner, baigner, graver, imbiber, mouiller.
IMPRESSION. Édition, effet, élancement, émotion, frappant, gêne, image, joie, poignant, saveur, sensation, stylographe, tabellaire, trace.
IMPRESSIONNABLE. Émotif, sensible, sentimental, tendre.
IMPRESSIONNER. Affecter, émouvoir, exposer, frapper, toucher.
IMPRÉVU. Aléa, brusque, fortuit, hasard, inespéré, inopiné, subit, tuile.
IMPRIMER. Éditer, estamper, fouler, graver, lister, marquer, tirer.
IMPRIMEUR. Composeur, correcteur, éditeur, graphiste, réviseur.
IMPRUDENCE. Danger, légèreté, maladresse, négligence, témérité.
IMPUDIQUE. Honte, impur, indécent, licence, lubrique, obscène.
IMPUISSANCE. Faiblesse, incapacité, infécondité, inaptitude, stérilité.
IMPULSION. Appel, colère, excitation, force, instinct, mouvement, nerf, poussée, réflexe, tendance, vent, voix.
IMPURETÉ. Immonde, obscénité, ordure, saleté, sanie, tache, trouble.
IMPUTER. Accuser, attribuer, créditer, prêter, référer.
INACTIF. Amorphe, endormi, fainéant, inerte, oisif, paresseux, passif.
INACTION. Désœuvrement, fortuit, inertie, inopiné, paresse, repos.
INALTÉRABLE. Apyre, constant, durable, éternel, fixe, permanent.
INANIMÉ. Arginine, chose, empaillé, inerte, momie, mort, zombi.
INATTENDU. Aléa, étonnant, hasard, imprévu, inespéré, subit, surprise.
INATTENTION. Absence, erreur, faute, légèreté, mollesse, omission.
INCANTATION. Attrait, charme, évocation, magie, prestige, sort.
INCAPABLE. Faible, frigide, gauche, ignorant, impeccable, impropre, impuissant, inapte, incompétent, insuffisant, lourd, maladroit, stérile.
INCAPACITÉ. Alexie, amusie, anarthrie, apraxie, ignorance, inaptitude.
INCARCÉRATION. Détention, emprisonnement, internement.
INCARNATION. Annonciation, avatar, imitation, rama, réincarnation.
INCENDIE. Brasier, conflagration, extincteur, feu, pyromane, sinistre.
INCENDIER. Brûler, embraser, flamber, fumer, griller, rôtir, roussir.
INCERTAIN. Ambigu, confus, douteux, flou, indécis, sourd, vague.
INCERTITUDE. Doute, équivoque, flottement, indécision, précarité.
INCIDENT. Circonstance, conflit, dénouement, épisode, événement.
INCINÉRATION. Brûler, columbarium, crémation.
INCISION. Césarienne, coupure, cystotomie, fente, kératotomie.
INCISIVE. Dent, grignard.
INCITATION. Attaque, excitation, instigation, provocation, tentation.

INCITER. Encourager, inspirer, prier, suborner, suggérer, tenter.
INCLINAISON. Gîte, inflexion, obliquité, penchant, pente, talus, voie.
INCLINER. Attirer, chavirer, coucher, décliner, obliquer, pencher.
INCLURE. Avoir, contenir, enchâsser, enfermer, englober, intégrer.
INCLUS. Attaché, avec, ci-joint, déjà, intérieur.
INCOGNITO. Anonymat, inaperçu, inconnu, secret, solitaire.
INCOMMODER. Déplaire, embarrasser, gêner, importuner, indisposer.
INCONNU. Abstrait, étrangé, ignoré, incognito, inédit, obscur, secret.
INCONTESTABLE. Certain, flagrant, indéniable, reconnu, réel, sûr, vrai.
INCONVÉNIENT. Danger, défaut, désavantage, ennui, gêne, mal, risque.
INCONSTANT. Capricieux, changeant, incertain, infidèle, léger, mobile.
INCONTINENCE. Débauche, encoprésie, énurésie, excès.
INCRIMINER. Accuser, attaquer, blâmer, dénigrer, révéler, vendre.
INCROYABLE. Effarant, effroyable, formidable, inimaginable, inouï.
INCROYANT. Aporétique, athée, incrédule, pyrrhonien, sceptique.
INCRUSTATION. Nielle, pétrification.
INCRUSTER. Buriner, graver, imprimer, inscrire, intailler, xylographie.
INCULQUER. Apprendre, enseigner, imprégner, persuader.
INCURSION. Attaque, envahissement, invasion, irruption, raid, voyage.
INDÉCENCE. Immosdestie, impudeur, malpropreté, nudité, obscénité.
INDÉCISION. Ambigu, confus, doute, flottement, hésitation, généralité, imprécision, indétermination, irrésolution, obscur, perplexité, vague.
INDÉFECTIBLE. Béatitude, continuel, durable, éternel, immortalisation.
INDÉFINI. Aucun, autre, indécis, monde, nul, plusieurs, tel, vague.
INDÉPENDANT. Absolu, autonome, libre, outre, principauté, souverain.
INDÉTERMINATION. Doute, incertitude, indécision, résolution.
INDICATEUR. Badin, correction, date, directive, exit, index, jauge, opus.
INDICATION. Index, marque, note, point, renvoi, rubrique, signe.
INDICE. Marque, preuve, repère, reste, signe, symptôme, trace.
INDIEN. Abénaquis, apache, cri, huron, iroquois, mohawk, yoga, yogi.
INDIFFÉRENT. Apathie, atonie, blasé, calme, froid, indolence, inertie, insensibilité, insouciant, marasme, mou, neutre, nonchalance, passif.
INDIGENCE. Besoin, manque, misère, nécessité, pauvreté, pénurie.
INDIGÈNE. Barbare, habitant, indien, naturel, originaire, réserve.
INDIGENT. Don, gueux, malheureux, nécessiteux, pauvre.
INDIGNE. Lâche, odieux, outré.
INDIGNER. Écœurer, exaspérer, hérisser, outrer, révolter, scandaliser.
INDIQUER. Accuser, assigner, définir, dénoter, désigner, déterminer, dire, donner, guider, fixer, marquer, montrer, noter, tracer, voilà.
INDISCRET. Curieux, envahissant, espion, importun, intrus, inquisiteur.
INDISCUTABLE. Certain, constant, évident, formel, réel, sûr, visible.
INDISPENSABLE. Capital, eau, essentiel, important, nécessaire, vital.
INDISPOSER. Choquer, contrarier, fâcher, mécontenter, malade, vexer.

INDIUM. In.
INDIVIDU. Cave, crapule, enrôlé, escarpe, être, hors-la-loi, lascar, malfaiteur, personnage, rôdeur, tête, sbire, soudard, tête, zig, zigue.
INDOLENT. Apathique, endormi, inactif, mou, oisif, paresseux.
INDUBITABLE. Certain, certitude, irrécusable, manifeste, reconnu, sûr.
INDUIRE. Abuser, aveugler, égarer, enjôler, leurrer, séduire, tromper.
INDULGENCE. Bonté, charité, faveur, jubilé, mansuétude, tolérance.
INDULGENT. Affectueux, bon, clément, commode, favorable, tolérant.
INDUSTRIE. Fabrique, firme, sellerie, sériciculture, tôlerie, usine.
INDUSTRIEL. Entrepreneur, fabricant, financier, manufacturier.
INÉDIT. Nouveau, original, prototype, rare, singulier, texte.
INÉLUCTABLE. Inévitable, fatal, nécessaire, obligatoire.
INÉVITABLE. Fatal, fatidique, forcé, imparable, inéluctable, irrévocable.
INEPTE. Abruti, borné, con, cruche, fat, idiot, niais, simple, sot, stupide.
INEXACT. Douteux, erroné, factice, faux, irréel, postiche, prétendu.
INEXACTITUDE. Erreur, fausseté, hypocrisie, illogisme, mensonge.
INEXÉCUTABLE. Imaginaire, imparable, irréalisable.
INEXPÉRIMENTÉ. Cancre, crédule, crétin, ignare, ignorant, naïf, nul.
INEXPLIQUÉ. Discrétion, énigmatique, miracle, mystère, secret.
INFAMIE. Abjection, crime, honte, ignominie, opprobre, scandale.
INFATIGABLE. Increvable, inlassable.
INFECTER. Contaminer, empester, empoisonner, envenimer, méphisiser.
INFECTION. Impédigo, lèpre, peste, syphilis, tétanos, typhus, variole.
INFÉRIEUR. Bas, camelote, cave, commun, dépendant, faible, jambe, moindre, nain, pacotille, réduit, soupirail, subalterne, subordonné.
INFERNAL. Damné, diabolique, endiablé, enfer, furie, insupportable.
INFINI. Absolu, éternel, grand, illimité, immense, immensité, infinité.
INFINITIF. Er, ir.
INFIRMIÈRE. Garde, garde-malade, nurse.
INFIRMITÉ. Amputé, blessé, cécité, éclopé, manchot, mutilé, nanisme.
INFLAMMATION. Amygdalite, aortite, carie, colite, cystite, dermite, endocardite, entérite, feu, gastrite, otite, ovarite, métrite, péricardite, péritonite, pneumonie, rétinite, rhume, stomatite, urétérite.
INFLEXIBLE. Constant, dur, ferme, inhumain, raide, rigide, rigoureux.
INFLEXION. Chant, détonation, diapason, modulation, son, ton.
INFLIGER. Donner, énerver, imposer, pénaliser, prescrire, sanctionner.
INFLORESCENCE. Cône, conique, conoïde, cyme, épi, grappe, ombelle.
INFLUENCE. Domination, empire, emprise, lune, poids, prestige, signe.
INFLUENCER. Agir, déteindre, dominer, influer, peser, suggestionner.
INFORMATION. Avis, indication, message, renseignement, sensation.
INFORMER. Apprendre, avertir, aviser, écrire, prévenir, renseigner.
INFRACTION. Billet, contravention, crime, délit, entorse, faute, recel.
INFUSION. Absinthe, ache, achillée, aconit, acore, adiante, adonis,

agar-agar, agaric, agnus, aigremoine, ail, airelle, alchémille, algue, alkékenge, alléluia, alliaire, aloès, amandier, anémone, aneth, angélique, anis, ansérine, arbousier, argentier, argousier, aristoloche, armoise, arnica, artichaut, asaret, asperge, aspérule, aubépine, aulne, aune, aunée, aurone, badiane, baguenaudier, ballote, balsamine, barbarée, bardane, basilic, baume, belladone, berce, bergamotier, bétoine, bistorte, bleuet, bouleau, bourdaine, bourrache, brunelle, buchu, bugle, buglosse, buis, busserole, cacao, cactus, cajeput, calament, camomille, cannelle, capucine, cardère, carex, carotte, caroube, carvi, cassis, cataire, céleri, centaurée, cerfeuil, cerisier, chanvre, chardon, chélidoine, chêne, chénopode, chèvrefeuille, chicorée, chiendent, chou, cimicifuga, citron, clématite, colombo, coloquinte, coquelicot, coriandre, cresson, cumin, curry, cyprès, drosera, églantier, épinette, estragon, euphraise, fenouil, fève, ficaire, fougère, fraise, framboise, frêne, fusain, gaillet, galéga, garance, génépi, genêt, genévrier, gentiane, géranium, gingembre, ginkgo, ginseng, girofle, goudron, grassette, gratiole, grémil, grenadier, groseillier, gui, guimauve, hélianthe, hépatique, herbe, hêtre, houblon, houx, hysope, iris, joubarbe, julienne, kari, kola, laitue, lamier, laurier, lavande, levure, lichen, lierre, lilas, lin, lis, liseron, livèche, lotus, lycopode, maïs, mandragore, marjolaine, marronnier, mauve, mélilot, mélisse, menthe, morelle, mouron, moutarde, muguet, mûrier, myosotis, myrte, myrtille, narcisse, nénuphar, nerprun, niaouli, noisetier, noyer, oignon, olivier, orange, oranger, origan, orme, ortie, papayer, pâquerette, passiflore, patience, pavot, pêcher, pensée, persicaire, persil, pervenche, peuplier, piment, pin, pissenlit, pivoine, plantain, poireau, poirier, poivre, poivron, pomme, pommier, potentille, pourpier, primevère, prunellier, radis, raifort, réglisse, rhubarbe, ricin, romarin, roseau, sabine, safran, salicaire, salicorne, sapin, sarriette, sauge, saule, serpolet, sombong, son, sorbier, souci, sureau, tamarin, tamier, thé, thuya, thym, tilleul, tisane, tournesol, trèfle, vanille, varech, vergerette, verveine, vigne, violette.

INGÉNIEUR. Concepteur, constructeur, engineering, théoricien.
INGÉNU. Candide, immaculé, inexpérimenté, innocent, naïf.
INGURGITER. Absorber, avaler, boire, gober, manger, ravaler, sucer.
INHABILITÉ. Faute, gaffe, gaucherie, impéritie, maladresse, stupidité.
INHABITÉ. Désert, isolé, sauvage, séparé, solitaire.
INHUMAIN. Barbare, brutal, cruel, dénaturé, dur, méchant, sauvage.
INHUMATION. Cimetière, enterrement, fosse, funérailles, sépulture.
INHUMER. Enfouir, ensevelir, enterrer, terrer.
INITIATEUR. Agisseur, créateur, entrepreneur, ésotérisme, père.
INJECTION. Aiguille, éperonner, insecte, pincer, piqûre, tatouage.
INJURE. Affront, avanie, insulte, invective, offense, outrage, sottise.
INJUSTE. Déloyal, illégal, immoral, indigne, indu, inique, odieux, partial.

INJUSTICE. Abus, faveur, fourberie, fraude, iniquité, tromperie.
INNÉ. Congénital, gêne, génétique, héréditaire, infus, naturel, spontané.
INNOCENT. Anodin, blanc, candide, gauche, ingénu, naïf, pur, simple.
INOCCUPÉ. Désœuvré, inactif, libre, oisif, passif, vacant, vague, vide.
INOCULER. Immuniser, piquer, vacciner.
INOFFENSIF. Anodin, bénin, bon, doux, innocent, simple.
INONDER. Abreuver, déborder, noyer, ruisseler, submerger, tremper.
INQUIET. Agité, anxieux, béat, dévoré, fiévreux, pensif, rongé, triste.
INQUIÉTANT. Alarmant, angoissant, menaçant, sombre, stressant.
INQUIÉTER. Alarmer, ennuyer, frapper, obséder, préoccuper, tracasser.
INQUIÉTUDE. Agitation, angoisse, embarras, peine, scrupule, transe.
INSALUBRE. Malsain, maremme, nuisible, santé.
INSATIABLE. Affamé, avare, avide, cupide, dévorant, friand, vorace.
INSATISFAIT. Grognon, hargneux, inassouvi, mécontent, plaintif.
INSCRIPTION. Adhésion, affiliation, catalogue, écriteau, liste, rôle, titre.
INSCRIRE. Adhérer, coter, ficher, écrire, enrôler, marquer, noter.
INSECTE. Abeille, altise, apion, araignée, blatte, capricorne, cigale, fourmi, gyrin, isoptère, mante, mite, phasme, pou, puce, puceron, punaise, scarabée, sphex, taon, termite, xylophage, zabre.
INSECTICIDE. Antimite, DDT, pyrèthre, roténone, sulfure, téphrosie.
INSENSIBLE. Acide, détaché, dur, ferme, froid, glacé, raide, sourd.
INSÉRER. Encarter, enchâsser, enficher, inclure, incruster, intercaler.
INSERTION. Aisselle, emboîture, enchâssement, justificatif.
INSIGNE. Cocarde, emblème, étole, macaron, rosette, sceptre, verge.
INSIGNIFIANT. Anodin, banal, fade, médiocre, mince, petit, vétille.
INSINUER. Glisser, immiscer, ingérer, inspirer, mêler, suggérer.
INSIPIDE. Aigre-doux, eau, édulcorer, fade, plat, terne.
INSISTER. Appuyer, obséder, presser, remettre, répéter, ressasser.
INSOCIABLE. Farouche, hargneux, méfiant, sauvage, solitaire.
INSOLENT. Arrogant, audacieux, effronté, grossier, impertinent, impoli.
INSOMNIE. Sommeil, veille.
INSOUCIANCE. Indolence, mollesse, négligence, nonchalance, oubli.
INSOUMIS. Déserteur, espiègle, mutin, transfuge.
INSPECTION. Analyse, critique, épreuve, examen, revue, test, visite.
INSPIRATION. Génie, idée, illumination, muse, plan, projet, rêve, verve.
INSPIRER. Aspirer, dicter, élever, émerveiller, figurer, revenir.
INSTALLER. Arranger, camper, construire, établir, introniser, placer.
INSTANCE. Conjuration, prière, procès, réclamation, supplication.
INSTANT. Moment, phase, point, pressant, soudain, temps, urgent.
INSTANTANÉ. Brusque, éclat, illico, immédiat, prompt, soudain, subit.
INSTITUER. Briguer, constituer, ériger, établir, nommer, sacrer.
INSTITUT. Académie, école, collège, couvent, lycée, polyvalente.
INSTITUTEUR. Enseignant, maître, professeur, régent.

INSTRUCTION. Culture, enseignement, guide, homélie, leçon, savoir.
INSTRUIRE. Dresser, éclairer, étudier, faire, former, informer, initier.
INSTRUIT. Autodidacte, averti, calé, cultivé, éclairé, érigne, érine, érudit, expérimenté, fort, initié, lettré, pédagogue, sage, savant.
INSTRUMENT. Abaisse-langue, accessoire, accordéon, alto, aratoire, arme, arrosoir, balafon, broche, burin, ciseau, claquette, clarinette, clavecin, clé, clef, cloche, compas, cor, cornemuse, crémaillère, crible, croissant, davier, engin, équerre, étau, faucille, faux, fléau, flûte, foret, fouet, gong, guitare, hache, haltère, harpe, herse, hie, houe, jouet, lielle, lorgnon, lunette, luth, lyre, mandoline, métronome, microscope, molette, musette, navette, odomètre, orgue, outil, piano, pic, pilon, pinceau, potence, rasoir, râteau, rénette, saxophone, semoir, serpe, soufflet, spatule, tamis, télescope, thermomètre, timbale, tisonnier, ustensile, tille, toise, triangle, tuba, velte, verge, verre, viole, violon.
INSTRUMENTAL. Orchestral, rondo, tiento, toccata.
INSUCCÈS. Avortement, chute, déconvenu, échec, défaite, four, perte.
INSUFFISANCE. Idiotie, déficience, inaptitude, médiocrité, tolérance.
INSUFFISANT. Faible, frêle, grêle, insatisfaisant, léger, pauvre, terne.
INSULAIRE. Îlien.
INSULTE. Affront, blasphème, injure, mépris, offense, outrage.
INSUPPORTABLE. Atroce, déplaisant, inbuvable, infernal, intenable.
INSURRECTION. Agitation, révolution, sédition, soulèvement.
INTACT. Chaste, complet, entier, intégral, pucelle, pur, sauf, vierge.
INTANGIBLE. Intouchable, sacré.
INTÉGRAL. Absolu, complet, entier, exclusif, infini, intact, plein, tout.
INTELLIGENCE. Capacité, entendement, habileté, ouvert, science, sensé.
INTELLIGENT. Adroit, capable, doué, fin, ingénieux, perspicace, tête.
INTENABLE. Indéfendable, irresponsable.
INTENSITÉ. Acuité, force, luminance, recrudescence, violence, voix.
INTENTER. Actionner, attaquer, ester, justifier, procès.
INTENTION. But, désir, dessein, fin, idée, motif, pensée, visée, vue.
INTERCALER. Encarter, enchâsser, insérer, interposer, introduire.
INTERCEPTION. Capter, couper, éclipser, ombre, passe, prendre.
INTERDIRE. Bannir, déconcerter, défendre, embargo, embarrasser.
INTÉRESSER. Animer, avantager, charmer, passionner, plaire, tenir.
INTÉRÊT. Calcul, cause, part, parti, profit, rente, revenu, taux, usure.
INTÉRIEUR. Âme, central, dans, dedans, fond, for, foyer, individuel, interne, intériorité, intestin, intime, logement, profond, sein.
INTERJECTION. Ah, aïe, bah, eh, euh, ha, hé, hein, hi, ho, holà, hou, hum, oh, ohé, ouf, ouille, ouste, paf, pif.
INTERLOPE. Illégal, mafia, suspect, trafiquant.
INTERMÈDE. Divertissement, interlude, intermission, repos.
INTERMÉDIAIRE. Courtier, médiateur, médium, négociateur, relais.

INTERMINABLE. Discontinuation, élancement, long, permanent.
INTERMISSION. Divertissement, entracte, interlude, interruption, repos.
INTERNE. Blessure, gastrite, intérieur, médecin, pensionnaire, sein.
INTERPOSER. Apaiser, arranger, composer, concilier, intervenir.
INTERPRÉTATION. Anagogie, définition, entente, traduction, version.
INTERPRÉTER. Chanter, danser, définir, évaluer, prendre, traduire.
INTERROGATION. Appel, charade, colle, énigme, examen, questionnaire.
INTERROGER. Demander, examiner, poser, questionner, sonder.
INTERROMPRE. Arrêter, briser, cesser, couper, geler, rompre, séparer.
INTERRUPTEUR. Bouton, commutateur, conjoncteur, disjoncteur.
INTERRUPTION. Absence, arrêt, brisure, congé, délai, fin, grève, interception, lacune, laps, relâche, relais, répit, repos, rupture, trêve.
INTERSTICE. Bande, barre, espace, fente, lacune, méat, palé, pore.
INTERVALLE. Distance, écart, entracte, espace, octave, quarte, ton.
INTERVENIR. Agir, aider, apaiser, arranger, immiscer, opérer, plaider.
INTERVENTION. Action, agissement, aide, intrusion, opération, secours.
INTESTIN. Bile, boyau, côlon, entrailles, grêle, rectum, tripe, viscère.
INTIME. Ami, conjoint, étroit, familier, fond, privé, proche, secret.
INTIMIDER. Complexer, effaroucher, gêner, glacer, influencer, troubler.
INTIMITÉ. Alcôve, amitié, étroitesse, familiarité, fréquentation.
INTITULER. Appeler, choisir, dénommer, désigner, nommer, titrer.
INTOUCHABLE. Impalpable, intactile, intangible, paria.
INTOXICATION. Empoisonnement, poison, tabagisme, urémie.
INTRANSIGEANT. Entêté, entier, intolérant, intraitable, irréductible.
INTRÉPIDE. Audacieux, aventurier, brave, fier, hardi, valeureux.
INTRIGANT. Escroc, flagorneur, fripon, habile, pirate, rusé, souple.
INTRIGUE. Action, complot, drame, manège, pacte, ruse, trame.
INTRODUCTION. Engagement, intrusion, porte, préambule, préface.
INTRODUIRE. Amener, entrer, ingérer, innover, insérer, loger, mettre.
INTUITION. Clairvoyance, croyance, instinct, prétention, prévision.
INUTILE. Gaspillage, gratuit, inefficace, perdu, stérile, superflu, vain.
INVALIDE. Blessure, impotent, infirme, paralysé.
INVARIABLE. Certain, constant, fixe, même, précis, solide, stable.
INVASION. Attaque, déferlement, endigage, incursion, infection, razzia.
INVECTIVE. Affront, avanie, injure, insulte, offense, outrage, rixe.
INVENTAIRE. Dénombrer, description, état, liste, recensement, stock.
INVENTER. Broder, combiner, créer, deviner, forger, imaginer, penser.
INVENTEUR. Créateur, conceveur, découvreur, forgeur, penseur.
INVERSE. Contraire, envers, opposé, tête-bêche, vergence, vice-versa.
INVESTIGUER. Enquêter, examiner, inquisitionner, rechercher.
INVESTIR. Assiéger, cerner, engager, immobiliser, pourvoir, revêtir.
INVIOLABLE. Sacré, sanctuaire.
INVISIBLE. Évanescent, fugitif, immatériel, impalpable, insaisissable.

INVITATION. Appel, congé, convocation, prière, réception, réunion.
INVITÉ. Ami, commensal, convive, écornifleur, hôte, parasite.
INVITER. Appeler, attirer, engager, exhorter, invoquer, prier, réunir.
INVOQUER. Appeler, convier, induire, insister, inviter, prier, réunir.
ION. Anion, cation, composite, redox.
IRASCIBLE. Coléreux, rageur, susceptible.
IRIDIUM. Ir.
IRISER. Colorer, marbrer, zébrer.
IRONIE. Humour, moquerie, parodie, raillerie, rire, sarcasme, satire.
IRRÉFLÉCHI. Brusque, dissipé, étourdi, fou, idiot, léger, sot, stupide, vif.
IRRÉGULIER. Anormal, capricieux, difforme, inégal, saccadé, usurpé.
IRRÉPROCHABLE. Honnête, impeccable, inattaquable, intact, net.
IRRITABLE. Aigre, brusque, coléreux, impatient, nerveux, susceptible.
IRRITANT. Âcre, agacement, amer, colère, énervant, envie, ortie.
IRRITATION. Énervement, hargne, impatience, inflammation, lassitude.
IRRITER. Agacer, énerver, ennuyer, excéder, exciter, fâcher, piquer.
IRRUPTION. Descente, entrer, explosion, implosion, incursion, invasion.
ISATIS. Renard.
ISLAM. Chiisme, coran, ismaïlien, mahométisme, musulman, sunnisme.
ISOLÉ. Bled, écarté, éloigné, ermite, oasis, reculé, retiré, seul, trié, vide.
ISOLEMENT. Abandon, célibat, individualisme, quarantaine, solitude.
ISOLER. Confiner, écarter, éloigner, encercler, enfermer, séparer, trier.
ISSUE. Aboutissement, accul, après, cul-de-sac, résultat, sortie, succès.
ITINÉRAIRE. Chemin, circuit, horaire, lieu, parcours, route, trajet, via.
ITOU. Aussi.
IVOIRE. Blanc, cément, dame, dent, éléphant, émail, jeton, morse.
IVRE. Dipsomane, éméché, gris, noir, paf, pompette, rond, saoul, soûl.
IVRESSE. Alcoolisme, débauche, ébriété, éthylisme, griserie, vertige.
IVROGNE. Alcoolique, pochard, soûlard, soûlon.
IZARD. Isard.

J

JABIRU. Cigogne.
JABOT. Col, gave, gorge, gosier, poche.
JACASSER. Babiller, bavarder, crier, parler.
JACOB. Benjamin, échelle, lia.
JACQUET. Backgammon.
JADIS. Anciennement, antan, autrefois, hier, naguère, passé.
JAILLIR. Couler, fuser, gicler, rejaillir, saillir, sortir, sourdre, venir.
JALON. Cible, marque, mire, niveau, repère.

JALOUSER. Craindre, douter, envier, guetter, redouter, soupçonner.
JALOUSIE. Crainte, envie, émulation, persienne, rai, rivalité, volet.
JAMAIS. Aucun, nul, onc, onques, zéro.
JAMBE. Amble, fémur, genou, gigot, patte, pied, pilon, tibia, tige.
JAMBIÈRE. Arme, cnémide, grève, guêtre, heuse, protecteur.
JAPPER. Aboyer, clabauder, chien, crier, cyon.
JARDIN. Cour, éden, oasis, mail, parc, potager, serre, terre, théâtre, zoo.
JARDINIER. Bêche, binette, gratte, horticulteur, houlette, maraîcher.
JARGON. Argot, joual, langage, langue, narquois, parler, sabir.
JARRET. Acier, capelet, jambe, malandre, mollet, trumeau.
JASER. Bavasser, bavarder, converser, jacasser, médire, papoter, parler.
JAUGER. Cuber, doser, graduer, marquer, mesurer, palper, peser.
JAUNE. Ambre, chamois, chinois, citron, doré, or, orange, rire, safran.
JAUNISSE. Ictère, leptospirose.
JAVELOT. Arme, angon, dard, digon, flèche, haste, lance, pique, sagaie.
JET. Avion, douche, émission, gerbe, lancer, pluie, marteau, tir, trait.
JETER. Crier, ensemencer, lancer, regarder, ruer, semer, tirer, verser.
JETON. Marque, méreau, numéro, tessère.
JEU. Aluette, baccara, badminton, balle, baseball, belote, bingo, bridge, calembour, canasta, carte, charade, cœur, croquet, crosse, dames, dés, devinette, échec, énigme, enjeu, furet, go, golf, hockey, huit, jouet, lego, loto, loterie, marelle, neuf, pari, passe-temps, polo, poker, quille, quiz, rami, reversi, rob, rodéo, tarot, tour, truc, sport, whist.
JEUNE. Adonis, blanc-bec, diète, faim, garçon, gars, petit, page, varlet.
JOAILLIER. Bijoutier, diamantaire.
JOIE. Bonheur, délire, entrain, extase, gaieté, humeur, jubilation, liesse.
JOINDRE. Abouter, agglutiner, ajointer, ajouter, annexer, assembler, coudre, lier, marier, mêler, nouer, relier, réunir, souder, trait, unir.
JOINT. Agrégat, ci-joint, cigarette, délit, enlier, genou, jointure.
JOLI. Beau, bel, bijou, chouette, coquet, divin, élégant, mignon, superbe.
JONC. Anneau, balai, butome, canne, scirpe, souchet.
JONCTION. Adhésion, assemblage, liaison, raccordement, union.
JONGLEUR. Enchanteur, magicien, rêveur, sorcier, troubadour.
JOUER. Exécuter, figurer, flûter, incarner, interpréter, mimer, rejouer.
JOUET. Feu, fronde, jeu, joujou, toupie, victime, yo-yo.
JOUEUR. Ailier, arrière, avant, botteur, centre, champ, claveciniste, défenseur, donneur, gardien, handballeur, hockeyeur, inter, intérieur, lanceur, organiste, pianiste, quilleur, receveur, trompettiste, violoniste.
JOUIR. Bénéficier, déguster, délecter, goûter, profiter, savourer.
JOUISSANCE. Bail, libre, plaisir, possession, privilège, usage, usufruit.
JOUR. Date, dimanche, équinoxe, férié, hier, jeudi, journée, lendemain, lumière, lundi, mardi, mercredi, période, samedi, veille, vendredi.
JOURNAL. Devoir, montréal, nouvelliste, presse, québec, soleil, tribune.

JOURNALISTE. Chroniqueur, correspondant, courriériste, éditorialiste, envoyé, nouvelliste, publiciste, rédacteur, reporter.
JOVIAL. Enjoué, gai, joyeux, rire.
JOYAU. Alliance, bijou, diadème, ferronnière, ménisque, parure.
JOYEUX. Aise, allègre, enthousiaste, gai, jovial, luron, ravi, riant, rieur.
JUDAS. Déloyal, fenêtre, iscariotte, perfide, renégat, traître.
JUDICIEUX. Bon, fin, ingénieux, intelligent, lucide, perspicace, sain.
JUGE. Arbitre, commissaire, inquisiteur, juré, magistrat, robe, siège.
JUGEMENT. Approbation, arrêt, erreur, jugeotte, ordalie, sentence.
JUGER. Deviner, dire, estimer, évaluer, objecter, penser, prononcer.
JUIF. Bible, hébreu, israélite, lévite, pâques, pharisien, sioniste, youpin.
JUMEAU. Besson, triplé, quadruplé.
JUMENT. Baie, cheval, mule, mulet, pouliche, poulin, poulinière.
JUPE. Cotte, crinoline, jupette, jupon, kilt, maxi, mini, tutu.
JUPON. Cotillon, panier.
JURER. Adjurer, exécrer, maudire, maugréer, pester, promettre, sacrer.
JURIDICTION. Arrêt, cercle, district, ressort, siège, sphère, tribunal.
JURISTE. Avocat, bâtonnier, criminaliste, légiste.
JURON. Blasphème, diantre, mot, pardi, saperlipopette, tudieu.
JUS. Cidre, coulis, gelée, moût, orangeade, punch, sirop, suc, verjus, vin.
JUSTE. Droit, équitable, exact, légal, légitime, précis, pur, sain, sûr, vrai.
JUSTICE. Cour, droiture, équité, ester, pureté, salle, siège, sûreté.
JUSTIFIER. Confirmer, légitimer, motiver, préciser, valoir, vérifier.
JUXTAPOSER. Ajouter, comparer, différencier, doubler, jumeler.

K

KABUKI. Chant, danse, spectacle, théâtre.
KAKI. Couleur, fruit, plaquemine, vert.
KALÉIDOSCOPE. Cylindre, miroirs, multicolore, ornement, paillettes.
KANGOUROU. Marsupiaux, pétrogale, wallaby.
KAON. Ka.
KAYAC. Bateau, canoë, canot.
KÉPI. Casquette, chapeau.
KERMESSE. Fête.
KILOGRAMME. Kg, livre.
KILOMÈTRE. Km, millage.
KILOTONNE. Kt.
KILOWATT. Kw.
KILOWATT-HEURE. Kwh.
KIOSQUE. Édicule, gloriette, journal, pavillon, tonnelle.

KIWI. Apteryx.
KLAXON. Avertisseur.
KNOCK-OUT. Ko.
KNOUT. Fouet.
KOLA. Caféine, cola.
KRACH. Banqueroute, faillitte.
KRYPTON. Kr.
KYRIELLE. Abondance, beaucoup, ribambelle, série, suite.
KYSTE. Chalazion, tumeur, ulcère.

L

LA. Diapason, en, ici, là-bas, lieu, note, présent.
LABEUR. Fatigue, travail.
LABIAL. Dire, écrire, lettre.
LABIACÉE. Népéta, romarin.
LABIÉE. Bugle, ive, ivette, lamiacée, menthe, thym.
LABORATOIRE. Alchimie, début, examen, officine, test, verre.
LABORIEUX. Actif, âpre, aride, complexe, dur, difficile, pénible, rude.
LABOUR. Agriculture, champ, culture, défonçage, défoncement, rayon.
LABOURABLE. Arable, charruage, fermage, hivernage.
LABOURER. Aérer, écroûter, enrayer, houer, retercer.
LABYRINTHE. Cul-de-sac, dédale, détour, enchevêtrement, lacis, oreille.
LAC. Eau, esclave, étang, flaque, grau, lagon, marais, mare, rive, stymphale.
LAC (NOM). Albert, aral, athabaska, baïkal, balaton, balkhach, caribou, dubawnt, érié, eyre, huron, iséo, issyk-koul, itaska, khanka, ladoga, manitoba, maracaibo, michigan, nettilling, nicaragua, nipigon, nô, nyassa, oô, onega, ontario, ours, reindeer, rodolphe, supérieur, tanganyika, tchad, titicaca, torrens, van, vanern, victoria, winnipeg.
LACET. Aiguillette, contour, corde, ferret, œillet, piège, tirette.
LÂCHE. Abattu, bas, capon, couard, craintif, dégonflé, détendu, faible, froussard, fuyard, mou, peureux, pleutre, poltron, vague, vil.
LÂCHER. Abandonner, casser, céder, desserrer, flancher, fléchir, laisser, larguer, livrer, parachuter, quitter, reculer, relâcher, rompre, semer.
LÂCHETÉ. Bassesse, couardise, frousse, poltronnerie, pusillanimité.
LACIS. Dédale, entrelacement, labyrinthe, nerfs, veines.
LACONIQUE. Bref, concis, court, lapidaire, mince, peu, précis, succinct.
LACUNE. Absence, carence, hiatus, lésion, omission, trou, vacant, vide.
LADRERIE. Avarice, chiennerie, léproserie, lésine, lésinerie, lésion.
LAGOPÈDE. Alpin, blanche, perdrix, rocher, saule.
LAGUNE. Colline, cordon, étang, étendue, lido, liman.

LAID. Affreux, atroce, hideux, horrible, odieux, moche, ridé, vilain.
LAINAGE. Châle, chandail, gilet, loden, ratine, tissu, toge, tuque.
LAINE. Agneline, corde, coton, ouate, mohair, poil, ruban, satin, tonte.
LAÏQUE. Lai, laïc, oblat, profane, séculier.
LAISSER. Abandonner, aérer, céder, confier, déposer, larguer, livrer, marquer, négliger, obéir, quitter, relayer, semer, suinter, tamiser.
LAIT. Blanc, caillé, coco, crème, ésule, lacté, peau, tétée, vache, yogourt.
LAITEUX. Blanchâtre, latex, opalin, pavot.
LAITON. Alliage, archal, corde, zinc.
LAITUE. Boston, chicon, frisée, iceberg, romaine, salade, ulve.
LAIZE. Lé.
LAMBEAU. Déchiqueté, guenille, loque, morceau, partie.
LAMBIN. Flâneur, lent, lourd, nonchalant, paresseux, traînard.
LAME. Bêche, busc, canif, ciseau, dague, dos, éclisse, épée, interligne, languette, onglet, oripeau, patin, réglet, scie, serpe, tranchant.
LAMELLE. Adnée, pellicule, plectre, squame, talc, tranche.
LAMENTABLE. Minable, misérable, moche, pitoyable, piteux, triste.
LAMPER. Absorber, assouvir, avaler, boire, étancher, pomper, vider.
LANCE. Angon, ante, émet, framée, hast, haste, javelot, pique, sarisse.
LANCEMENT. Ber, départ, jet, livre, réception, tir.
LANCER. Catapulter, darder, décocher, émettre, envoyer, jeter, tirer.
LANDE. Brousse, friche, garrigue, jachère, inculte, maquis, pâtis.
LANGAGE. Argot, jargon, joual, langue, logogriphe, marivaudage, sabir.
LANGOUREUX. Amoureux, caresseur, délicat, sensible, tendre.
LANGUE. Argot, canara, catalan, dard, écossais, espagnol, espéranto, expression, grec, hindi, hindoustani, idiome, irlandais, italien, kurde, laotien, latin, lette, lexique, oc, oïl, ossète, ourdou, pal, parler, pâteuse, portugais, néerlandais, ramage, roumain, russe, sabir, slavon, tagal, tamil, tamoul, tchèque, urdu, vipère, volapük, yiddish.
LANGUETTE. Anche, bouveteuse, bugne, épiglotte, guimbarde, patte.
LANGUIR. Baisser, dépérir, épuiser, fondre, mourir, traîner, végéter.
LANGUISSANT. Faible, lâche, mourant.
LANIÈRE. Bande, courroie, fouet, laisse, lasso, longe, sangle.
LANTERNE. Campanile, falot, fanal, lampion, lustre, phare, réverbère.
LAPIN. Angora, clapir, garenne, laiteron, lapereau, lièvre, terrier.
LAPS. Durée, espace, moment, temps.
LAPSUS. Erreur, faute.
LAQUE. Cire, gomme, résine, vernis.
LAQUELLE. Que, qui, quoi.
LARCIN. Chapardage, escroquerie, kleptomane, maraude, recel, vol.
LARDER. Fourrer, percer, piquer.
LARGE. Ample, beaucoup, caution, évasé, généreux, litre, mer, spacieux.
LARGEUR. Ampleur, carrure, diamètre, envergure, grandeur, grosseur.

LARME. Goutte, lacrymal, larmoyer, perle, pleur.
LARMOYER. Chialer, chigner, miauler, pleurer, pleurnicher, sangloter.
LARVE. Ammocète, aoûtat, asticot, cercaire, chenille, couvain, lamprillon, larvaire, lepte, myiase, pibale, sphex, taupe, têtard, varon, ver.
LAS. Brisé, claqué, crevé, épuisé, excédé, fatigué, fourbu, rompu, vanné.
LASCIF. Libidineux, luxurieux.
LASSANT. Crevant, décourageant, délassant, ennuyeux, fatigant.
LASSER. Claquer, décourager, délasser, ennuyer, fatiguer, harasser.
LASSITUDE. Abattement, découragement, dépit, ennui, fatigue.
LATEX. Caoutchouc, chicle, laiteux, liquide, opium.
LAVAGE. Bain, douche, lessive, nettoyage, rinçage, savon, shampooing.
LAVANDE. Aspic, spic, statice.
LAVER. Baigner, délaver, doucher, lessiver, nettoyer, plonger, rincer.
LAVERIE. Buanderie.
LAVEUR. Blanchisseur, lavandier, plongeur, raton.
LAWRENCIUM. Lr.
LAXATIF. Lavement, purgatif, purge, senne, suppositoire.
LEÇON. Cours, instruction, morale, remontrance, répétition, théorie.
LÉGAL. Aloi, authentique, cause, droit, juste, loi, moratoire, permis.
LÉGER. Aérien, agile, collation, dispos, égratignure, escarmouche, fin, frémissement, leste, mince, ombre, plume, raté, souple, vif, volage.
LÉGÈRETÉ. Agilité, caprice, enfantillage, étourderie, facétie, frivolité, futilité, grâce, inconduite, inconsistance, irréflexion, souplesse.
LÉGIFÉRER. Admettre, juger, légaliser, prononcer, régler, statuer.
LÉGISLATEUR. Député, droit, parlement, sénat, sénateur.
LEGS. Don, fidéicommis, fondation, héritage, laisser.
LÉGUME. Ail, artichaut, asperge, betterave, bettrave, carotte, céleri, chou, concombre, endive, fève, haricot, laitue, lentille, navet, oignon, panais, patate, poireau, pois, poivron, radis, rave, tomate.
LÉGUMINEUSE. Arachide, dolic, ers, fève, lentille, lupin, mimosacée, pois.
LEITMOTIV. Expression, répétition, slogan, thème.
LENDEMAIN. Après, demain, futur.
LÉNIFIER. Adoucir, alléger, apaiser, atténuer, calmer, diminuer.
LENT. Flâneur, lambin, lourd, mou, nonchalant, tardif, tortue, traînard.
LENTEMENT. Adagio, doucement, gravement, lento, piano, posément.
LENTILLE. Bonnette, ers, fève, focal, image, loupe, pois, verre.
LÉPREUX. Cagot, fy, ladre, maladrerie.
LEQUEL. Où, que, qui, quoi.
LÉSER. Attenter, blesser, désavantager, noircir, nuire, prétériter, ternir.
LÉSION. Aphte, blessure, engelure, infarctus, navel, névrite, papule.
LESSIVE. Buandier, buée, lavage, nettoyage, récurage.
LESSIVEUSE. Buanderie, laveuse.
LESTE. Agile, allègre, fringant, gaillard, osé, preste, souple, vert, vif.

LETTRE. Abc, alphabet, billet, bref, capitale, caractère, épître, initiale, lambda, omicron, message, missive, mot, pi, pli, ro, rsvp, spi, traite, xi.
LETTRE GRECQUE. Alpha, aspire, bêta, delta, dzeta, epsilon, eta, gamma, iota, kappa, khi, lambda, mu, nu, oméga, omicron, phi, pi, psi, rho, sigma, tau, thata, upsilon, xiksi.
LEVANT. Aurore, crépuscule, échelle, est, matin, orient.
LEVÉE. Chaussée, chelem, debout, ôtée, pli, soulèvement, terrasse.
LEVER. Abolir, armer, dresser, élever, hisser, prélever, soupeser.
LEVIER. Aide, barre, espar, manette, manivelle, résistance, verdillon.
LÈVRE. Babine, bord, joue, labre, lippe, moue, moustache, ri.
LÉVRIER. Barzoï, cynodrome, levrette, levron, sloughi.
LÉZARD. Caméléon, gecko, hatteria, iguane, moloch, seps, tipinamais.
LIAISON. Attachement, et, imbrication, lien, pontage, suite, union.
LIANE. Cobéa, gnète, gnetum, rafflesia, strophante, vanillier.
LIBER. Cambium, teille, tille.
LIBÉRAL. Généreux, large, tolérant, whig.
LIBÉRATEUR. Bienfaiteur, donateur, gratificateur, munificent, sauveur.
LIBÉRATION. Amnistie, décharge, émancipation, pécule, rachat, rançon.
LIBÉRER. Affranchir, dégager, délivrer, évader, gracier, quitter, sauver.
LIBERTÉ. Choix, cru, droit, garantie, latitude, licence, osé, quittance.
LIBRAIRE. Bibliothécaire, bouquiniste, livre, parution.
LIBRE. Affranchi, autonome, familier, franc, hardi, leste, net, vacant.
LICENCIEUX. Cru, gras, érotique, immoral, indécent, obscène, polisson.
LICHEN. Apothèse, lécanore, orseille, renne, rocella, usnée.
LICORNE. Béluga, cheval, narval.
LIEN. Alèse, attache, bande, câble, chaîne, corde, courroie, entrave, et, ficelle, fil, garrot, harde, hart, licou, ligature, mariage, nœud, trait.
LIER. Annexer, attacher, bander, enchaîner, engager, épaissir, et, ficeler, fixer, joindre, lacer, ligoter, marier, nouer, relier, unir.
LIEU. Abreuvoir, abri, aillade, aire, antre, asile, atelier, bagne, bal, berceau, bois, cache, camp, cantine, casino, cellier, chai, chenil, ciel, cimetière, dépôt, écurie, éden, égout, église, emplacement, endroit, enfer, entrepôt, ermitage, escale, étape, fourmilière, gare, gîte, habitat, impasse, issue, jardin, laiterie, latitude, lavoir, local, localité, logement, lointain, magasin, manège, oasis, observatoire, odéon, paradis, parc, patio, pharmacie, poste, pré, prison, promenade, purgatoire, rue, salle, saulaie, séjour, sénat, site, sortie, stade, station, sucrerie, théâtre, tribunal, urinoir, verger.
LIEUTENENT. Enseigne, louvetier, lt.
LIGNE. Alinéa, arête, axe, barre, biais, gribiche, laisse, raie, trace, trait.
LIGNÉE. Ancêtre, ascendant, descendant, enfant, race, sang, souche.
LIGOTER. Amarrer, arrêter, attacher, fixer, lacer, lier, nouer, river.
LILAS. Mauve, prestonia, sauge, syringa, violet, villosa, vulgaris.

LIME. Carreau, citron, demi-ronde, fraise, râpe, rifloir, queue-de-rat.
LIMITE. Bord, borne, but, cadre, étroit, fin, front, lisière, rive, terme.
LIMITÉ. Confiné, déficient, démarqué, fini, ltée, restreint, sot.
LIMITER. Border, borner, cadrer, clore, fermer, longer, terminer.
LIMON. Alluvion, argile, boue, dépôt, lœss, mancelle, vase.
LIMPIDE. Eau, clair, comprendre, facile, perle, pur, transparent.
LIN. Affinoir, afioume, chanvre, gaze, huile, linge, rouissoir, tissu, toile.
LINCEUL. Drap, ensevelir, feu, mort, poêle, sindon, suaire.
LINGE. Amict, bande, drap, essuie-main, essuie-tout, nappe, noues.
LINGOT. Barre, culot, or.
LION. Affection, crinière, fauve, lionceau, otarie, roi, tigre, tigron, tueur.
LIQUÉFIER. Dégeler, diluer, dissoudre, fondre, infuser, souder.
LIQUEUR. Absinthe, alcool, anisette, arec, bitter, cassis, cognac, crème, curacao, eau-de-vie, élixir, essence, pastis, punch, sirop, sépia, suc, vin.
LIQUIDE. Bile, boue, eau, encre, essence, flot, fondue, huile, jus, lait, larme, latex, mélasse, purin, pus, rasade, ruisseau, sang, sérosité, sérum, sève, sirop, sperme, suc, tisane, urine, venin, vesou.
LIQUIDER. Abattre, crever, finir, nettoyer, noyer, réaliser, tuer, vendre.
LIRE. Dévorer, épeler, étudier, évasion, réciter, relire, revoir.
LIS. Acore, amaryllis, asiatique, aurélien, oriental, lilium, lys, tigré.
LISIÈRE. Bordure, borne, haie, lé, limite, orée, mur, rain, ruilée.
LISSE. Calandré, crépi, luisant, net, plan, plat, poli, rambarde, ras, uni.
LISTE. Annuaire, carte, catalogue, compte, errata, état, inventaire, menu, nécrologie, palmarès, répertoire, rôle, série, tableau, tarif.
LIT. Ber, coite, couchette, couchis, couette, divan, dodo, drap, grabat, hamac, litière, pageot, pieu, pucier, ravin, ruisseau, sofa, sultane.
LITHIUM. Li, lithine.
LITIGE. Affaire, arbitrage, contentieux, contestation, dispute, médiation.
LITTÉRATURE. Auteur, critique, écrit, idée, lettres, navet, nègre, page.
LIVIDE. Blême, pâle, vert.
LIVRE. Abécédaire, album, annales, anthologie, apologie, atlas, autobiographie, bible, biographie, bouquin, bréviaire, code, conte, coran, dictionnaire, écrit, encyclopédie, feuille, florilège, genèse, grimoire, guide, heure, journal, kilo, lancement, lb, libraire, livret, mémoire, missel, nombre, nouveauté, œuvre, ouvrage, page, pamphlet, posthume, roman, souvenir, syllabaire, talmud, tobie, tome, volume.
LIVRER. Céder, confier, donner, faire, fournir, lâcher, rendre, trahir.
LIVRET. (Voir livre.)
LOBE. Auricule, cotylédon, occipital, tennis.
LOCAL. Bal, baraque, chambre, laboratoire, poste, remise, salle, serre.
LOCALISER. Borner, circonscrire, délimiter, limiter, mesurer, repérer.
LOCALITÉ. Bled, endroit, lieu, ville.
LOGE. Avant-scène, box, cage, franc-maçon, niche, vigie.

LOGEMENT. Gamelan, habitation, loge, logis, nid, piaule, repaire, taudis.
LOGER. Caser, habiter, jucher, gîter, louer, meubler, occuper, placer.
LOGIS. (Voir logement.)
LOI. Code, délit, droit, édit, légal, omerta, ordonnance, règlement.
LOIN. Éloigné, étendre, là-bas, lointain, pérégrination, perpète, reculé.
LOMBRIC. Ver.
LONG. Bordure, canapé, durable, échasse, étendu, grand, macro, maxi.
LONGER. Escorter, ester, filer, pister, ranger, serrer, suivre, talonner.
LONGTEMPS. Autrefois, depuis, interminable, lurette, piéça, tant, vieux.
LONGUE. Géminée, haleine, surdent, taillade.
LONGUEUR. Cheviotte, encablure, mesure, pas, pied, pige, toué, verge.
LOSANGE. Carreau, géométrie, macle, polka, rhombe.
LOT. Allotir, amas, apanage, gros-lot, hasard, part, partage.
LOUABLE. Bonté, digne, flatterie, gloire, habilité, méritoire, rang, vertu.
LOUANGE. Cajolerie, dithyrambe, éloge, idole, los, louer, prôner, vanter.
LOUCHER. Bigler, cuiller, incliner, pencher, suspecter, voir.
LOUER. Approuver, célébrer, complimenter, encenser, flatter, fréter, glorifier, louanger, magnifier, noliser, porter, prêter, prôner, vanter.
LOUP. Haha, leu, lioube, louve, louveteau, masque, muflier, ysengrin.
LOUPER. Défaillir, échouer, faillir, gâcher, manquer, négliger, rater.
LOURD. Brut, dense, épais, grossier, matériel, pesant, pilum, sévère.
LOURDAUD. Ballot, balourd, butor, cruche, enflé, niais, pénible, stupide.
LOUTRE. Belette, épreinte, otarie.
LOYAL. Ami, dévot, droit, féal, fidèle, franc, honnête, sincère, sûr, vrai.
LOYAUTÉ. Droiture, fidélité, foi, franchise, perfidie, rondeur.
LUBRIFIER. Graisser, huiler, oindre.
LUBRIQUE. Bacchante, luxurieux, salace.
LUCARNE. Fenêtre, judas, œil-de-bœuf, ouverture, tabatière.
LUCRATIF. Aubaine, avantage, bénéfice, bon, filon, gain, payant, profit.
LUETTE. Staphylin, uvule.
LUEUR. Aurore, éclair, éclat, clarté, halo, lumière, lustre, rayon.
LUI. Éon, il, se, soi.
LUIRE. Briller, chatoyer, cirer, dorer, éblouir, lustrer, reluire, vernir.
LUGUBRE. Funèbre, glauque, macabre, mortuaire, triste.
LUMEN. Lm.
LUMIÈRE. Aurore, clarté, crépuscule, éclat, feu, lampe, lueur, lux, uriel.
LUMINEUX. Aveuglant, clair, éblouissant, éclatant, radieux, splendide.
LUNETTE. Barnique, binocle, jumelle, lorgnon, oculaire, os, verres.
LUSTRE. Âge, brillant, éclat, glacé, gloire, lampadaire, pendeloque, poli.
LUSTRER. Briller, catir, cirer, dorer, éblouir, polir, satiner, vernir.
LUTÉCIUM. Lu.
LUTIN. Espiègle, farfadet, génie, gnome, loup-garou, sylphe, troll.
LUTTE. Bagarre, catch, combat, grève, joute, mêlée, prise, savate, sumo.

LUTTER. Bagarrer, combattre, débattre, disputer, résister, rivaliser.
LUXE. Apparat, élégance, faste, grandeur, parure, pompe, richesse.
LUXURE. Blessure, cynisme, débauche, orgie, sensualité, stupre, volupté.
LYCÉEN. Cégépien, collégien, écolier, élève, étudiant, externe, potache.
LYRE. Cithare, erato, hexacorde, ménure, pentacorde, tétracorde, vina.
LYSERGIQUE. Acide, LSD.
LYSOZYME. Enzyme.

M

MABOUL. Aliéné, bizarre, cinglé, dingue, idiot, fou, sonné, timbré, toqué.
MACAQUE. Affreux, magot, moche, rhésus, singe, vilain.
MACCHABÉE. Cadavre, carcasse, charogne, corps, momie, mort, pendu.
MÂCHER. Broyer, mastiquer, mâchonner, remâcher, ruminer, triturer.
MACHINATION. Agissement, calcul, complot, conspiration, intrigue, manigance, objectif, organisation, projet.
MACHINE. Appareil, carde, cisaille, engin, hellébore, laminoir, métier, moulin, outil, pelle, poinçonneuse, presse, riveteuse, semoir, truc.
MACHINER. Arranger, bâcler, bâtir, brasser, but, calculer, chercher, combiner, comploter, concerter, conspirer, élaborer, exécuter, faire, forger, imaginer, intriguer, inventer, manigancer, méditer, organiser, préméditer, préparer, projeter, ruminer, spéculer, tramer.
MACHINISTE. Conducteur, mécanicien, mécano.
MÂCHOIRE. Âne, dent, étau, ganache, mandibule, mors, prognathe.
MÂCHONNER. Broyer, chiquer, dire, mâcher, manger, mordre, ruminer.
MAÇONNERIE. Bâtiment, bétonnage, butée, cheminée, créneau, four, fourneau, jetée, joint, mur, ope, paroi, pile, quai, travertin, voûte.
MACULER. Baver, oblitérer, salir, tacher, teindre.
MADAME. Mme.
MADEMOISELLE. Libellule, miss, mlle.
MAGASIN. Agence, bazar, boutique, commerce, débit, dépôt, échoppe, entrepôt, épicerie, ganterie, librairie, marché, officine, salon, soute.
MAGICIEN. Aymon, cire, enchanteur, mage, merlin, prestigitateur.
MAGISTRAT. Arabe, bourgmestre, couirs, échevin, fonctionnaire, juge, jurat, maire, polémarque, prévarication, robe, robin, toque, tribun.
MAGNANIME. Clément, cœur, généreux, grand, noble.
MAGNÉSIUM. Mg.
MAGNÉTISER. Aimanter, charmer, fasciner, hypnotiser, suggérer.
MAGNIFIQUE. Admirable, beau, belle, merveilleux, noble, splendide.
MAIGRE. Décharné, émaciation, étique, grêle, marasme, mince, sec.
MAIGRIR. Amaigrir, amincir, dépérir, dessécher, fondre, mincir.

MAIN. Chiromancie, dextre, façon, gant, manuel, menotte, patte, poing.
MAINTENANT. Actuellement, aujourd'hui, présentement.
MAINTENIR. Affirmer, coller, conserver, continuer, déjà, empoigner, enfermer, lacer, or, ores, retenir, river, serrer, séquestrer, tenir.
MAINTIEN. Air, allure, apparence, aspect, attitude, carrure, démarche, façon, ligne, mine, mise, port, posture, prestance, soutien, tenue, unir.
MAIRE. Chef, gouverneur, magistrat, municipalité, village.
MAISON. Bercail, bicoque, chalet, couvent, domicile, école, ermitage, famille, foyer, habitation, hôtel, gîte, institution, isba, logis, lupanar, maisonnette, mas, masure, ménage, nid, pension, soue, toit, tripot, villa.
MAÎTRE. Instituteur, officier, pouvoir, roi, seigneur, virtuose, volonté.
MAÎTRESSE. Adultère, amante, favorite, passion.
MAÎTRISER. Art, dominer, dompter, église, pouvoir, volonté.
MAJEUR. Fort, grand, grave, gros, important, ordre, urgent, vital.
MAJOR. Armée, chef, grade.
MAJORITÉ. Âge, élu, mineur, nombre, plébiscite, plupart, quorum.
MAL. Douleur, fléau, louper, maladroit, malheur, mauvais, odontalgie.
MALADIE. Acné, anémie, angine, asthme, carie, chorée, cirrhose, dartrose, dysenterie, épilepsie, gale, glaucome, grippe, herpès, lèpre, leucémie, méningite, mosaïque, névrose, peste, rage, rubéole, scarlatine, schizophrénie, tétanos, varicelle, variole, xérodermie, zona.
MALADIF. Chétif, faible, fluet, frêle, infirme, menu, pâle, souffrant.
MALADRESSE. Bévue, bourde, erreur, faute, gaffe, gaucherie, impair.
MALADROIT. Empoté, gauche, inapte, lourd, malhabile, pataud.
MALAISE. Difficile, ennui, gêne, incommoder, indisposition, laborieux.
MALAXER. Manipuler, mélanger, mêler, pétrir, presser, triturer.
MALCHANCE. Déveine, guigne, malheur, mésaventure, poisse.
MALCHANCEUX. Guignard, infortuné, miséreux, soucieux, veinard.
MÂLE. Bélier, bouc, cerf, coq, daim, fils, jars, mari, taureau, viril.
MALÉFICE. Charme, destin, hasard, magie, sort, sortilège.
MALFAITEUR. Apache, bandit, coquin, ennemi, escroc, mafia, voleur.
MALHEUR. Calamité, catastrophe, fatalité, fléau, funeste, malchance.
MALHONNÊTE. Bandit, crapule, déloyal, indélicat, véreux, vilain, voleur.
MALICE. Diablerie, espièglerie, méchanceté, saloperie, vacherie.
MALICIEUX. Coquin, espiègle, mauvais, mutin, narquois, roublard.
MALIGNE. Fatale, lymphome, mortelle, mycosis, séminome.
MALIN. Fin, finaud, futé, lascar, narquois, renard, rusé, sournois.
MALLÉABLE. Doux, liant, mou.
MALMENER. Battre, brutaliser, danser, huer, lapider, molester, railler.
MALODORANT. Fétide, infection, puant.
MALPROPRE. Cochon, crasseux, infâme, salaud, sale, sordide, souillon.
MALTRAITÉ. Brimé, dépourvu, gueux, indigent, mendiant, pauvre.
MALTRAITER. Battre, brimer, houspiller, rudoyer, tirailler, tourmenter.

MALVEILLANCE. Animosité, critique, haine, malfaçon, méchanceté.
MALVEILLANT. Acerbe, aigre, brutal, cruel, haineux, méchant, vilain.
MAMAN. Fille, frère, maternel, mère, nourrice, parent, sœur, tante.
MAMELLE. Mamelon, pis, poitrine, sein, tétine, têton, trayon.
MAMMIFÈRE. Ai, âne, cerf, chameau, chevreuil, daim, élan, furet, glouton, gorille, guépard, hermite, hyène, labre, lama, lapin, lièvre, lion, loup, loutre, marsouin, martre, morse, mouffette, mufle, musaraigne, musc, ocelot, orignal, otarie, ours, primate, puma, rat, ratel, renne, rongeur, suisse, tatou, tapir, taupe, tigre, unau, xénarthre, zèbre, zébu.
MANCHE. Ante, barre, bras, cape, coude, fouet, gilet, œil, rob, set.
MANCHETTE. Crispin, honneur, nouvelle, rubrique, sous-titre, titre.
MANDAT. Commandement, contre-mandat, mission, pouvoir, siège.
MANDATAIRE. Agent, envoyé, gérant, observateur, responsable.
MANETTE. Balai, barre, levier, manche, maneton, manivelle, volant.
MANGANÈSE. Mn, rhénium.
MANGEOIRE. Auge, bac, cabane, crèche, laye, maye, ripe, trémie.
MANGER. Avaler, becter, bouffer, brouter, croquer, déguster, dévorer, dîner, gaver, goûter, happer, mâcher, paître, pignocher, ronger, vider.
MANGEABLE. Comestible, croquable, denrée, hygiénique.
MANGE-TOUT. Pois.
MANIABLE. Commode, élastique, facile, flexible, lâche, mou, souple.
MANIE. Caprice, fantaisie, folie, goût, marotte, passion, tic, tocade.
MANIER. Assouplir, contrôler, prendre, tâter, toucher, tripoter.
MANIÉRÉ. Délicat, froid, pimbêche, pincé, précieux, raffiné, sec.
MANIÈRE. Abord, air, allure, attitude, conduite, coutume, élocution, état, façon, guise, mise, mode, opinion, parade, pas, sentiment, simagrée, singerie, singularité, situation, style, tenue, ton, touche.
MANIFESTATION. Acte, action, apparition, bonté, crise, ictus, salon.
MANIFESTE. Certain, clair, évident, notoire, ouvert, patent, visible.
MANIFESTER. Affecter, afficher, affirmer, annoncer, clamer, conspuer, crier, jubiler, mener, montrer, pester, répandre, révéler, rire, tiquer.
MANIGANCER. Agir, combiner, fricoter, machiner, ourdir, tramer.
MANILLON. As, étalinguer.
MANIPULATION. Manutention, marionnettiste, masseur, ostéopathe.
MANIPULER. Contrôler, manier, manœuvrer, pétrir, tripoter, triturer.
MANNEQUIN. Épouvantail, modèle, poupée, tarasque.
MANŒUVRE. Action, intrigue, manigance, ouvrier, tactique, thème.
MANŒUVRER. Actionner, contrôler, diriger, manier, naviguer, ramer.
MANQUE. Absentéisme, échec, dénuement, disette, espace, famine, faute, gêne, ignorance, inertie, irrespect, jeu, lâcheté, lacune, lenteur, misère, monotonie, nullité, perte, sottise, tiédeur, timidité, vide.
MANQUEMENT. Atonie, défaut, faute, lacune, réprimande, violation.
MANQUER. Chômer, déroger, gâcher, louper, omettre, patiner, rater.

MANSUÉTUDE. Bonté, charité, clémence, douceur, indulgence.
MANTEAU. Caban, cagoule, cape, capot, capote, gueuse, mante, paletot, pardessus, pèlerine, pelisse, plan, poncho, redingote, saie, toge, voile.
MANUFACTURE. Atelier, draperie, industrie, usine.
MANUSCRIT. Brouillon, copie, obèle, palimpseste, papier, texte, volume.
MAPPEMONDE. Carte, globe, planisphère.
MAQUILLER. Déguiser, falsifier, farder, grimer, plâtrer.
MARAIS. Cistude, étang, mare, marécage, salin, tourbière, varaigne.
MARBRE. Albâtre, calcaire, carrare, granite, jaspe, onyx, terraso, tuile.
MARBRER. Barioler, rayer, strier, veiner, zébrer.
MARCHAND. Bijoutier, crieur, diamantaire, disquaire, drapier, fourreur, grossiste, huilier, imagier, lunetier, opticien, quincaillier, vendeur, zinc.
MARCHANDISE. Camelote, denrée, montre, solde, stock, vrac.
MARCHE. Action, allure, course, défilé, démarche, échelon, fonctionne, méthode, pas, procession, progression, rang, retraite, tempo, va.
MARCHÉ. Bazar, boutique, braderie, épicerie, foire, hall, place.
MARCHER. Aller, arpenter, avancer, balader, courir, déambuler, errer, flâner, longer, mener, passer, pavaner, rôder, suivre, trotter.
MARCHEUR. Ambulant, coureur, flâneur, piéton, promeneur, rôdeur.
MARE. Bassin, canardière, eau, étang, flaque, lagon, lagune, marais.
MARÉCAGE. Ciprière, étang, grenouillère, marais, mare, tourbière.
MARÉCHAL. Armée, chef, ferrière, forgeron, général, sans-gêne.
MARÉE. Flot, flux, jusant, mer, morte-eau, plein, raz, reflux, torquette.
MARGOT. Pie.
MARGOULETTE. Battre, casser, dent, ganache, mâchoire, tête.
MARI. Beau-frère, beau-père, cocu, conjoint, époux, père.
MARIAGE. Accord, ban, divorce, épousailles, époux, lien, lit, noce, union.
MARIÉ. Bigame, conjoint, polygame.
MARIER. Agencer, caser, contracter, convoler, épouser, lier, unir.
MARIN. Animal, batelier, loup, matelot, mousse, navigateur, torpilleur.
MARJOLAINE. Épice, origan.
MARLOU. Souteneur.
MARMITE. Cocotte, crémaillère, cuiseur, pot.
MARMITON. Cuisinier, tournebroche.
MARMOTTE. Daman, murmel, siffleux.
MAROTTE. Dada, folie, manie.
MARQUE. Bleu, borne, coche, égard, gage, jalon, modèle, pli, point, preuve, sceau, signe, tache, témoignage, style, titre, trace, vestige.
MARQUER. Accentuer, cocher, coter, écrire, empreindre, ferrer, graver, hachurer, noter, scorer, signer, tacheter, tatouer, tomer, tracer, zébrer.
MARSUPIAL. Kangourou, koala, péramèle, opossum, wombat, yapok.
MARTEAU. Angrois, asseau, assette, brochoir, heurtoir, jet, laie, maillet, manche, masse, massue, merlin, oreille, picot, rivoir, smille, tille, têtu.

MARTINET. Arbalétrier, fouet, oiseau.
MARTYR. Saint, supplice, victime.
MASCULIN. Fils, grammaire, homme, mâle, viril.
MASQUE. Cagoule, casque, déguisement, écran, voile.
MASQUER. Cacher, couvrir, déguiser, détourner, occulter.
MASSACRE. Assassinat, carnage, extermination, hécatombe, tuerie.
MASSACRER. Anéantir, détruire, égorger, exterminer, trucider, tuer.
MASSE. Amas, bloc, écume, gramme, marteau, massue, poids, volume.
MASSICOTER. Rogner.
MASSIF. Bosquet, énorme, gros, lourd, montagne, or, pesant, solide.
MASSUE. Arme, bâton, marteau, masse, matraque, mil, tinel.
MASTIC. Ciment, crépit, futée, mollé.
MÂT. Artimon, cacatois, gui, mestre, misaine, perroquet, phare, vergue.
MATELAS. Duvet, drap, futon, grabat, plume, sommier.
MATELOT. Batelier, lascar, loup, marin, mousse, timonier, vigie.
MATER. Dompter, dresser, épier, gagner, humilier, surmonter.
MATERNITÉ. Accouchement, génération, hôpital, mère.
MATÉRIALITÉ. Réalité.
MATÉRIAU. Béton, engin, gravois, grès, maçonnerie, matière.
MATÉRIEL. Charnel, concret, corporel, engin, équipement, outil, palpable, physique, tangible, temporel, terrestre, train, visible.
MATHÉMATICIEN. Actuaire, logisticien, professeur, statisticien.
MATIÈRE. Colle, crème, dépôt, lave, nife, semoule, suie, teinture, terre.
MATIN. Avant-midi, aube, aurore, crépuscule, début, matinal, rosée.
MATRICE. Estampe, frappe, génération, médaille, moule, utérus.
MATURATION. Âge, aoûtement, coction, mûrissage.
MAUGRÉER. Blâmer, détester, exécrer, haïr, jurer, maudire, pester.
MAUSSADE. Bourru, insupportable, massacrant, morne, morose, triste.
MAUVAIS. Cabotin, déveine, funeste, grabat, mal, malheur, malin, méchant, pétoire, piquette, rafiot, rosse, sévice, tocard, vaurien.
MAUVE. Lilas, musc, pourpre, violet.
MAXIME. Adage, ana, axiome, devise, dit, dogme, règle, sentence.
MAXIMUM. Amplitude, limite, phase, plafond, pointe, virulence.
MÉAT. Canal, clitoris, ouverture, trou.
MÉCANICIEN. Machiniste, mécano, réparateur.
MÉCANISME. Appareil, détente, embrayage, façon, rouage, truc.
MÉCHANCETÉ. Aigreur, cruauté, félonie, fureur, malice, perversité.
MÉCHANT. Amer, cruel, malicieux, malin, mauvais, pervers, rossard.
MÈCHE. Barre, bombe, cordeau, couette, épi, fraise, guiche, séton.
MÉCONNU. Épave, ignoré, incompris, inconnu, inédit, obscur, oublié.
MÉCONTENT. Fâché, geignard, grognard, grognon, hargneux, plaintif.
MÉCONTENTEMENT. Bile, colère, fureur, moue, plainte, reproche.
MÉCRÉANT. Impie, incroyant, irréligieux, païen.

MÉDECIN. Charlatan, chirurgien, docteur, externe, généraliste, interne, obstétricien, pédiatre, praticien, spécialiste, thérapeute, toubib.
MÉDECINE. Acupuncture, cure, hygiène, gériatrie, médical, pédiatrie.
MÉDIATION. Conciliation, entremise, intervention, négociation.
MÉDICAMENT. Élixir, liniment, pilule, purge, remède, sirop, stupéfiant.
MÉDIOCRE. Fade, humble, mauvais, moyen, nul, ordinaire, vulgaire.
MÉDISANCE. Accusation, calomnie, commérage, discréditation, mal.
MÉDITER. Mûrir, penser, préparer, projeter, réfléchir, rêver, spéculer.
MÉFIANCE. Crainte, défiance, doute, paranoïa, soupçon, suspicion.
MÉGALITHE. Cromlech, menhir.
MEILLEUR. As, crème, élite, fleur, mieux, premier, tête.
MÉLANCOLIE. Chagrin, ennui, humeur, nostalgie, peine, tristesse.
MÉLANGE. Alliage, amalgame, cacophonie, confusion, métis, mixtion.
MÉLANGER. Brouiller, confondre, étourdir, emmêler, mélanger, mêler.
MÊLER. Allier, combiner, croiser, immiscer, ingérer, mélanger, mettre.
MÉLODIE. Air, aria, ariette, chanson, chant, complainte, lied, musique.
MÉLODRAME. Drame, emphase, mélo.
MEMBRANE. Cire, cloison, endocarde, fibre, filet, gaine, gangster, hymen, iris, méninge, peau, périoste, péritoine, plèvre, rétine, zeste.
MEMBRE. Agent, aile, anabaptiste, baptiste, bras, claviste, congressiste, cuisse, drus, druze, eudiste, frère, jambe, moine, mormon, nageoire, oblat, ordre, pair, patte, pauliste, peton, scout, sénateur, servite, thug.
MÊME. Ainsi, auto, avec, égal, idem, monotone, pareil, synonyme, suite.
MÉMOIRE. Aide, amnésie, commentaire, dire, mémo, note, tête, traité.
MENACE. Alerte, danger, fureur, injure, nuage, outrage, ultimatum.
MENACER. Avertir, braquer, effrayer, injurier, réprimander, sommer.
MÉNAGÉ. Avare, chiche, économe, grippe-sou, pingre, radin, serré.
MENDIANT. Clochard, gueux, hère, pauvre, robineux, truand, vagabond.
MENDIER. Demander, quémander, quêter, solliciter, vagabonder.
MENER. Aller, amener, diriger, emmener, finir, guider, réussir, vivre.
MÉNESTREL. Bateleur, chanteur, fou, jongleur, poète, troubadour.
MENEUR. Agitateur, chef, démagogue, leader, maître, tête, tribun.
MENSONGE. Blague, craque, feinte, histoire, imposture, menterie.
MENTION. Citation, commémoraison, décoration, dire, inscription.
MENTIONNER. Citer, consigner, enregistrer, inscrire, stipuler.
MENU. Faible, fin, fluet, fragile, fretin, grêle, mince, petit, plat, ténu.
MENUISERIE. About, boiserie, cérat, croisée, devis, marqueterie.
MENUISIER. Bédane, bricoleur, ébéniste, gouge, pestum, valet.
MÉPRIS. Arrogance, cynisme, dédain, discrédit, injure, misérable.
MÉPRISABLE. Abject, arrogant, canaille, crétin, cynique, fumier, gredin, ignoble, indigne, lâche, malfamé, malheureux, paria, salaud, vil, vilain.
MÉPRISE. Bévue, errata, erreur, quiproquo.
MER. Azur, bouée, bras, canal, corail, côte, croisière, eau, fiord, fjord, flux,

golfe, houle, iode, jetée, lame, large, littoral, marée, marin, maritime, morse, morue, naviguer, océan, onde, outremer, péninsule, rade, raie, raz, reflux, sel, sterne, thalassothérapie, vive, voyage.
MER (NOMS). Antilles, aral, arctique, atlantique, baltique, béring, caraïbes, caspienne, chine, égée, indien, japon, okhotsk, méditerrannée, morte, noire, nord, pacifique, rouge.
MERCI. Approbation, discrétion, grâce, miséricorde, pitié, remercier.
MERCURE. Hg, io.
MÈRE. Maman, marâtre, nourrice, patrie, source, supérieure, utérin.
MÉRITER. Attirer, écoper, encourir, gagner, obtenir, remporter, valoir.
MERLE. Amérique, bleu, collier, marron, montagnes, rouge.
MERVEILLEUX. Beau, divin, éblouissant, épatant, splendide, superbe.
MÉSANGE. Arlequin, bridée, brune, buissonnière, caroline, grise, huppée, lapone, mazette, meunière, noire, nonnette.
MÉSAVENTURE. Aventure, déconvenue, malchance, malheur, tuile.
MESQUIN. Avare, chiche, méchant, médiocre, petit, piètre.
MESSAGE. Cryptogramme, discours, lettre, missive, monème, mot, S.O.S.
MESSAGER. Ambassadeur, ange, courrier, émissaire, envoyé, estafette.
MESSE. Agnus, autel, canon, célébration, kyrie, office, sanctus, service.
MESSIEURS. Mm.
MESURAGE. Aréage, aunage, métrage, stère, test.
MESURE. Âcre, aire, an, archine, are, arpent, brasse, chopine, gallon, hectare, li, lieue, litre, mètre, mille, muid, picotin, pinte, sanction, stère.
MESURER. Auner, doser, jauger, niveler, palper, peser, raser, toiser.
MÉTAL. Acier, aluminium, argent, baryum, bore, cérium, chrome, cobalt, cuivre, erbium, étain, fer, fil, fonte, holmium, indium, nickel, niobium, or, platine, plomb, radium, sodium, uranium, yttrium, zinc.
MÉTAMORPHOSE. Avatar, changement, forme, stryge, virescence.
MÉTHODE. Asepsie, façon, ignipuncture, jiu-jitsu, karaté, marche, mode, ordre, pédagogie, procédé, rééducation, règle, secourisme, shiatsu.
MÉTICULEUX. Fidèle, minutieux, précis, rigide, sévère, strict.
MÉTIER. Art, fonction, profession, travail.
MÉTIS. Bâtard, créole, espèce, hybride, mélange, mulard.
MÈTRE. Mesure, stère.
MÉTROPOLE. Capitale, évêque, patrie, séminaire, ville.
METS. Cannelloni, entrée, épice, fondue, galantine, gratin, lasagne, macaroni, macédoine, matelote, menu, miroton, oignonade, paella, plats, ravioli, régal, reste, ris, risotto, salade, sauce, soupe, spaghetti, table.
METTEUR. Cinéaste, imprimerie.
METTRE. Abaisser, abriter, aérer, allumer, approcher, araser, armer, arrêter, asseoir, attarder, caler, camper, caser, cesser, clore, dater, défaire, dépecer, ébouriffer, écrouer, effectuer, égarer, élargir, émanciper, émettre, emmêler, empiler, encager, enfermer, enfouir,

enrôler, ensacher, entasser, entraver, entreposer, entreprendre, environner, épuiser, espérer, étaler, exercer, faire, fier, fixer, friser, ganter, garer, gêner, hâter, inculper, initier, interrompre, irriter, isoler, jouer, lacérer, lancer, lever, libérer, livrer, lotir, mariner, mâter, menacer, moudre, numéroter, obliger, opposer, pendre, pétrir, placer, planter, plier, polir, poser, préparer, ranger, rationner, relâcher, relier, remettre, remplacer, renverser, résilier, retarder, rimer, roder, rouler, saccager, sanctifier, seller, semer, signer, sommer, stabiliser, tarir, taxer, tenter, terminer, terrer, tomer, tuer, vêler, vêtir, viser, vouer.

MEUBLE. Armoire, bahut, banc, buffet, bureau, cabinet, chaise, classeur, coffre, commode, console, crédence, discothèque, divan, étagère, fauteuil, lit, mobilier, prie-dieu, pupitre, sétailier, siège, table.

MEUBLER. Ameublir, démeubler, emplir, garnir, remplir, semer.

MEURTRE. Assassinat, déicide, égorgement, empoisonnement, étranglement, fratricide, hécatombe, homicide, suicide, tuerie.

MEURTRI. Avari, blessure, confus, cotir, faner, foulure, noir, taller.

MEURTRIER. Assassin, criminel, homicide, inculpé, parricide, tueur.

MEURTRISSURE. Blessure, bleu, contusion, noir, plaie, talure.

MEUTE. Bande, clique, curée, essaim, gang, horde, quête, tribu, troupe.

MICA. Biotite, granulite, lépidolite, tuffeau.

MICROBE. Arsine, bacille, bactérie, coque, streptocoque, typhose, virus.

MIDI. Après-midi, déjeuner, dîner, mas, matin, méridien, seps, sud, têt.

MIE. Amie, dame, goutte, miton, pain, panure, pas, rien.

MIEUX. Bien, élite, meilleur, perle, plus, plutôt, supérieur, suprême.

MILIEU. Alto, âme, axe, centre, élément, entourage, midi, sein.

MILITAIRE. Cadet, déserteur, gi, goumier, serval, supplétif, troupier.

MILITANT. Adepte, allié, fidèle, guerrier, partisan, syndicaliste.

MILLE. Date, kilo, majorité, mil, mille-feuille, millésime, milli, retraite.

MILLE-PATTES. Géophile, gloméris, iule, lithobie, scolopendre.

MILLET. Blé, maïs, mil, panic, panicum, sorgho.

MILLIGRAMME. Mg.

MILLILITRE. Ml.

MILLIMÈTRE. Mm.

MILLITHERMIE. Kilocalorie, mth.

MILLIVOLT. Mv.

MIMOSA. Acacia, amourette, néré, sensitif.

MINABLE. Gueux, hère, minus, misérable, miteux, pauvre, piteux, vil.

MINAUDERIE. Grimace, mine, moue, pitrerie, simagrée, singerie.

MINCE. Aigu, délié, élancé, fil, fin, fluet, folié, frêle, fuselé, gracile, grêle, lame, maigre, menu, petit, pruine, ru, svelte, ténu, tôle, tulle.

MINE. Apparence, carrière, figure, houillère, or, physionomie, visage.

MINER. Caver, creuser, déduire, détruire, ronger, saper, subversif.

MINERAI. Gîte, illite, mica, mine, or, spath, speiss, veine.

MINIME. Dérisoire, minuscule, modique, nain, petit, ridicule, trace.
MINIMISER. Amortir, atténuer, diluer, diminuer, réduire, voiler.
MINISTRE. Député, lévite, pasteur, prêtre, sous-ministre, vizir.
MINOTAR. Meunier.
MINUSCULE. Minime, modique, nain, petit, trace.
MINUTE. Acte, copie, étude, heure, mn, moment, note, seconde.
MINUTER. Chiffrer, compter, copier, écrire, estimer, nombrer, tabler.
MINUTIE. Application, argutie, attention, conscience, contiguïté, détail, diligence, exactitude, lésinerie, mesquinerie, méticulosité, parcimonie, protocolaire, purisme, regardant, soin, sollicitude, scrupule, vigilance.
MIRAGE. Eau, illusion, imagination, lumière, merveille, mirement.
MIRE. But, butte, cible, niveau, œilleton, stadia.
MIRLITON. Bigophone, flûte, flûteau, turlututu.
MIROIR. Espion, focal, foyer, glace, image, piège, réflecteur, rétroviseur.
MIROITEMENT. Brillance, chatoiement, éblouissement, mirage, reflet.
MISE. Assemblage, citation, élargissement, émise, émission, enjeu, gageure, investiture, martingale, massacre, salut, sommation, titre.
MISÉRABLE. Chétif, gueux, hère, miteux, pauvre, sordide, truand, vil.
MISÈRE. Besoin, dèche, détresse, épave, famine, malheur, peine, ruine.
MISÉREUX. Assisté, chétif, dénué, épave, fauché, gueux, pauvre, ruiné.
MISÉRICORDE. Charité, clémence, indulgence, merci, pardon, pitié.
MISSILE. Projectile.
MISSION. Ambassade, apostolat, charge, commission, délégation, église, émissaire, fonction, guetteur, légat, mandat, patrouille, sortie, travail.
MISSIONNAIRE. Évangéliste, messager, patrouille, prêtre, religieux.
MISSIVE. Billet, dépêche, épître, lettre, message, mot, pétition, pli.
MITE. Teigne.
MITRE. Évêque, fanon, mitral, tiare.
MOBILE. Agité, cause, gouvernail, inconstance, index, motif, mouvant.
MOBILIER. Ameublement, décoration, ménage, meuble.
MOCHE. Affreux, atroce, grossier, hideux, horrible, laid, vilain.
MODE. Armure, aviation, avion, bateau, branché, camion, camionnage, cri, étouffée, étuvée, façon, genre, goût, hérédité, in, maritime, mitose, moissonnage, potentiel, régie, style, verbe, vogue, voie, viviparisme.
MODÈLE. Archétype, canon, essai, étalon, exemple, forme, mannequin, nature, nu, original, paradigme, parangon, patron, prototype, type.
MODÉRATION. Circonspection, diète, discernement, limite, mesure, pondération, raison, réserve, retenue, sagesse, sobriété, tempérance.
MODÉRER. Freiner, mesurer, ralentir, réserver, retenir, tempérer.
MODESTIE. Décence, décorum, humilité, pudeur, retenue, vertu.
MODIFICATION. Altération, amendement, changement, correction.
MODIFIER. Altérer, amender, changer, correction, décaler, défaire, déguiser, dévier, manier, minéraliser, remanier, toiletter, varier.

MODIQUE. Bas, dérisoire, minime, misérable, petit, ridicule.
MODULATION. Am, fm, ma, mf.
MŒURS. Caractère, conduite, débauche, habitude, moral, moralité.
MOI. Âme, bibi, ego, empathie, mien, pascal.
MOINDRE. Amoindrir, contracter, diminuer, inférieur, mineur.
MOINE. Acier, cénobite, défroqué, église, froc, prêtre, religieux, vœu.
MOINEAU. Domestique, friquet, passereau, piaf, pierrot, plocéidé.
MOIS. Août, avril, bimestriel, brumaire, décembre, février, frimaire, floréal, fructidor, germinal, janvier, juillet, juin, mai, mars, mensuel, messidor, mensualité, nivôse, novembre, octobre, pluviôse, prairial, semestre, septembre, thermidor, trimestre, vendémiaire, ventôse.
MOISISSURE. Acide, empuse, mucor, pénicillium, vert, zygomycètes.
MOISSON. Août, cueillage, coupage, glanage, ramassage, récolte, saison.
MOITIÉ. As, casseau, demi, éco, épouse, époux, longe, mi, mi-temps.
MOL. Faible, flou, inerte, lâche, molette, mou, souple, tendre, veule.
MOLAIRE. Carnassier, dent, prémolaire.
MOLESTER. Battre, brusquer, malmener, rabrouer, rudoyer, tourmenter.
MOLLESSE. Apathie, faiblesse, indolence, nonchalance, paresse.
MOLLUSQUE. Argonaute, bernique, calmar, clam, couteau, doris, encornet, donax, harpe, huître, itiérie, limace, limette, moule, mye, nautile, pétoncle, pinne, praire, rudiste, seiche, solen, taret, vénus.
MOLYBDÈNE. Mo.
MOMENT. Brune, crise, déjà, éclair, étale, halte, heure, ici, instant, spin.
MOMENTANÉ. Accalmie, armistice, congé, passager, pause, temporaire.
MONARQUE. César, dynaste, empereur, prince, reine, roi, souverain.
MONASTÈRE. Abbaye, cloître, couvent, laure, moine, moutier, séculier.
MONCEAU. Amas, masse, noyau, nuage, paquet, pile, ramas, tas, tertre.
MONDE. Cosmos, création, foule, gens, globe, humanité, ici-bas, infini, lieu, milieu, nature, peuples, planète, réunion, société, terre, univers.
MONNAIE (PAYS). Afghan, agnelle, aspre, at, baht, balboa, belga, bolivar, cedi, centime, colon, cordoba, couronne, cruzeiro, darique, deutsche, devise, dinar, dirham, dollar, dông, drachme, écu, escudo, espèces, face, forint, franc, gourde, guarani, guinée, gulden, inti, khmer, kip, krona, kyat, kwacha, lei, lek, lempira, leone, leu, lev, lire, livre, louis, lunaire, mark, markost, napoléon, numismate, or, ore, pape, para, penny, peseta, peso, piastre, pièce, pistule, quetzal, rand, réal, reis, rial, richesse, riyal, rouble, roupie, statère, schilling, sen, séquin, sesterces, sicle, singe, sol, sucre, tael, tala, talent, tughrik, won, yen, yuan, zloty.
MONNAYER. Accorder, négocier, payer, régler, traiter, vendre.
MONOGRAMME. Abrégé, chrisme, ichtys, ihs, lettre.
MONOSACCHARIDE. Ose.
MONOTONE. Ennuyeux, grisaille, répétitif, semblable, terne, uniforme.
MONSEIGNEUR. Mgr.

MONSIEUR. M, mr, sir.
MONSTRE. Avorton, cyclope, dragon, géant, lamie, nain, sirène, sphinx.
MONT. Butte, colline, massif, montagne, monticule, mt, pic, sommet.
MONTAGNARD. Alpiniste, clephte, gavotte, girondin, highlander, kéfir, képhir, kilt, varappeur.
MONTAGNE. Aiguille, alpes, alpin, appalaches, butte, chaîne, laurentide, andes, cime, colline, obstacle, massif, mont, moraine, piton.
MONTANT. Arrérages, chiffre, nombre, pot, prix, somme, tarif, taux.
MONTÉE. Côte, escalier, flux, grimpée, marchepied, monte-pente, rampe.
MONTER. Dresser, gravir, grimper, hausser, hisser, lever, marcher.
MONTICULE. Baseball, butte, cairn, dune, montagne, œsar, tertre.
MONTRE. Cadran, coucou, étalage, étale, horloger, remontoir, salle.
MONTRER. Empresser, étaler, guider, offrir, surclasser, trahir, voir.
MONUMENT. Bâtiment, colonne, obélisque, odéon, marbre, mausolée, menhir, pyramide, stèle, stoupa, stupa, tombe, tombeau, totem, tour.
MONUMENTAL. Colossal, démesuré, énorme, gigantesque, immense.
MOQUERIE. Blague, ironie, parodie, raillerie, risée, sarcasme, satire.
MOQUEUR. Breneux, chineur, goguenard, ironique, railleur, rieur.
MORAL. Bien, bon, éthique, immoral, juste, mal, mœurs, sain, vertu.
MORALISTE. Catholique, décideur, épicuriste, intellectuel, prédicateur.
MORALITÉ. Ascétisme, conduite, conscience, crime, intégrité, honnêteté.
MORCEAU. Coin, étude, fragment, lambeau, lange, miette, tapon, tison.
MORDANT. Acerbe, acide, âcre, aigre, caustique, collant, ronger, sur, vif.
MORDRE. Appât, broyer, gruger, mâcher, mordiller, percer, perdre.
MORPHINE. Encéphaline, enképhaline, héroïne, méthadone.
MORS. Bride, cheval, frein, guide, rêne.
MORT. Cartes, décédé, décès, défunt, dépouille, disparu, étranglé, feu, fin, jeu, macchabée, noyer, perte, restes, tombe, tombeau, trépassé.
MORTALITÉ. Disparition, fatalité, létalité.
MORTEL. Fatal, homme, létal, péché.
MORTIER. Boue, chaux, ciment, coulis, crépi, torchis.
MORTIFICATION. Austérité, gangrène, haire, macération, nécrose.
MORTIFIÉ. Conscrit, discipliné, humilié, penaud, ordonné.
MORT-VIVANT. Zombie.
MOSQUÉE. Caaba, kaaba, minbar, temple, zaouïa.
MOT. Dicton, dit, écho, épithète, expression, lapsus, maxime, monème, néologisme, nom, parole, rime, synonyme, terme, usage, verbe, vers.
MOTEUR. Action, âme, cause, éolien, motivateur, nerf, promoteur.
MOTIF. Ajourer, bêtise, cause, considération, leitmotiv, raison, sujet.
MOTIVER. Causer, conduire, décider, entraîner, mener, proposer.
MOTOCYCLETTE. Bicyclette, chopper, motard, moto, scooter, vélo.
MOU. Faible, flou, herbe, lâche, inerte, mol, mollet, souple, veule.

MOUCHE. Asticot, brûlot, cheval, chevreuil, chiure, diptère, domestique, éristale, lucilie, manne, noire, œstre, stomoxe, tachina, taon, tsé-tsé.
MOUCHETÉ. Fleuret, sabre, tacheté, tavelé, tigré, truite.
MOUCHETER. Garnir, marqueter, tacheter, taveler, tigrer.
MOUCHOIR. Anguillade, foulard, kleenex, linge, tissu.
MOUETTE. Bonaparte, goéland, pygmée, rieuse, rosée, tridactyle.
MOUFFETTE. Conepatus, sconse, spilogale.
MOUFLE. Gang, mitaine.
MOUILLER. Arroser, humecter, inonder, rade, suer, touer, tremper.
MOULE. Abaisse, calibre, forme, huître, matrice, mère, modèle.
MOULINET. Crécelle, rabatteur, touret.
MOULT. Très.
MOULURE. Bague, bande, cadre, filet, gorge, nervure, ove, scotie, tore.
MOURIR. Clore, crever, décéder, éteindre, finir, périr, trépasser.
MOUSQUETAIRE. Aramis, athos, artagnan, porthos.
MOUSSE. Écume, hypne, matelot, moussaillon, soda, sphaigne, urne.
MOUSSELINE. Fontange, giselle, jabot, moustiquaire, organdi.
MOUTARDE. Douce, forte, ravenelle, sanve, sénevé, tartare.
MOUTON. Agneau, bélier, gigot, mérinos, ovin, parc, suiveux.
MOUVEMENT. Abattée, abduction, acte, action, activité, agitation, animation, attaque, clignotement, clin, contorsion, coup, cours, cri, déplacement, ébat, ébranlement, effet, élan, émersion, envolée, évolution, flux, frétillement, geste, haussement, houle, impulsion, jet, lacet, marche, marée, manœuvre, nastie, ondoiement, onde, pas, pesade, recul, remous, revif, révolution, roulis, ruade, ruée, sursaut, tactisme, tangage, tentation, tour, va, vie, vitesse, vol, volte.
MOUVOIR. Agiter, aller, bouger, danser, errer, pousser, tirer, tourner.
MOYEN. Aide, alibi, armure, avec, biais, échappatoire, entremise, irrecevable, issue, évier, par, rêne, secret, soin, sous, truc, voie.
MUCUS. Mucine, sécrétion.
MUER. Actionner, changer, peau, perdre, transformer.
MULOT. Champs, rat, ville.
MULTIPLICATION. Clone, déca, division, essaimage, fois, règle, table.
MULTIPLICITÉ. Beaucoup, multitude, nombre, pluralisme.
MULTIPLIER. Augmenter, entasser, peupler, propager, répéter.
MULTITUDE. Amas, armée, cohue, flopée, flot, foule, masse, nuée, tas.
MUNICIPALITÉ. Capitale, cité, commune, métropole, village, ville.
MUNIR. Armer, garnir, gréer, lotir, monter, nantir, outiller, pourvoir.
MUON. Mu.
MUQUEUSE. Aphte, gencive, muguet, rhinite, rhume, toux.
MUR. Dame, enceinte, murer, pan, parapet, précoce, prêt, rempart.
MURAILLE. Archière, bouchain, fruit, meurtrière, mur, paroi, rempart.
MURIDÉ. Rat.

MÛRIR. Affiner, aoûter, digérer, jeune, préparer, réfléchir, vert.
MURMURE. Chuchotement, gémissement, grognement, plainte, soupir.
MURMURER. Chuchoter, geindre, gémir, grogner, ronchonner, susurrer.
MUSCLE. Abaisseur, biceps, cœur, deltoïde, force, intramusculaire, jambier, ligament, membrane, myocarde, nerf, péronier, risorius, souris, strié, tendon, tenseur, thénar, tonus, trapèze, volontaire.
MUSCLÉ. Autoritaire, brutal, droit, énergique, fort, nerveux, tarzan.
MUSE. Inspiration, poésie.
MUSEAU. Groin, mufle, narine, nez, proboscidien, trompe, visage.
MUSÉE. Art, collection, conservatoire, galerie, pinacothèque, salon.
MUSICIEN. Compositeur, cor, flûtiste, guitariste, luthiste, maestro, mélomane, pianiste, saxophoniste, violoneux, violoniste, virtuose.
MUSIQUE. Art, canon, chant, charivari, disco, duo, étude, euphonie, harmonie, interlude, jazz, kyrie, mélodie, morceau, motet, nouba, ode, opéra, opus, prologue, rap, requiem, rock, sérielle, swing, solo, trio.
MUSULMAN. Alcoran, aman, arabe, chiite, coran, émir, fakir, harem, hégire, iman, islamique, mahométan, ramadan, religion, sunnite.
MUTILER. Amputer, briser, couper, diminuer, écouer, tronquer.
MUTIN. Coquin, espiègle, luron, lutin, malicieux, peste, polisson.
MUTUEL. Bilatéral, couple, dépendant, partage, réciproque, solidaire.
MYGALE. Araignée, opercule, terrier.
MYOCARDE. Cœur, infarctus.
MYOPE. Borné, perspicace, voir.
MYRIAPODE. Iule, mille-pattes, segments.
MYRTILLE. Airelle, bleuet.
MYSTÈRE. Cachotterie, doctrine, dogme, énigme, inconnu, trinité.
MYSTÉRIEUX. Caché, étrange, obscur, occulte, secret, ténébreux.
MYSTIFIER. Avoir, moquer, rouler, tourmenter, tromper.
MYTHE. Conte, fable, légende, récit.
MYTHIQUE. Imaginaire.
MYTHOLOGIE. Croyances, fable, légende, panthéon, récits, tradition.
MYTHOMANE. Fabulateur, menteur, simulateur, voleur.
MYXOMYCÈTES. Champignon, fuligo.
MYXOVIRUS. Grippe, influenza, oreillons, pneumonie.

N

NABAB. Gouverneur, officier, riche, sultan, trésor.
NABOT. Freluquet, nain, petit, trapu.
NAGEOIRE. Aileron, aviron, cycloptère, diptérygien, pinniforme, vessie.
NAGER. Brasse, émerger, flotter, fluctuer, natation, ramer, renflouer.

NAGUÈRE. Anciennement, antan, autrefois, jadis, récemment.
NAÏF. Candide, crédule, ingénu, innocent, jobard, niais, poire, simplet.
NAIN. Freluquet, gnome, lutin, nabot, petit, pygmée.
NAISSANCE. Apparition, création, début, genèse, légitime, retombée.
NAÎTRE. Apparaître, commencer, éclore, percer, sortir, venir, voir.
NANA. Femme, fille, maîtresse.
NANTIR. Armer, doter, garnir, monter, pourvoir, procurer, saisir.
NAOS. Église, tabernacle, temple.
NAPPERON. Longe, nappe, serviette, set, sous-verre.
NARCOTIQUE. Crack, drogue, hypnotique, opium, somnifère, soporeux.
NARINE. Errhin, évent, naseau, morve, nez, vibrisse.
NARQUOIS. Badineur, chineur, malin, moqueur, railleur, rieur, rusé.
NARRATION. Conte, histoire, lai, nouvelle, récit, rédaction, roman.
NARRER. Conter, décrire, dire, raconter, rappeler, réciter, relater.
NASEAU. Narine, nase, nez, piton, truffe.
NATIF. Aborigène, autochtone, habitant, inné, originaire.
NATION. Allégeance, communauté, état, gent, patrie, pays, peuple, race.
NATIONALISER. Collectiviser, déposséder, étatiser, exproprier.
NATIONALISME. Attachement, doctrine, impérialisme, patriotisme.
NATIONALISTE. Impérialiste, partisan, patriote.
NATIVITÉ. Astral, naissance, noël, thème.
NATTE. Cheveux, couffin, estère, paillasson, tapis, torchon, tresse.
NATTER. Corder, entrelacer, tresser.
NATURALISTE. Authentique, nature, taxidermiste.
NATURE. Brut, cause, écologie, essence, force, indigène, pur, vert, vrai.
NATUREL. Aisé, espèce, étoffe, humanité, ingénu, inné, naïf, univers.
NATURISTE. Nudiste.
NAUFRAGE. Avarie, désastre, épave, malheur, perdition, perte, sinistre.
NAUSÉABOND. Dégoûtant, écœurant, répugnant, vireux.
NAVIGATEUR. Aiguilleur, caboteur, marin, pilote, voyageur.
NAVIGATION. Aérienne, astronautique, cabotage, circumpolaire, éclaireur, haut-fond, hauturière, marine, nautique, périple, yachting.
NAVIRE. Argo, bac, bateau, brick, brûlot, butanier, câblier, caravelle, cargo, corsaire, croiseur, drague, dromon, galère, galion, galiote, nef, paquebot, patrouilleur, rafiot, ravitailleur, sacoléva, sacolève, sloop, tanker, torpilleur, tramp, traversier, trière, vaisseau, vedette, yacht.
NÉ. Créé, dernier-né, éclos, indigène, issu, natif, nouveau-né.
NÉANMOINS. Cependant, nonobstant, pourtant, toujours, toutefois.
NÉANT. Absence, inexistant, nul, rien, vacance, vanité, vide, zéro.
NÉCESSAIRE. Essentiel, fatal, indispensable, ingéniosité, papeterie.
NÉCESSITÉ. Besoin, exiger, inéluctable, malade, réclamer, urgence.
NÉCESSITEUX. Gueux, indigent, mendiant, misérable, mécréant, pauvre.
NÉCROPSIE. Autopsie.

NÉGATION. Guère, ne, nenni, ni, nihilisme, non, pas, point, refus.
NÉGLIGEABLE. Accessoire, dérisoire, insignifiant, presque, vétille.
NÉGLIGENCE. Abandon, incurie, lâcheté, malfaçon, omission, oubli.
NÉGLIGER. Abandonner, abstenir, dédaigner, louper, omettre, oublier.
NÉGOCIANT. Acheteur, commerçant, consignataire, marchand, nt.
NÉGOCIATION. Conversation, préalable, transaction.
NÉGOCIER. Accorder, arranger, convenir, discuter, régler, traiter.
NÈGRE. Créole, négrier, noir, réécriveur.
NEIGE. Avalanche, blanc, blizzard, charrue, congère, grêle, poudrerie.
NÉNUPHAR. Jaunet, lotus, nymphéa.
NÉO. Nouveau.
NÉODYME. Didyme, nd.
NÉON. Lampe, ne.
NEPTUNIUM. Np.
NERF. Auditif, axiliaire, cubital, lombaire, neurone, névrite, optique.
NERVEUX. Convulsif, émotif, énervé, fébrile, filet, hypernerveux.
NERVI. Bandit, porteur, tueur, vaurien.
NERVURE. Arête, carde, feuille, lierre, saillie.
NET. Blanc, clair, distinct, franc, précis, prononcé, propre, pur, tranché.
NETTOYER. Briquer, caréner, curer, décaper, écumer, écurer, faire, fourbir, laver, lessiver, ôter, polir, purger, racler, ratisser, rincer.
NEUF. Flambant, nouveau, original, pur, récent, vierge.
NEUTRALISER. Absorber, enrayer, paralyser.
NEVEU. Filleul, népotisme, postérité.
NÉVRALGIE. Nerf, sciatique.
NÉVROSE. Folie, hystérie, neurasthénie, névropathie, psychogenèse.
NEZ. Blair, clairvoyance, goûter, nase, odorat, pif, renifler, truffe.
NI. Égal, équilibre, impartial, indifférent, neutre, tiède.
NIAIS. Benêt, cave, dadais, fada, jobard, minus, naïf, nigaud, serin, sot.
NIAISERIE. Ânerie, bêtise, cucul, fadaise, naïveté, rien, sottise.
NICHE. Attrape, chien, enfeu, farce, maison.
NICKEL. Ni.
NID. Abri, aire, bauge, couvoir, foyer, habitation, maison, nichée.
NIÈCE. Filleule.
NIELLE. Blé, brouillard, gravure, lychnis, niellure, pluie.
NIER. Contester, contredire, défendre, démentir, dénier, négateur.
NIGAUD. Benêt, dadais, niais, sot.
NIMBE. Auréole, diadème, gloire, nuage.
NIO. Ios.
NIOBIUM. Nb.
NITRATE. Ammonal, azote, iode, salpêtre.
NIVEAU. Degré, égal, étage, flottaison, hauteur, luxe, mire, ressaut, taux.
NIVELER. Aplanir, araser, déniveler, égaliser, polir, tempérer, unir.

NOBÉLIUM. Nb.
NOBLE. Aristocrate, chevalier, digne, duc, élevé, fief, généreux, hidalgo, hobereau, olympien, praticien, racé, relève, roturier, sublime, titré.
NOBLESSE. Dignité, fierté, grandeur, magnanimité, nom, pompe, style.
NOCES. Cana, dot, mariage, coton (1 an), papier (2 ans), cuir (3 ans), bois (5 ans), laine (7 ans), étain (10 ans), soie (12 ans), porcelaine (15 ans), cristal (20 ans), argent (25 ans), perles (30 ans), mousseline (35 ans), émeraude, rubis (40 ans), vermeil (45 ans), or (50 ans), diamant (60 ans), platine (70 ans), albâtre (75 ans), chêne (80 ans).
NOCHER. Chapon, nautonier, pilote.
NOCIF. Contaminé, mauvais, nuisible, toxique.
NOÉ. Arche, biblique, cham, déluge, japhet, sem, vin.
NOËL. Avant, cantique, ellébore, fête, hellébore, nativité.
NŒUD. Cocarde, collet, coulant, hic, lac, lasso, lien, malandre, rosette.
NOIR. Café, deuil, ébène, ivre, messe, nègre, radis, ténébreux, triste.
NOIRÂTRE. Basané, bronzer, ombre, nigrescent, nocturne, sépia.
NOIRCIR. Biser, discréditer, enfumer, fumer, maculer, obscurcir, salir.
NOISE. Bagarre, bisbille, combat, débat, dispute, lutte, querelle, rixe.
NOIX. Arec, cajou, cerneau, écale, grenoble, moulin, muscade.
NOM. Attribut, connu, désignation, prénom, prête-nom, surnom, titre.
NOMADE. Ambulant, errant, itinérant, robineux, vagabond, voyageur.
NOMBRE. Algèbre, âge, beaucoup, chiffre, compte, effectif, entier, multiplicité, numéro, quantité, quorum, score, tant, tirage, vie.
NOMMER. Appeler, choisir, citer, créer, élire, épeler, placer, voter.
NON. Négation, nenni, ni, oui, pas, refus.
NONCHALANCE. Apathie, indolence, léthargie, négligence, paresse.
NORD. Arctique, bise, boréal, boussole, nordique, pôle, septentrion.
NORIA. Air, chapelet, godet, sakièh.
NORME. Adage, base, canon, crédo, esprit, principe, raison, règle, vérité.
NOS. Notre, nous.
NOTA. Nb, note.
NOTABLE. Estime, gloire, important, personnalité, remarquable.
NOTAIRE. Adjudication, dataire, étude, loi, maître, sis, tabellion.
NOTATION. Neume, rudiment.
NOTE. Anacrouse, anacruse, annotation, blanche, canard, croche, do, fa, finale, la, mémorandum, mi, nb, noir, noire, nota, ré, si, sol, syncope.
NOTIFICATION. Avis, commandement, dénonciation, signification.
NOTIFIER. Aviser, commander, dire, intimer, signifier.
NOTION. Abstraction, connaissance, conscience, doctrine, idée.
NOTRE. Nos, nous.
NOTRE-DAME. Nd.
NOTRE-SEIGNEUR. Ns.
NOUBA. Fête.

NOYER (Se) : Couler

NOUER. Attacher, boucler, établir, joindre, lacer, lier, renouer, tordre.
NOURRICE. Gardienne, nounou.
NOURRIR. Alimenter, allaiter, fortifier, gaver, instruire, sustenter.
NOURRITURE. Aliment, ambroisie, avoine, bouffe, boustifaille, céréale, comestible, foin, manne, nutrition, os, pain, pâture, repas, vivre.
NOUVEAU. Actuel, frais, inédit, jeune, néo, neuf, novice, récent, vert.
NOUVELLE. Actualité, bruit, cancan, conte, écho, potin, récit, roman.
NOUVELLEMENT. Jeunement, néophyte, récemment, renouvellement.
NOVICE. Apprenti, aspirant, débutant, neuf, nouveau, recrue, stagiaire.
NOYAU. Âme, atome, graine, hélion, neutron, nife, œuf, olive, pépin.
NUAGE. Altostratus, brouillard, cirro-cumulus, cirro-stratus, cirrus, cumulus, nimbo-stratus, nimbus, nue, nuée, obnubiler, panne, stratus.
NUANCE. Couleur, degré, différence, teinte, ton, tonalité, valeur.
NUANCER. Assortir, colorer, différencier, mélanger, nuer, teinter, virer.
NUÉE. Beaucoup, multitude, nuage, peu, tapisserie.
NUIRE. Causer, compromettre, gêner, léser, malheur, médire, salir, tort.
NUISIBLE. Dangereux, funeste, malsain, mauvais, néfaste, nocif.
NUIT. Guet, loup, minuit, nocturne, nuitée, obscurité, phare.
NUL. Aucun, caduc, incapable, néant, pas, pat, point, sans, zéro.
NUMÉRO. Folio, loustic, no, nombre, quantième, série, spectacle, suite.
NUMÉROTER. Chiffrer, coter, folioter, paginer.
NUMISMATE. Médaille, timbre.
NUMMULITIQUE. Éocène, paléogène.
NYCTALOPE. Voir.
NYLON. Adipique, plastique, soie.
NYMPHE. Atlantide, atlas, chenille, chrysalide, daphné, dryade, écho, grâce, hamadryade, hespéride, hyades, muse, naïade, napée, néréide, nixe, océanide, ondine, oréade, pléiade, pupe, satyre, syrinx, triton.
NYMPHÉE. Bain.
NYMPHOMANE. Obsédée, sexuelle.
NYSTAGMUS. Affection, mouvements, nerveux, oculaire.

O

OASIS. Adrar, asben, désert, eau, igli, jardin, mery, mzab, repos.
OBÉDIENCE. Dépendance, église, obéissance, permission.
OBÉIR. Acquiescer, céder, désobéir, écouter, fléchir, obtempérer, plier.
OBÉISSANCE. Allégeance, aveugle, dépendance, docilité, joug, libre, obédience, observance, passivité, servilité, subordination, sujétion, vœu.
OBÉISSANT. Attaché, dépendant, docile, sage, soumis, souple, têtu.
OBI. Ob.

OBJECTER. Dire, discuter, exciper, infirmer, opposer, réfuter, rejeter.
OBJECTIF. But, cible, final, juste, lentilles, obturateur.
OBJECTION. Contestation, difficulté, estoppel, mais, observation.
OBJET. Amer, amulette, but, chef, chose, dinanderie, épave, ivoire, onde, outil, maroquinerie, stérilet, talisman trésor, truc, ulve, ustensile.
OBLAT-MARIE. Om.
OBLIGATION. Astreinte, bien, boulet, dette, dîme, impôt, loi, nécessité.
OBLIGÉ. Fatal, forcé, formel, impératif, impérieux, rigoureux, tenu.
OBLIGER. Astreindre, condamner, contraindre, forcer, lier, servir.
OBLIQUE. Biais, corne, détour, indirect, scalène, travers.
OBSCÈNE. Cochon, érotique, impur, indécent, ordurier, sale, vicieux.
OBSCUR. Caché, confus, noir, nuageux, terne, vague, vaseux, voilé.
OBSCURCISSEMENT. Inconnu, nébulosité, vaporeusement.
OBSCURITÉ. Chaos, noir, nuage, nuit, ombre, pénombre, ténèbres.
OBSÉDANT. Hantise, lancinant, poursuite, préoccupation, tourmente.
OBSÉDER. Hanter, poursuivre, préoccuper, tourmenter.
OBSERVATEUR. Guetteur, historien, mirador, vigie.
OBSERVATION. Analyser, attention, avertissement, considération, critique, étude, examen, expérience, météo, minutieuse, note, obéissance, pensée, réflexion, remarque, réprimande, reproche.
OBSERVER. Accomplir, analyser, avertir, considérer, critiquer, épier, étudier, examiner, garder, mirer, noter, obéir, pratiquer, réfléchir, regarder, remarquer, réprimander, suivre, tenir, toiser, veiller, voir.
OBSESSION. Ennui, hantise, idée, manie, psychose, souci, tracas.
OBSTACLE. Abattis, difficulté, dirimant, empêchement, entrave, mur.
OBSTINATION. Entêtement, insistance, opiniâtreté, résistance, ténacité.
OBSTINÉ. Buté, endurci, entêté, mule, opiniâtre, tenace, têtu.
OBSTRUCTION. Atrésie, congestion, embolie, iléus, obstacle, occlusion.
OBSTRUER. Barrer, boucher, embouteiller, encombrer, engorger.
OBTEMPÉRER. Céder, obéir.
OBTENIR. Acheter, avoir, capter, extorquer, gagner, glaner, sortir.
OBTURER. Aurifier, boucher, fermer, obstruer, photographier.
OCCASION. Aubaine, brocante, cas, cause, lieu, moment, piège, temps.
OCCASIONNER. Amener, attirer, causer, créer, entraîner, faire, porter.
OCCIDENT. Alliés, couchant, ouest, océan, ponant, soleil.
OCCIRE. Assassiner, tuer.
OCCLUSION. Fermer, iléus, vovulus.
OCCUPATION. Activité, dada, emploi, état, fonction, giron, place, travail.
OCCUPER. Affairer, agir, assiéger, mener, réoccuper, tenir, vaquer.
OCÉAN. Abysse, antarctique, arctique, atlantique, indien, mer, pacifique.
OCTROYER. Accorder, attribuer, concéder, donner.
ODE. Anacréontique, cantique, chant, épode, hymne.
ODEUR. Arôme, brûlé, fumet, graillon, parfum, relent, roussi, senteur.

ODORAT. Antenne, flair, nez, odeur, olfaction, pif, sens.
ŒIL. Anchylop, atone, cil, cornée, cyclope, iris, larme, mirettes, ocelle, orbite, organe, pupilles, quinquets, regard, rétine, uvée, voir, vue.
ŒIL-DE-BŒUF. Fenêtre, oculus.
ŒILLET. Barbatus, deltoïde, dianthus, grenadin, inde, lacet, tagète.
ŒNOTHÈRE. Onagre.
ŒSTRUS. Estrogène, œstrogène, rut.
ŒUF. Coque, graine, larve, lente, omelette, ovale, ove, ovule, nichet.
ŒUVRE. Anthologie, art, berquinade, carène, création, dessin, fable, nouvelle, opéra, ouvrage, page, poème, récit, roman, sculpture, travail.
OFFENSANT. Blessant, choquant, injurieux, insultant, vexant.
OFFENSE. Affront, avanie, blessure, coup, injure, insulte, outrage, péché.
OFFENSER. Blesser, injurier, léser, outrager, outrer, piquer, vexer.
OFFICE. Charge, culte, fonction, messe, offrande, salut, service, titre.
OFFICIEL. Arbitre, authentique, certificat, commissaire, juge, public.
OFFICIER. Adjudant, agréé, amiral, avoué, bey, capitaine, caporal, colonel, coroner, élu, greffier, héraut, huissier, lieutenant, général, licteur, maire, maréchal, notaire, rang, sénéchal, sergent, shérif.
OFFRANDE. Adresse, cadeau, don, envoi, holocauste, offre, vœu.
OFFRE. Enchère, objet, offrande, opa, soumission, surenchère.
OFFRIR. Acheter, dédier, donner, immoler, porter, régaler, sacrifier.
OFFUSQUER. Blesser, choquer, déplaire, injurier, insulter, ulcérer.
OIE. Ansériforme, bernache, blanche, civet, jars, outarde, palme.
OIGNON. Ail, bulbe, ciboule, ciboulette, échalote.
OINDRE. Bénir, consacrer, enduire, graisser, huiler, oing, oint, sacrer.
OISEAU. Acanthis, accipiter, accipitridé, acridothère, actitis, aechmophorus, aegithalos, aegolius, aeronaute, aethia, agelaius, aigle, aigle pêcheur, aigrette, aimophila, aix, ajaia, alauda, alaudidé, albatros, alca, alcédinidé, alcidé, alectoris, alle, alouette, alque, amazili, amazilia, ammodramus, ammoapiza, amphispiza, anas, anatidé, anatiné, anhinga, ani, ansériné, apodidé, apodiformes, ara, aramidé, ardéidé, autour, avocette, balbuzard, barge, bec-en-ciseaux, bécard, bécasse, bécasseau, bécassine, bec-croisé, bec-scie, bendirei, bergeronnette, bernache, bihoreau, bombycillidé, bruant, bulcus, busard, buse, butor, caille, canard, canari, cane, caprimulgidé, caprimulgiformes, caracara, cardinal, carouge, carougette, casse-noix, cathartidé, certhiidé, chama, chamaéidé, charadriidé, charadriiformes, chardonneret, chemineau, chevalier, chevêche, chevêchette, chouette, cigogne, cincle, circé, colibri, colin, colombigalline, colombine, condor, coq, corbeau, cormoran, corneille, coulicou, courlan, courlis, couroucou, crécerelle, cygne, dendrocygne, diablotin, dickcissel, dindon, duc, dur-bec, échasse, effraie, eider, élanion, émeu, engoulevent, épervier, érismature, étourneau, faisan, faucon, fauvette, flamant, fou de bassan, foulque, frégate, fuligule,

gallinule, garrot, geai, gélinotte, géocoucou, gerfaut, gobe-moucheron, gode, goéland, goglu, gorge-bleu, grand-duc, gravelot, grèbe, grimpereau, grive, grivette, gros-bec, grue, guifette, guignette, guillemot, guiraca, harelde, harfang, harle, havelde, héron, hibou, hirondelle, huart, huîtrier, ibis, ictérie, jacana, jars, jaseur, junco, keskidi, labbe, lagopède, linotte, macareux, macreuse, mainate, marmette, marouette, martin, martin-pêcheur, martinet, maubèche, mergule, merle, merle bleu, mésange, milan, milouin, milouinan, moineau, moqueur, morillon, moucherolle, mouette, naucière, noddi, nyctale, oie, olor, oriole, ortalide, outarde, paille-en-queue, paon, paruline, passereau, passerine, pélican, perdrix, perroquet, petit-duc, pétrel, phalarope, phénopèple, pic, pie, pie-grièche, pigeon, pingouin, pinson, pintade, pioui, pipit, pivert, plectrophane, plongeon, pluvier, pouillot, poule, puffin, pygargue, pyrrhuloxia, quiscale, râle, récollet, rémiz, roitelet, roselin, rossignol, rouge-gorge, sansonnet, saphir, sarcelle, serin, sitelle, sizerin, solitaire, spatule, sporophile, sterne, sturnelle, sucrier, sylvette, tangara, tarin, tétras, tohi, toucan, tourdelle, tourne-pierre, tourterelle, traquet, troglodyte, trogon, tyran, tyranneau, vacher, vanneau, vautour, verdin, viréo.

OISEUX. Épineux, inutile, paresseux, vain.

OLAV. Olaf.

OLFACTION. Dysosmie, odorat.

OLIVE. Actinote, couleur, donax, huile, maye, olivâtre, picholine.

OLIVIER. Caducée, oléastre, oléiculteur.

OMBELLIFORE. Anet, aneth, anis, carvi, céleri, cumin, persil, rave, sium.

OMBRE. Estompe, fantôme, noir, nuage, ocre, opacité, pénombre, trait.

OMETTRE. Cacher, escamoter, négliger, oublier, passer, sauter, taire.

OMISSION. Ellipse, faute, lacune, manque, oubli, prétérition, restriction.

ON. Autre, gens.

ONCLE. Avunculat, case, sam, tante, tom, tonton.

ONDE. Antenne, eau, écho, flot, hertz, mer, radar, son, ultrason, vague.

ONDOYANT. Changeant, flamboyant, flottant, houle, ondulant.

ONDULER. Calamistrer, friser, ondoyer, papillonner, spirale.

ONGLE. Corne, coupe-ongles, éperon, ergot, griffe, rubis, sabot, serre.

ONGUENT. Baume, cérat, crème, emplâtre, liniment, miton.

ONOMATOPÉE. Ah, aïe, bah, bip, boum, chut, clac, clic, cocorico, couic, euh, flac, hi, paf, patata, pif, plouf, tac, teuf-teuf, tic, tictac, toc, zest.

OPAQUE. Clair, couvrant, émail, épais, grès, jaspe, ombre.

OPÉRA. Danse, opérette, ouverture, rat, spectacle.

OPÉRATION. Addition, agio, arrestation, bouclage, change, chirurgie, circoncision, curetage, dévaluation, division, enquête, exérèse, formalité, frappe, intervention, lever, multiplication, paracentèse, purge, rafle, règle, report, siège, sorcellerie, soustraction, suture, tri.

OPÉRER. Agir, faire, muter, piller, procéder, recouper, résorber, saisir.
OPINER. Adopter, choisir, croire, déclarer, émettre, estimer, juger.
OPINIÂTRE. Accrocheur, entêté, obstiné, raide, tenace, têtu.
OPINION. Avis, blâme, credo, dogme, école, erreur, estimé, goût, hérésie, idée, imagination, paradoxe, rang, sens, sentiment, thèse.
OPIUM. Codéine, diacode, morphine, narcotique, pavot.
OPPORTUN. Attentisme, convenable, inopportun, intempestif.
OPPOSÉ. Adverse, antipode, contraire, derrière, différent, divergent, envers, extrême, inverse, pôle, résistant, rétrograde, revers, veto.
OPPOSER. Contrer, dédire, exclure, nier, obvier, objecter, réagir, réfuter.
OPPOSITION. Contraste, litige, lutte, non, refus, résistance, verso, veto.
OPPRIMER. Accabler, asservir, courber, fouler, soumettre, subjuguer.
OPUNTIA. Nopal, raquette.
OPUS. Op.
OR. Au, aurifère, carat, claim, doré, dorure, lingot, métal, paillette.
OR NOIR. Pétrole.
ORAGE. Cyclone, dégât, fureur, mistral, ouragan, tempête, typhon, vent.
ORAGEUX. Agité, colère, déchaîné, nuageux, tempétueux, tourmenté.
ORAISON. Discours, méditation, orémus, pater, prière.
ORAL. Dire, écrire, parler, plaidoirie, verbal.
ORANGE. Agrume, clémentine, jaune, mandarine, napel, sardoise, zeste.
ORATEUR. Causeur, diseur, prêcheur, prédicateur, rhéteur, tribun.
ORCHESTRE. Ensemble, fanfare, gamelan, harmonie, musique, opéra.
ORCHESTRER. Diriger, instrumenter, organiser, réorchestrer.
ORCHIDÉE. Aéricole, néottie, ophis, rhizotome, sabot-de-vénus, salep.
ORDINAIRE. Banal, commun, connu, moyen, normal, pauvre, usuel.
ORDONNANCE. Édit, décret, loi, ordre, prescription, règle, règlement.
ORDONNER. Classer, commander, consigner, décerner, dire, disposer, harmoniser, imposer, mander, obliger, organiser, prescrire, sommer.
ORDRE. Chronologie, classement, commandement, consigne, harmonie, injonction, jarretière, loi, mandat, nature, ordonnance, rang, va, vœu.
ORDURIER. Obscène, sale, saloperie.
OREILLE. Cérumen, enclume, étrier, lobe, otite, ourlet, ouïe, tympan.
OREILLER. Coussin, polochon, taie, traversin.
ORFÈVRE. Art, bijou, bijoutier, ciselet, éloi, sautoir, surtout.
ORGANE. Aile, antenne, bec, cœur, corne, dent, foie, œil, membre, muscle, nerf, nez, peau, pénis, pétale, pied, rein, sexe, toc, utérus.
ORGANISATION. BBC, CIA, OCDE, OEA, ONU, OPEP, OTAN, OIT, OMS, FAO, NASA.
ORGANISER. Agencer, axer, fixer, monter, nouer, planifier, régler.
ORGANISME. Anticorps, central, embryon, micro-organisme, service.
ORGANITE. Lysosome, nitrosé, plaste, suc.
ORGE. Bière, blé, cervoise, drêche, escourgeon, froment, malt, seigle.

ORGELET. Furoncle, hordéole, tumeur.
ORGUEIL. Dignité, égoïsme, fatuité, fermeté, fierté, futile, gloire, vanité.
ORGUEILLEUX. Altier, empesé, fat, fier, guindé, hautin, paon, vain.
ORIENT. Arabe, asie, eau, égypte, est, hindou, levant, oriental, soleil.
ORIENTER. Aiguiller, axer, canaliser, centrer, diriger, lieu, reconnaître.
ORIFICE. Anus, astrésie, cathéter, cratère, glotte, ombilic, méat, narine, naseau, œillard, ostiole, ouverture, pore, pupille, pylore, trou, vulve.
ORIGINAIRE. Aborigène, autochtone, génération, indigène, inné, natif.
ORIGINAL. Bizarre, drôle, excentrique, inédit, rare, source, texte, type.
ORIGINE. Base, cause, début, germe, naissance, principe, source, type.
ORIGNAL. Élan.
ORLE. Trêcheur.
ORNÉ. Brodé, décoré, gemmé, lauré, paré, tarabiscoté.
ORNEMENT. Aiguilette, arc, bande, bracelet, chamarrure, chasuble, cimier, cœur, collier, cordon, dorure, enjolivement, épaulette, épi, étoile, étole, feston, fleuron, fanfreluche, jabot, mitre, orle, ove, paon, parure, raide, revers, rosace, ruban, tiare, urne, vermiculure.
ORNER. Border, broder, chamarrer, dorer, embellir, enluminer, illustrer, imager, moulurer, nieller, nimber, parer, tapisser, tarabiscoter.
ORNIÈRE. Cartayer, habitude, routine, trace.
ORPAILLEUR. Or, pailleteur, vin.
ORTHODOXIE. Catholicisme, hésychasme, higoumène, sunna, uniate.
ORTHOGRAPHIER. Écrire.
OS. Arête, astragale, calcanéum, clavicule, côte, crâne, cunéiforme, éthmoïde, fémur, frontal, humérus, olécrane, omoplate, ossements, péroné, radius, rotule, sternum, tibia, uncuis, vertèbre, vomer.
OSCILLER. Balancer, baller, branler, dodeliner, hésiter.
OSCILLATION. Balancement, hésitation, libration, mouvement.
OSEILLE. Acide, argent, oxalique, patience, purée, rumex, surelle.
OSER. Avant, chercher, efforcer, encourir, goûter, risquer, tenter, venir.
OSMIUM. Os.
OSSATURE. Carcasse, longeron, os.
OSSEMENT. Os, relique, reste.
OSSELET. Enclume, étrier, marteau.
ÔTER. Abolir, abroger, annuler, arracher, confisquer, couper, cueillir, déballer, débarrasser, déblayer, déboiser, décapiter, décharner, déclouer, décrotter, déduire, défalquer, déferrer, dégager, dégainer, déganter, dégommer, dégrafer, délester, démancher, dénicher, dénuder, déplumer, dépocher, dépolir, déposséder, dépoter, dépouiller, déraciner, dérater, désaérer, désarmer, déshabiller, déshériter, désosser, destituer, détacher, détrôner, dévêtir, dévisser, éborgner, écaler, écheniller, écrémer, effacer, effeuiller, égrener, éliminer, émonder, emporter, enlever, énouer, entamer, épiler, éplucher, épousseter, épucer, épurer, équeuter, érater,

essuyer, étêter, évincer, exclure, excommunier, exproprier, expurger, extirper, extorquer, glaner, lever, libérer, mutiler, parer, peler, plumer, prélever, prendre, priver, radier, ramasser, raser, ravir, rayer, retirer, retrancher, rogner, sarcler, séparer, sevrer, soustraire, ternir, tirer, tuer, vider, voler.

OU. Alias, soit.

OUBLI. Égarement, erreur, faute, lacune, manque, négligence, omission.

OUBLIER. Laisser, omettre, passer, perdre, sauter, sortir, taire.

OUBLIEUX. Distrait, étourdi, indifférent, ingrat, négligent.

OUI. Accord, agréement, assentiment, aveu, ja, oc, oil, opiner, si, soit.

OUÏE. Auditif, entendre, inaudible, oreille, oyant, sens, sourd, surdité.

OUÏR. Entendre, ouïe, ouï-dire.

OUR. Ur.

OURDIR. Brasser, combiner, comploter, machiner, tisser, tracer, tramer.

OURS. Arctique, brun, callisto, ermite, grizzli, noir, otarie, oursin, panda.

OURSIN. Châtaigne, hérisson, melon, spatangue, test.

OUSTE. Oust.

OUTARDE. Bernache, canepetière, cravant, empereur, nonnette, oie.

OUTIL. Alêne, alésoir, bêche, binette, buis, brunissoir, burin, ciseau, clé, clef, dé, ébauchoir, équerre, étau, faucille, faux, filière, gratte, houe, jabloir, lime, marteau, oiseau, pelle, pioche, plane, plantoir, râble, rabot, raclette, racloir, rodoir, râteau, rénette, résingle, ripe, scie, serfouette, tournevis, truc, truelle, trusquin, varlope, vrille.

OUTRAGE. Affront, ans, avanie, délit, fouet, injure, insulte, offense.

OUTRAGER. Bafouer, conspuer, huer, injurier, insulter, maudire, violer.

OUTRANCE. Démesuré, excès.

OUTRE. Excessif, fort, indigné, par-dessus, plus, révolté, utricule.

OUVERT. Accessible, béant, délabré, éclos, entamé, entrouvert, épanoui, évasé, fendu, fente, franc, inauguré, percé, troué, stomatoscope.

OUVERTURE. Abée, angle, baie, béer, commencer, cratère, créneau, écoutille, écubier, esse, évasure, fenêtre, fente, gueulard, hublot, inauguration, laparotomie, lucarne, méat, narine, nocturne, orifice, ouïe, panneau, pore, prélude, soupirail, trou, troué, tubulure.

OUVRAGE. Annuaire, atlas, bible, bijou, brochure, copie, corvée, dais, devis, digue, écluse, écrit, émail, essai, étude, fort, four, guide, iconographie, implexe, labeur, livre, môle, monument, mur, opéra, oriel, peine, plan, poème, production, ravelin, redan, redent, relief, roman, statue, tableau, tâche, traité, travail, treillis, usuel, voûte.

OUVRIER. Canut, claviste, débardeur, ébéniste, éboueur, foreur, homme, leveur, lissier, maçon, mineur, nattier, péon, praticien, repasseur, scieur, sellier, tanneur, terrassier, tisserand, tourneur.

OUVRIR. Canaliser, clé, clef, éclore, entrouvrir, éventrer, soutirer.

OVATION. Acclamation, applaudissement, triomphe.

OVE. Échine, orle, ornement.
OVULE. Anatrope, cellule, funicule, graine, nucelle, œuf, ovaire.
OXYDATION. Acrylique, étain, oxygène, ozone, patine à térébique.
OXYDE. Aétite, alumine, chaux, émail, étain, éther, litharge, massicot, métal, rouille, rutile, safre, silice, urane, ytterbium, yttria, zircone.
OXYGÈNE. Air, anoxie, gaz, o, oxygéner.
OZONE. Air, assainisseur, couche, gaz.

P

PACAGE. Bestiaux, pâturage, pré.
PACHA. Ali, commandant, oisif, paresseux.
PACHYDERME. Éléphant, hippopotame, ongulé, rhinocéros.
PACIFIQUE. Calme, paisible.
PACTE. Accord, alliance, convention, contrat, paix, traité.
PAF. Ivre.
PAGAYER. Avironner, ramer.
PAGE. Encart, folio, feuillet, garçon, garde, marge, passage, recto, verso.
PAGEOT. Lit.
PAIEMENT. Acompte, acquitter, à-valoir, annuité, avance, règlement.
PAÏEN. Idolâtre, infidèle, irréligieux, mécréant, néophyte, polythéiste.
PAILLE. Chalumeau, chaume, fétu, fourrage, glu, humus, litière, natte.
PAILLON. Tontine.
PAIN. Azyme, baguette, croûte, fesse, flûte, hostie, miche, mie, pita.
PAIR. As, deux, égal, hors, noble, premier.
PAIRE. Apparier, couple, deux, joindre.
PAISIBLE. Béat, calme, coi, pacifique, pantouflard, placide, tranquille.
PAL. Croix, flanc, pieu, vergette.
PALAIS. Château, cour, hôtel, manoir, sérail, ulite, vatican, voûte.
PÂLE. Blanc, blême, bleu, gris, hâve, maladif, mauve, plat, terne, vert.
PALETTE. Bat, battoir, couchoir, férule, pale.
PALIER. Carré, étage, phase, rampe, recette, rez-de-chaussée, volée.
PÂLIR. Blêmir, changer, éteindre, flétrir, ternir.
PALISSADE. Clôture, fortification, lice, mur.
PALLADIUM. Pd.
PALLIER. Adoucir, affaiblir, amoindrir, atténuer, calmer, mitiger, modérer, remédier, voiler.
PALMIER. Arec, cocotier, dattier, doum, élis, latanier, nipa, rotang.
PALMIPÈDE. Canard, cormoran, cygne, oie, pélican, pingouin, sterne.
PALOMBE. Biset, pigeon, ramier.
PALPER. Sensible, tâter, toucher.

PAMPHLET. Encart, blason, brochure, diatribe, écho, feuille, livre, satire.
PAMPLEMOUSSE. Agrume, grappe, pomelo.
PANACÉE. Catholiçon, guérir, médicament, remède.
PANÉGYRIQUE. Apologie, compliment, éloge, félicitations, louange.
PANARIS. Abcès, paronyme, tourniole.
PANIER. Banne, cabas, casse, couffin, hotte, nacelle, nasse, rasse, van.
PANNEAU. Banche, cadre, claie, écran, métope, stop, vitre, volet.
PANNONCEAU. Affiche, carte, écriteau, écusson, enseigne, placard.
PANSE. Crépine, rumen, ventre.
PANSEMENT. Bandage, crêpe, compresse, gaze, ouate, sparadrap.
PANTALON. Braie, culotte, knicker, quadrille.
PANTHÈRE. Léopard.
PANTIÈRE. Pantène.
PANTOUFLE. Chausson, mocassin, mule, savate.
PAPE. Ablégat, chef, conclave, légat, nonce, père, pontif, tiare, vicaire.
PAPE (NOM). Adrien, agapit, agathon, alexandre, anaclet, anicet, anastase, anthère, benoit, boniface, caius, calixte, célestin, clément, conon, constantin, corneille, damase, dieudonné, dionysius, donus, éleuthère, étienne, eugène, eusèbe, eutychien, évariste, fabien, félix, formose, gélase, grégoire, hilaire, honorius, hormisdas, hygin, innocent, jean, jean-paul, jules, landon, léon, libère, lin, lucius, marc, marcel, marcellin, martin, melchiade, nicolas, pascal, paul, pélage, pie, pontien, romain, sabinien, serge, séverin, silvère, simplice, sirice, sisinnius, sixte, soter, sylvestre, symnaque, télesphore, théodore, urbain, valentin, victor, vigile, vitalien, zacharie, zéphirin, zozime.
PAPIER. Carton, émeri, journal, parchemin, papillote, tenture, vélin.
PAPILLON. Acidalie, adonis, aglossa, alucite, argynne, cache, cocon, conelle, danaïde, eudémis, leucanie, machaon, mars, morio, phalène, satyre, sépiole, sphinx, uranie, vanesse, vulcain, zeuzère, zygène.
PAPILLONNER. Butiner, folâtrer, voltiger.
PAQUEBOT. Bateau, liner, navire, transatlantique, vaisseau.
PAQUET. Bagage, ballot, ballotin, balluchon, colis, emballage, liasse.
PARACHUTISTE. Para, sauteur, stick.
PARADE. Crédence, carrousel, défilé, montre, revue, riposte, tenue.
PARADIS. Ciel, éden, havre, nirvana, royaume, séjour.
PARADOXE. Absurdité, contradiction, énormité, originalité, singularité.
PARAGRAPHE. Développement, intertitre, passage, verset.
PARAÎTRE. Aspect, briller, naître, poindre, sembler, simuler, surgir.
PARALYSER. Annihiler, arrêter, bloquer, immobiliser, neutraliser.
PARALYSIE. Anesthésie, asthénie, atonie, atrophie, sclérose, parésie.
PARAPHER. Contresigner, signer, viser.
PARAPHRASE. Fantaisie, imitation, traduction, targum.
PARAPLUIE. Marquise, ombrelle, parasol, pépin, riflard.

PARASITE. Amibe, argas, douve, écornifleur, ectoparasite, gui, ixode, œstre, oxyure, pou, puce, tænia, ténia, tique, urédo, varron.
PARC. Clayère, jardin, marenne, pâturage, tortille.
PARCELLE. Copeau, étincelle, grain, limaille, lopin, miette, partie.
PARCHEMIN. Cosse, diplôme, garde, manuscrit, papier, vélin.
PARCIMONIEUX. Avaricieux, économe, ladre, marchandeur.
PARCOURIR. Arpenter, battre, courir, dévaler, lire, monter, visiter, voir.
PARCOURS. Chemin, étape, itinéraire, link, ronde, route, tour, tracé.
PARDESSUS. Imperméable, jaquette, manteau, outre, surtout, veste.
PARDON. Absolution, excuse, grâce, miséricorde, oubli, rémission.
PARDONNER. Absoudre, excuser, expier, grâcier, oublier, remettre.
PAREIL. Conforme, égal, même, réciproque, semblable, similaire, tel.
PAREILLEMENT. Aussi, avenant, mêmement, parallèlement.
PAREMENT. Décoration, parure, revers.
PARENT. Ascendant, cousin, frère, neveu, nièce, oncle, sœur, tante.
PARENTÉ. Analogie, classificatoire, degré, liaison, lien, union.
PARER. Attifer, diaprer, embellir, éviter, orner, pigeonner, pomponner.
PARESSEUX. Ai, cancre, flâneux, inerte, lambin, mou, oisif, unau.
PARFAIT. Bien, complet, excellent, divin, fin, idéal, impeccable, incomparable, irréprochable, magistral, mûr, perle, rare, réussi.
PARFOIS. Quelquefois.
PARFUM. Aromate, arôme, bouquet, encens, fumet, odeur, senteur.
PARFUMER. Ambrer, anis, aromatiser, embaumer, odorer.
PARIER. Défier, enjeu, gager, miser.
PARKING. Garage, stationnement.
PARLEMENT. Assemblée, chambre, député, douma, sénateur, urne.
PARLER. Aborder, annoncer, bafouiller, baragouiner, bléser, causer, claironner, crier, dauber, débiter, dire, discourir, évoquer, exposer, exprimer, haranguer, hurler, jacter, jargonner, jaser, joual, nasiller, patois, péronier, placoter, prononcer, tarir, tonner, trahir, vociférer.
PARLEUR. Causeur, conférencier, crieur, diseur, gueuleur, jaseur, pie.
PARMI. Dans, emmi, en, entre, sur, trier.
PARODIE. Calque, caricature, copie, imitation, moquer, singerie.
PAROI. Aile, apic, cadre, éponte, mur, voûte.
PAROISSE. Clocher, cure, église.
PAROLE. Aménité, ânerie, annotation, aparté, apophtegme, discours, éloge, énormité, expression, gentillesse, grimoire, impiété, injure, langue, malentendu, menace, mot, objurgations, ordure, sottise, verbe.
PAROXYSME. Accès, acmé, apothéose, colère, comble, crise, exacerbation, extrême, faîte, maximum, perfection, summum, survolté.
PARQUER. Enfermer, garer, stationner.
PARQUET. Carrelage, chevron, moquette, plancher, sol, tapis, tuile.
PARSEMER. Étendre, étoiler, recouvrir, répandre, saupoudrer, semer.

PART. Départ, écot, lopin, lot, particule, quota, quirat, ration, ristourne.
PARTAGE. Dichotomie, division, loti, partition, répartition, séparation.
PARTAGER. Assoler, débiter, découper, dépecer, diviser, fragmenter, graduer, liquider, lotir, morceler, répartir, séparer, ventiler.
PARTANCE. Appareillage, début, départ, exode.
PARTI. Ami, bannière, camp, cause, clan, faction, inféodé, secte.
PARTICIPER. Apporter, assister, collaborer, coopérer, militer, tremper.
PARTICULARITÉ. Caractéristique, modalité, propriété, rareté.
PARTICULE. Atome, corpuscule, da, de, di, du, ka, lepton, méson, micelle, morceau, muon, neutron, nucléon, oc, van, vice, von.
PARTICULIER. Bizarre, individu, propre, rare, spécial, unique.
PARTIE. Fraction, hémi, lot, mi, miette, moitié, morceau, part, semi.
PARTIR. Aller, cavaler, déloger, exiler, filer, fuir, quitter, sortir, venir.
PARTISAN. Acolyte, adepte, allié, ami, fidèle, membre, recrue, tenant.
PARURE. Atour, bijou, diadème, joyau, ornement, parement, toilette.
PARVENIR. Arriver, obtenir, réussir, sauter, succéder, tomber, venir.
PAS. Andain, danse, marche, nul, point, préséance, promenade, seuil.
PASCAL. Pa.
PASSAGE. Allée, berme, brèche, canal, citation, col, corridor, couloir, coursive, défilé, détroit, endroit, extrait, galerie, gorge, gué, issue, pas, passe, pertuis, pont, porte, ras, rue, saut, seuil, texte, trait, verset.
PASSAGER. Durable, éphémère, évanescent, fugitif, précaire, rapide.
PASSE. Canal, circule, coup, histoire, issue, rétrospection, veille.
PASSER. Aller, conclure, couler, couper, cribler, croiser, devancer, devenir, dissiper, écouler, enfuir, entrer, énumérer, étendre, évoluer, excéder, filtrer, fixer, franchir, fusiller, herser, hiverner, lécher, loger, moduler, mourir, omettre, pardonner, pourlécher, raser, ratatiner, refiler, rincer, sasser, sortir, tamiser, tirer, transmettre, traverser.
PASSEREAU. Alouette, bruant, bulbul, carouge, chama, cincle, étourneau, fauvette, geai, gobe-mouches, grimpereau, grive, gros-bec, hirondelle, jaseur, merle, mésange, moineau, moqueur, moucherolle, oriole, pie, pinson, pipit, roitelet, sittelle, tangara, tarin, troglodyte, veuve, viréo.
PASSE-PARTOUT. Clé, clef.
PASSIF. Actif, bilan, engourdi, grammaire, supporter, verbe.
PASSION. Amour, désir, élan, faible, joie, rage, rêve, sentiment, vice.
PASSIONNÉ. Ardent, brutal, chaud, épris, exalté, féru, fou, mordu.
PASSIVITÉ. Inaction, inertie.
PASSOIRE. Filtre, tamis, trépied, trier, ustensile.
PASTEL. Cocagne, couleur, guède, isatis.
PASTEUR. Berger, ministre, missionnaire, prêtre, révérend.
PASTICHER. Imiter.
PÂTE. Abaisse, beigne, beignet, cannelloni, croûte, nouille, macaroni, pâté, pâtisserie, ravioli, spaghetti, tagliatelle, vermicelle, vol-au-vent.

PÂTISSERIE. Baba, chou, gâteau, macaron, pâté, pet, rissole, tarte.
PATRIARCHE. Chef, prophète, tribu, vieillard.
PATRIE. Apatride, civisme, expatrié, nation, patriote, pays, rapatrier.
PATRIMOINE. Bien, héritage, mobilier, part, propriété, succession.
PATRIOTE. Chauviniste, civisme, cocardier, nationaliste, séparatiste.
PATRON. Chef, maître, modèle, protecteur, saint, tenancier.
PATTE. Cuissot, épaulette, ergot, jambe, jarret, pied, pince, sabot, tarse.
PÂTURAGE. Auge, parc, pacage, pâture, prairie, pré, terre.
PÂTURE. Affenage, appât, engrais, pâtis.
PAUPIÈRE. Cil, clin, clignement, orgelet.
PAUSE. Arrêt, attente, chant, halte, point, repos, silence, soupir, station.
PAUVRE. Chétif, gueux, hère, indigent, ladre, minable, miséreux, ruiné.
PAUVRETÉ. Besoin, disette, famine, misère, pénurie, pétrin, stérilité.
PAVER. Briqueter, carreler, daller, damer, macadam, repaver.
PAVILLON. Bannière, belvédère, berne, chalet, cor, drapeau, gloriette, guérite, kiosque, maison, muette, tente, tonnelle, tourelle, villa.
PAVOT. Calmant, coquelicot, huile, morphine, opium, somnifère.
PAYE. Impayé, paiement, péage, rétribution, salaire, solde, terme.
PAYS. Contrée, état, lieu, nation, patrie, région.
PAYS (NOM). Afghanistan, Afrique du Sud, Albanie, Algérie, Allemagne, Andorre, Arabie Saoudite, Argentine, Australie, Autriche, Bahrein, Bangladesh, Barbade, Belgique, Bélize, Bénin, Bhoutan, Birmanie, Bolivie, Bosnie, Botswana, Brésil, Brunei, Bulgarie, Burkina-Faso, Burundi, Cambodge, Cameroun, Canada, Cap Vert, Ceylan, Chili, Chine, Chypre, Colombie, Comores, Congo, Corée du Nord, Corée du Sud, Costa Rica, Côte d'Ivoire, Croatie, Cuba, Dahomey, Danemark, Djibouti, Dominique, Égypte, El Salvador, Émirats, Équateur, Espagne, Estonie, États-Unis, Éthiopie, Finlande, France, Gabon, Gambie, Géorgie, Ghana, Grèce, Grenade, Grenadines, Guatemala, Guinée, Guyana, Guyane, Haïti, Haute-Volta, Honduras, Hongrie, Inde, Indonésie, Irak, Iran, Irlande, Islande, Israël, Italie, Jamaïque, Japon, Jordanie, Kampuchéa, Kenya, Koweït, Laos, Lesotho, Lettonie, Liban, Libéria, Liechtenstein, Libye, Lituanie, Luxembourg, Madagascar, Malawi, Malaisie, Maldives, Mali, Malte, Maroc, Maurice, Mauritanie, Mexique, Monaco, Mongolie, Mozambique, Namibie, Népal, Nicaragua, Niger, Nigéria, Norvège, Nouvelle-Guinée, Nouvelle-Zélande, Oman, Ouganda, Pakistan, Panama, Papouasie, Paraguay, Pays-Bas, Pérou, Philippines, Pologne, Portugal, Puerto Rico, Qatar, République Dominicaine, Réunion, Rhodésie, Roumanie, Royaume-Uni, Rwanda, Sainte-Lucie, Saint-Marin, Saint-Vincent, Salvador, Salomon, Samoa, Sénégal, Seychelles, Sierra Leone, Singapour, Slovaquie, Slovénie, Somalie, Soudan, Sri Lanka, Suède, Suisse, Surinam, Swaziland, Syrie, Taïwan, Tanzanie, Tchad, Tchécoslovaquie, Thaïlande, Tobago, Togo,

Trinidad, Tunisie, Turquie, URSS, Uruguay, Vatican, Venezuela, Viêt-nam, Yémen, Yougoslavie, Zaïre, Zambie, Zimbabwe.

PAYSAGE. Cadre, décor, horizon, panorama, perspective, site, vue.

PAYSAGISTE. Architecte, décorateur, dessinateur, jardinier, peintre.

PAYSAN. Campagnard, fellah, habitant, péon, poète, rural, rustre.

PEAU. Acné, basane, bolbos, couenne, cuir, lèpre, lupus, maroquinerie, mue, nævus, pelage, pellagre, pellicule, pityriasis, rubéfaction.

PÉCHÉ. Avarice, capital, colère, envie, faute, gourmandise, ire, luxure, mortel, orgueil, paresse, tache, vice, véniel.

PÉDAGOGUE. Enseignant, maître, professeur.

PÉDAGOGIE. Éducation, enseignement, instruction.

PÉDANT. Bonze, cuistre, doctoral, us, vaniteux.

PEIGNE. Affinoir, garde, drège, grège, râteau, ros, séran.

PEIGNOIR. Déshabillé, robe, sortie de bain.

PEINDRE. Peinturlurer, poser, repeindre, ripoliner, spatuler, veiner.

PEINE. Affliction, ahan, amende, bannissement, calamité, châtiment, dam, déportation, difficulté, fatigue, guillotine, mal, misère, mort, pendaison, prison, punition, purger, ronce, supplice, tracas, travail.

PEINER. Affliger, ahaner, chagriner, débattre, déplaire, émouvoir, fâcher, fatiguer, lutter, remuer, sévir, suer, toucher, trimer, troubler.

PEINTRE. Animalier, aquarelliste, artiste, badigeonneur, barbouilleur, figuratif, fresquiste, imagier, pastelliste, portraitiste, paysagiste, rapin.

PEINTURE. Aquarelle, art, cadre, couleur, fresque, gouache, grisaille, image, lavis, marine, pastel, portrait, paysage, ripolin, tableau, vue.

PELAGE. Isatis, livrée, peau, poil, robe.

PELER. Dérober, écorcer, écorcher, éplucher, muer, ôter, racler, rober.

PÈLERINAGE. Défilé, liesse, pardon, voyage.

PÈLERINE. Berthe, camail, cape, collet, mozette.

PELISSE. Fourrure, manteau.

PELLE. Bêche, drague, écope, épuisette, étrier, godet, grattoir, spatule.

PELLICULE. Bande, cuticule, écalure, envie, épiderme, film, peau, pépie.

PELOUSE. Gazon, herbe, prairie.

PELUCHE. Toutou, velu.

PÉNALISATION. Destitution, sanction.

PÉNALITÉ. Amende, astreinte, punition, sanction, surtaxe.

PENCHANT. Amour, attrait, caprice, couché, désir, faiblesse, génie, goût, obligeance, malice, méchanceté, passion, pente, tendance, volonté.

PENCHER. Coucher, décliner, déverser, favoriser, incliner, trébucher.

PENDAISON. Gibet, hart, potence.

PENDANT. De, durant, lâche, lorsque, pour, puisque, quand, tandis.

PENDRE. Assassiner, balancer, repentir, retenir, soutenir, traîner, tuer.

PENDULE. Coucou, horloge, montre, réveil, trotteuse.

PÉNÉTRATION. Finesse, infection, infusion, mixtion, osmose, percée.

PÉNÉTRER. Entrer, imbiber, larder, lire, mêler, percer, piquer, transir.
PÉNIBLE. Amer, ardu, difficile, dur, effort, éprouvant, fâcheux, fatigant, fort, honte, lourd, pesant, poignant, rude, triste, tuant, vide.
PÉNICHE. Barge, bateau, chaland.
PÉNINSULE. Presqu'île.
PÉNITENCE. Absolution, carême, châtiment, expiation, pardon, punition.
PÉNITENCIER. Bagne, geôle, prison.
PÉNITENT. Ermite, flagellant, repentant.
PENSÉE. Adage, âme, axiome, but, cauchemar, dogme, idée, rêvasserie.
PENSER. Aviser, croire, espérer, imaginer, juger, méditer, rêver, songer.
PENSIF. Philosophe, rêveur, soucieux, songeur.
PENSION. Internat, institution, logement, maison, rente, retraite.
PENSIONNAIRE. Élève, hôte, interne, locataire.
PENTE. Côte, descente, égout, escarpement, rampe, talus, versant.
PÉNURIE. Absence, crise, disette, embarras, manque, pauvreté, rareté.
PERCEPTIBLE. Audible, inaudible, insaisissable, sensible, visible.
PERCEPTION. Audition, fisc, gustation, levée, œil, sensation, vision.
PERCER. Aléser, creuser, crever, cribler, enferrer, fenestrer, forer, larder, ouvrir, perforer, piquer, réussir, saborder, saigner, trouer.
PERCEVOIR. Entendre, lever, ouïr, recevoir, saisir, sentir, toucher, voir.
PERCHE. Âge, bar, gaffe, juchoir, mât, pieu, rame, tendeur, tuteur.
PERCUSSION. Batterie, choc, collision, coup, heurt, marteau.
PERDRE. Baguenauder, changer, démâter, égarer, flâner, fondre, gâter, mourir, muer, pâtir, peler, périmer, périr, ravir, ruiner, tomber.
PERDU. Condamné, cuit, égaré, fichu, foutu, gâché, incurable.
PÈRE. Auteur, beau-père, créateur, fondateur, papa, parent, sénateur.
PERFECTION. Beauté, couronnement, divinement, excellence, idéal.
PERFECTIONNER. Améliorer, corriger, élaborer, parachever, retoucher.
PERFIDE. Déloyal, infidèle, rusé, scélérat, traître.
PERFIDIE. Déloyauté, infidélité, noirceur, ruse, scélératesse, traîtrise.
PERFORER. Forer, larder, percer, poinçonner, térébrer, trouer, vriller.
PÉRIL. Danger, détresse, écueil, hasard, menace, piège, récif, risque.
PÉRIODE. Année, automne, avent, congé, cueillette, décade, degré, durée, époque, ère, étape, été, heure, hiver, néogène, nuaison, octave, œstrus, phase, printemps, rut, saros, semailles, session, stage, temps.
PÉRIR. Couler, décimer, faucher, immoler, mourir, noyer, tomber, tuer.
PERLE. Bijou, eau, erreur, œil, orient, mil, noces, pintadine, semence.
PERMANENT. Continu, durable, éternel, fixe, immobile, stable, toujours.
PERMETTRE. Admettre, concéder, endurer, laisser, oser, passer, tolérer.
PERMIS. Approbation, droit, légal, légitime, licence, licite, loisible.
PERMISSION. Approbation, autorisation, dispense, habilitation, passe.
PERNICIEUX. Dangereux, fatal, funeste, malin, malsain, nocif, nuisible.
PERPENDICULAIRE. Apothème, droit, flèche, hauteur, pied, théorème.

PERPLEXE. Agité, incertain, indécis, embarrassé, soupçonneux.
PERROQUET. Ara, cacatoès, conure, euphème, jacquot, lori, perruche.
PERRUCHES. Inséparables.
PERSE. Chah, iran, islam, mazdéisme, satrape, shah, zend, zoroastre.
PERSÉCUTER. Martyriser, obséder, poursuivre, torturer, tourmenter.
PERSÉVÉRANCE. Constance, obstination, opiniâtreté, patience, ténacité.
PERSÉVÉRER. Continuer, insister, obstiner, patienter, tenir.
PERSIENNE. Battant, jalousie, loqueteau, volet.
PERSISTANCE. Néoténie, réverbération, stroboscopie, vitalité.
PERSISTER. Continuer, demeurer, durer, persévérer, subsister.
PERSONNAGE. Dignitaire, fat, héros, individu, nom, rôle, scène, type.
PERSONNALITÉ. Connu, ego, légume, notable, quelqu'un, sommité.
PERSONNE. Adjoint, adulte, agitateur, agrégé, allié, amant, ami, âne, ange, annonceur, apiculteur, arbitre, arriviste, artiste, as, ascète, assassin, aventurier, bohème, boiteux, brigand, cave, chaperon, chorégraphe, cleptomane, client, coco, compatriote, crétin, crieur, défendeur, délateur, député, détenue, diététicienne, dresseur, écervelé, échalote, économe, électeur, élégante, élève, emplâtre, émule, ermite, espion, étranger, être, étudiant, évadé, extra, fauteur, fidèle, gens, girouette, homme, hôte, hôtelier, iconolâtre, idole, inculpé, individu, intrus, juge, ladre, lauréat, leader, libérateur, limace, locataire, luron, maître, malchanceux, manucure, marionnette, mec, mécène, mécréant, médium, membre, meunier, miséreux, moi, monde, mortel, moutardier, nabot, naturaliste, négociant, noceur, notable, nouille, nul, numismate, ogre, oint, on, orateur, otage, parti, patient, pédant, peintre, penseur, personnalité, pie, poire, poison, preneur, prévenu, propriétaire, qui, quidam, raseur, raté, receveur, recrue, renard, renégat, rentier, ribaud, rieuse, salaud, saligaud, secrétaire, seigneur, signataire, soldeur, sophiste, sorcier, sosie, souillon, statue, tacticien, teigne, tenancier, thaumaturge, tiers, titan, tortionnaire, touriste, tuteur, type, vandale, unijambiste, usurpateur, vaurien, videur, vigneron, vipère, zigoto.
PERSPICACE. Avisé, clairvoyant, fin, intelligent, sagace, subtil.
PERSPICACITÉ. Discernement, flair, observation, sagacité, vue.
PERSUADER. Attirer, capter, captiver, convaincre, éblouir, émouvoir, enjôler, gagner, graver, parler, saisir, séduire, tenter, toucher.
PERTE. Aliénation, amnésie, analgésie, anorexie, aphasie, apraxie, coma, décès, deuil, échec, hémorragie, ire, mal, manque, mue, naufrage, ruine.
PERTURBATION. Apraxie, dérangement, lésion, orage, trouble.
PERTURBER. Déranger, émotionner, gêner, traumatiser, troubler.
PERVERS. Licence, méchant, noir, sadique, vicieux.
PERVERSION. Avarice, corruption, dépravation, masochisme.
PESANT. Charge, épais, lourd, massif, poids, stupide.
PESANTEUR. Apesanteur, densité, fardeau, gravité, lourdeur, utricule.

PESER. Appuyer, balancer, charger, coûter, mesurer, presser, tarer.
PESSIMISTE. Alarmiste, défaitiste, maussade, mélancolique, optimiste.
PESTER. Colère, enrager, fumer, invectiver, maronner, rager, rogner.
PÉTALE. Aile, corolle, étendard, feuille, fleur, labile.
PÉTILLANT. Bruit, effervescent, étincelant, moussant.
PÉTILLER. Briller, chatoyer, crépiter, étinceler, mousser, péter.
PÉTIOLE. Feuille, gaine, queue.
PETIT. Chétif, court, exigu, fluet, limité, minime, minuscule, rabougri.
PÉTOCHE. Peur.
PÉTOIRE. Fusil.
PETON. Pied.
PÉTRIFIER. Ébahir, éclair, pierre, tonnerre.
PÉTRIR. Malaxer, manipuler, masser, modeler, presser.
PÉTROLE. Essence, fuel, gaz, gazoline, kérosène, naphte, vaseline.
PÉTULANT. Action, badin, fol, fou, geste, turbulent, vif.
PEU. Atome, bagatelle, bref, brin, broutille, élémentaire, guère, médiocre, mince, passager, petit, rare, rien, succinct, tantinet, zeste.
PEUPLADE. Collectivité, horde, peuple, tribu.
PEUPLE. Gent, habitant, horde, masse, nation, peuplade, plèbe, populace, population, populo, prolétariat, public, race, sous-peuplé, tribu.
PEUPLIER. Argenté, baumier, blanc, faux-tremble, gris, lombardie, noir, palmer, salicoside, sargent, tremble, velu, virginie, ypréau.
PEUR. Anxiété, crainte, effroi, émoi, frayeur, frousse, fuite, phobie, poltronnerie, souleur, suée, terreur, trac, transe, trouille, veinette.
PHASE. Crise, degré, échelon, étape, palier, période, quartier, stade.
PHÉNOL. Crésol, dioxine, naphtol, resorcine, thymol.
PHÉNOMÈNE. Arc-en-ciel, cycle, météore, mirage, personnage, phase.
PHILOSOPHE. Cynique, humaniste, idéologue, penseur, sage, sophiste.
PHILTRE. Amour, breuvage, élixir, magie.
PHOSPHATE. Apatite, turquoise, uranite.
PHOTOGRAPHIE. Achrome, album, diaphragme, écran, film, microfilm, photo, photocopie, photostat, portrait, pose, posemètre, vue.
PHRASE. Allusion, bribe, exemple, expression, neume, période, style.
PHYSIONOMIE. Air, expression, faciès, figure, physique, visage.
PHYSIQUE. Corporel, matériel, mathématique, mil, physionomie, sexe.
PIAILLER. Criailler, crier, jaboter, jaser, piauler.
PIANISTE. Accompagnateur, musicien.
PIC. Aiguille, escarpe, ger, midi, mont, oiseau, rivelaine, têt.
PICCOLO. Octavin, picrate, vin.
PICHOLINE. Olive.
PIE. Agace, agasse, avocette, bavard, boréale, épeichette, pie-grièche.
PIÈCE. Alaise, canon, caractère, filière, morceau, organe, prélude, unité.

PIÈCE DE BOIS. Âge, arêtier, bâcle, barre, billot, chevron, étrésillon, hie, linteau, mât, pieu, poteau, poutre, rame, sep, solive, timon, tréteau.
PIÈCE D'ÉCHEC. Cavalier, dame, fou, pion, reine, roi, tour.
PIÈCE DE MUSIQUE. Barcarolle, berceuse, impromptu, motet, sonate.
PIÈCE D'UN NAVIRE. Ancre, bastingage, étambot, foc, mât, pont, timon.
PIÈCE DE THÉÂTRE. Comédie, féérie, pastorale, revue, rôle, tragédie.
PIED. Anapeste, bas, bot, cep, jambe, pas, patte, peton, serre, vers.
PIÈGE. Appât, cage, filet, gluau, nasse, ratière, rets, souricière, trappe.
PIERRE. Aétite, aigue-marine, calcul, camée, claveau, diamant, émeraude, galet, gemme, gravelle, grenat, grès, gypse, intaille, jade, lapis, liais, margelle, menhir, mica, obélisque, œil-de-chat, œil-de-tigre, olivine, opale, pendeloque, péridot, perle, pierrerie, ponce, roc, roche, rubis, saphir, silex, tombe, topaze, tourmaline, voûte, zircon.
PIÉTÉ. Dévotion, édification, recueillement, religion, sainteté.
PIEU. Bâton, échalas, épi, épieu, pal, palis, perche, pilori, pilot, piquet.
PIEUX. Ascète, béat, bigot, cagot, croyant, dévot, pie, religieux.
PIÈZE. Pz.
PIGE. An, année.
PIGEON. Biset, capucin, carme, cave, dindon, dupe, fuie, goura, palombe, ramier, tarte, tourte, tourterelle.
PILAF. Épice, riz.
PILE. Amas, bac, défaite, ensemble, face, générateur, solaire, tablier.
PILIER. Ante, balustre, colonne, jambe, soutien, support.
PILLAGE. Dévastation, invasion, rapine, ravage, razzia, saccage.
PILLARD. Bandit, brigand, détrousseur, écumeur, saccageur, voleur.
PILLER. Abîmer, détruire, envahir, plagier, ravager, ruiner, voler.
PILON. Battre, bourroir, cuisse, destruction.
PILOTE. Chasseur, conducteur, copilote, lamaneur, marin, timonier.
PIMENT. Poivron.
PIN. Albicaule, argenté, aristé, arole, autriche, balfour, blanc, chihuahua, cône, coulter, elliot, englemann, épicéa, épineux, gemme, glabre, gomme, gris, jeffrey, marais, mélèze, monterey, muriqué, pinède, pignons, pinastre, piquant, pive, ponderosa, rigide, rouge, sapin, sables, souple, sucre, sylvestre, tardif, torrey, virginie, vrillé.
PINACLE. Haut, sommet, vantardise.
PINARD. Vin.
PINCÉ. Affecté, maniéré.
PINCE. Barrette, bigoudi, casse-noix, clip, davier, épiloir, frisoir, outil.
PINCEAU. Ante, blaireau, brosse, ente, hampe, putois.
PINCER. Arrêter, mordre, piquer, prendre, presser, saisir, serrer.
PINGRE. Avare, chiche, grippe-sou, lésineur, radin, serré, tire-sou.
PIOCHE. Bine, binette, creuser, houe, hoyau.
PIOLET. Canne.

PION. Dame, pièce, soldat, surveillant.
PIONNIER. Créateur, découvreur, défricheur.
PIPE. Bouffarde, calumet, chibouque, houka, narguilé, pipette.
PIQUANT. Acide, âcre, aigre, aigu, amer, épine, fort, pointu, sel, vif.
PIQUER. Coudre, dérober, larder, mordre, percer, pincer, tatouer, voler.
PIQUET. Bâton, pal, perche, pic, pieu, tuteur.
PIRATE. Bandit, brigand, boucanier, contrebandier, corsaire, écumeur, escroc, flibustier, forban, voleur.
PIROUETTE. Cabriole, danse, tour.
PISCINE. Bain, nager, plonger, patogeuse.
PISSER. Anurie, pissoter, uriner.
PISTE. Autodrome, chemin, corde, hors-piste, trace.
PISTER. Dépister, filer, racoler, suivre, tracer.
PISTOLET. Arme, feu, fusil, mitrailleur, pétard, revolver, rigolo.
PITANCE. Aliment, gage, manger, nourriture, repas.
PITEUX. Minable, pitoyable.
PITIÉ. Apitoyer, bonté, charité, clémence, commisération, compassion, dur, merci, miséricorde, plainte, sentiment, sympathie.
PITTORESQUE. Cachet, coloré, couleur, original, site, typique.
PIVERT. Pic.
PIVOTER. Axer, tourner.
PLACE. Alésia, barreau, emplacement, endroit, espace, gîte, halle, lieu, parc, parvis, position, poste, rang, siège, site, situation, sur, terrain.
PLACER. Aposter, armer, caler, caser, déplacer, déposer, disposer, espacer, établir, fixer, insérer, interposer, installer, mettre, poser, positionner, poster, rajuster, ranger, remiser, serrer, servir, situer.
PLAGIER. Approprier, copier, imiter, piller, prendre, puiser, voler.
PLAIDER. Défendre, irrecevabilité, postuler, suspicion.
PLAIDOIRIE. Apologie, défense, réquisitoire.
PLAIE. Blessure, bleu, brûlure, coupure, lésion, morsure, ulcère.
PLAINDRE. Accuser, crier, geindre, gémir, lamenter, pleurer, réclamer.
PLAINE. Campagne, delta, pampa, prairie, steppe.
PLAINTE. Cri, grief, lamentation, murmure, pétition, pleur, reproche.
PLAINTIF. Dolent, grincheux, plaignant.
PLAIRE. Agréer, amuser, attirer, charmer, ravir, satisfaire, séduire.
PLAISANT. Agréable, amusant, attrayant, beau, bon, charmant, cocasse, comique, drôle, gai, plaisantin, riant, rigolo, turlupin.
PLAISANTER. Badiner, blaguer, moquer, railler, rire, spirituel.
PLAISANTERIE. Attrape, badinage, blague, bouffonnerie, boutade, canular, dérision, facétie, farce, gag, moquerie, quolibet, satire, tour.
PLAISANTIN. Bouffon, farceur, fin, joueur, mystificateur, rieur.
PLAISIR. Amitié, délice, joie, régal, rire, sadisme, satisfaction, volupté.
PLAN. Abrégé, cadre, canevas, dessin, épure, plat, projet, tir, topo, uni.

PLANCHE. Ais, aises, alaise, alèse, arbre, couche, dessin, dosse, madrier, merrain, plinthe, selle, tableau, tablette, théâtre, tremplin, tuile.
PLANCHER. Étage, parquet, plate-forme, pont, sol, solive.
PLANCHETTE. Abaque, aisseau, bardeau, escarlopette, panneau, tirette.
PLANÈTE. Ascendant, astrologie, ellipse, jupiter, lune, mars, mercure, neptune, orbite, pluton, satellite, saturne, soleil, terre, uranus, vénus.
PLANIFIER. Agencer, arranger, combiner, composer, organiser, régler.
PLANT. Cépage, pépinière, semis.
PLANTATION. Aunaie, bananeraie, orangeraie, oseraie, rizière.
PLANTE. Absinthe, alyssum, amaranthus, ancolie, anémone, asclépiade, balsamine, basilic, bégonia, cactus, capucine, célosie, chrysanthème, coléus, cosmos, cyclamen, dahlia, eucalyptus, fuchsia, gaillarde, géranium, giroflée, gloire-du-matin, hibiscus, impatiens, lupin, marguerite, matricaria, mignonnette, mimosa, monnaie-du-pape, muflier, nigella, œillet, pâquerette, passiflore, pavot, pensée, pétunia, philodendron, phlox, pied-d'alouette, pourpier, ricin, rose, rudbeckia, sedum, tournesol, verveine, violette, xeranthenum, yucca, zéa, zinnia.
PLANTER. Abandonner, arborer, élever, ficher, piquer, transplanter.
PLAQUE. Armure, dalle, disque, halo, naüve, pancarte, repère, stèle.
PLAQUETTE. Couche, disque, éclisse, feuille, frein, sabot, stèle, tessère.
PLAT. Assiette, banal, égal, entrée, entremet, gnocchi, moussaka, paëlla, plan, potée, ragout, ravier, risotto, service, spécialité, uni, vaisselle.
PLATE-FORME. Balcon, hune, palier, plancher, quai, ras, tablier.
PLATEAU. Mesa, planèze, set, table, tampon, théâtre, tourne-disque.
PLATINE. Pl.
PLATITUDE. Bassesse, fadaise, servilité.
PLÂTRE. Chaux, coquille, crépi, gypse, maçon, mortier, solin, statue.
PLAUSIBLE. Apparent, bien, prétexte, probable, trompeur, visible, vrai.
PLÉBÉIEN. Client, peuple, populace, tribun.
PLÉBISCITER. Élire, voter.
PLEIN. Abondant, animé, bondé, étoffé, fort, gras, ivre, nourri, ras, seul.
PLEINEMENT. Animé, bondé, bourré, délié, étoffé, rassasier, saturer.
PLÉONASME. Battologie, datisme, grammaire, tautologie.
PLÉTHORE. Abondance, excès.
PLEUR. Hi, larme.
PLEURER. Chialer, gémir, lamenter, miauler, pleurnicher, sangloter.
PLEURNICHER. (Voir pleurer.)
PLEUTRE. Lâche, peureux, poltron.
PLEUVOIR. Arroser, bruiner, inonder, pleuvoter, pluvioter, tremper.
PLI. Aine, corne, creux, étiré, friser, levée, repli, revers, ride, sillon.
PLIE. Alèse, carrelet.
PLIER. Céder, corner, courber, fléchir, ployer, mourir, succomber.
PLISSER. Crêper, friper, froisser, froncer, gaufrer, gercer, rider.

PLOMB. Pb.
PLONGER. Abîmer, baigner, couler, échauder, endeuiller, tremper.
PLONGEUR. Baigneur, homme-grenouille, pingouin, scaphandrier.
PLOYER. Courber, fléchir, plier, recourber.
PLUIE. Averse, bruine, eau, embrun, giboulée, grêle, ondée, orage.
PLUMARD. Lit.
PLUME. Auteur, duvet, écriture, huppe, penne, rémige, style, tectrice.
PLURIEL. Pl.
PLUS. Beaucoup, davantage, excès, mieux, supérieur, surplus, trop.
PLUSIEURS. Macédoine, maint, mainte, moult, multitude, polygame, polyglotte, polyvalent, quelques, total, tmèse, union, versicolore.
PLUTONIUM. Pu.
PNEUMATIQUE. Dépêche, enveloppe, pneu, pompe.
PO. Éridan, pasdus, transpadan.
POCHARD. Ivrogne.
POCHE. Abajoue, bâche, estomac, fonte, gésier, jabot, musc, panse, sac.
POCHETÉE. Niais.
POÊLE. Brûleur, chaleur, crêpière, cuisinière, feu, four, fourneau.
POÈME. Élégie, énéide, épopée, geste, lai, ode, poésie, rime, vers.
POÉSIE. Fable, lyrisme, ode, poème, rime, sonnet, strophe, vers.
POÈTE. Auteur, barde, chantre, cigale, écrivain, rimeur, versificateur.
POIDS. As, charge, frai, lourdeur, mesure, quintal, sicle, statère, tare.
POIGNARD. Arme, coutelas, crid, criss, épée, krid, scramaxe, stylet.
POIGNARDER. Blesser, darder, harponner, piquer.
POIL. Barbe, brosse, cil, crin, laine, mue, nu, ongle, plume, soie, toison.
POILU. Barbu, chevelu, moustachu, pubescent, velu, villeux.
POINÇON. Alène, coin, marque, style, trait.
POINT. Cap, cardinal, est, ouest, mûr, négation, nord, sommet, sud, vue.
POINTE. Acéré, aigu, bec, cap, corne, cuspide, ergot, estoc, piton, rivet.
POINTER. Ajuster, diriger, mirer, tirer, tendre, viser.
POIRE. Bonasse, coing, naïf, poirier.
POIREAUTER. Attendre, différer, espérer, languir, retarder, traîner.
POISON. Antiar, arsenic, curare, datura, digitaline, toxique, upas, venin.
POISSER. Arrêter, déveine.
POISSON. Achigan, alose, ange, anguille, arête, bar, barbotte, barbue, brochet, carpe, crapet, crapet-soleil, corégone, darne, doré, épée, éperlan, espadon, esturgeon, flétan, hareng, lépisoste, loche, lotte, malachigan, maskinongé, meunier, morue, muge, mulet, murène, omble, ouitouche, ouananiche, perchaude, poisson-castor, poulamon, piranha, plie, raie, sardine, saumon, scare, sébaste, sole, thon, truite.
POITRINE. Buste, cœur, coffre, côte, estomac, gorge, jabot, sein, torse.
POLI. Affable, aimable, civil, galant, glacé, honnête, lisse, mat, net, uni.
POLICE. Assurance, FBI, gendarme, milice, policier, PP, RCMP, SQ, SS.

POLICIER. Agent, chien, cogne, condé, détective, flic, gardien, gendarme, limier, poulet, roman, roussin, sbire.
POLIR. Cirer, dégrossir, égriser, limer, lisser, poncer, retoucher, unir.
POLITESSE. Agréer, cérémonie, décence, respect, tact, urbanité.
POLITIQUE. Anarchie, campagne, doctrine, parlementaire, tract.
POLLUER. Crotter, maculer, noircir, profaner, salir, souiller, tacher.
POLTRON. Capon, couard, craintif, froussard, lâche, peureux, pleutre.
POLYGONE. Apothème, décagone, heptagone, hexagone, octogone.
POLYPE. Acétabule, alvéole, bras, cœlentérés, corne, tubipore.
POMMADE. Crème, lanoline, rosat, uve.
POMME. Api, cidre, patate, paradis, pigne, pommier, reinette, tomate.
POMPE. Apparat, calandre, canon, cylindre, faste, lance, luxe, seringue.
POMPETTE. Amboulé, gai, joyeux.
POMPEUX. Déclamatoire, emphatique, solennel, somptueux.
POMPIER. Sapeur, sirène, solennel, pathos, tailleur.
PONCTUEL. Assidu, exact, régulier.
PONT. Arc, arche, bac, butée, culée, entrepont, gué, jetée, passerelle, péage, pont-levis, pile, ponton, tablier, tillac, viaduc, voûte.
PONTIFE. Pédant, légat, pape, prélat, prêtre.
POPULAIRE. Célébrité, gloire, légendaire, peuple, plébéien, prolétaire.
PORC. Cochon, goret, glouton, porcelet, pourceau, sanglier, truie, verrat.
PORCHERIE. Auge, boiton, étable, porcher, soue.
PORT. Abri, attache, bassin, havre, jetée, maintien, posture, rade.
PORTE. Entrée, hayon, huis, passage, porche, portail, poterne, portière.
PORTÉE. Champ, degré, hauteur, élément, enclin, niveau, rayon, sphère.
PORTEFAIX. Bricole, crocheteur, phrygane, porteur.
PORTEFEUILLE. Bourse, carton, classeur, porte-monnaie, trousse.
PORTER. Aller, arborer, asséner, barder, blesser, décider, descendre, élever, encliner, entraîner, étendre, étrenner, inscrire, lever, outrer, puer, rendre, retirer, scandaliser, subordonner, tendre, transporter.
PORTEUR. Coltineur, commissionnaire, débardeur, facteur, messager.
PORTIER. Cerbère, concierge, gardien, geôlier, huissier, gorille.
PORTION. Arc, champ, corps, fragment, lot, part, pièce, ration, zone.
PORTIQUE. Péristyle, porche, porte, tambour, torana, vestibule.
PORTRAIT. Album, buste, effigie, figure, gravure, image, tableau.
PORTRAITISTE. Caricaturiste, imagier, figuriste, graveur, peintre.
POSE. Calme, exposition, froid, grave, instantané, réfléchi, sage.
POSER. Agir, atterrir, engluer, mettre, miner, placer, situer, soulever.
POSITIF. Absolu, certain, évident, exact, formel, oui, précis, réel, vrai.
POSITION. Attitude, cas, estime, guêpier, lieu, sis, tête-bêche.
POSSÉDER. Avoir, démoniaque, détenir, eu, propriété, pourvu, situer.
POSSIBILITÉ. Croyance, débouché, embauche, éventualité, faculté, moyen, permission, pouvoir, probabilité, sursis, virtualité.

POSSIBLE. Admissible, applicable, compétitif, compréhensible, concevable, douteux, espérance, éventuel, exécutable, facile, facultatif, faisable, hasardeux, incertain, libre, loisible, plausible, potentiel, pouvoir, praticable, probable, réalisable, virtuel, vraisemblable.
POST-SCRIPTUM. P.-S.
POSTE. Émetteur, emploi, essencerie, garde, observatoire, radio, vigie.
POSTÉRIEUR. Après, avenir, cul, derrière, nuque, suivant, ultérieur.
POSTÉRITÉ. Avenir, descendant, enfant, fils, génération, progéniture.
POSTICHE. Artificiel, factice, faux, moumoute, perruque.
POSTURE. Allure, attitude, contenance, pose, position, situation, station.
POTABLE. Buvable, passable.
POTAGE. Bisque, bouillie, bouillon, crème, coulis, louche, philtre, soupe.
POTEAU. Mât, pièce, pieu, pilori.
POTELÉ. Dodu, gras, grassouillet, gros.
POTENCE. Corde, estrapade, gibet, patibulaire, portemanteau, victime.
POTENTIEL. Évolution, possible, prospect, tension, virtuel.
POTERIE. Céramique, faïence, figurine, grès, porcelaine, terre.
POTION. Boire, breuvage, élixir, guérir, magie, médicament.
POU. Lente, morpion, tique, toto, vermine.
POUCE. Pce.
POUDRE. Came, égrisée, kif, iris, malt, pulvérin, sciure, talc, vermoulure.
POUDRER. Broyer, enfariner, maquiller, moudre, sabler, saupoudrer.
POUFFER. Amuser, badiner, marrer, moquer, pâmer, rire, tordre.
POULE. Agami, caqueter, cocotte, fille, foulque, géline, œuf, poulette.
POULET. Coq, policier, poussin.
POULIE. Agrès, bigue, brin, cône, corde, gréement, palan, réa, rouet.
POULINIÈRE. Cheval, jument, pouliche.
POULIOT. Treuil.
POULPE. Mollusque, pieuvre.
POUMON. Aspirer, expirer, haleine, mou, poitrine, rejeter, respirer.
POUPON. Bébé, enfant.
POUR. Afin, but, intention, pro, vouloir.
POURCENTAGE. Adjudication, degré, probabilité, proportion, taux.
POURCHASSER. Chasser, poursuivre, talonner, traquer.
POURQUOI. Ainsi, aussi, cause, comment, intention, motif, raison.
POURRIR. Avarier, corrompre, décomposer, gâter, putréfier, ulcérer.
POURSUITE. Après, justice, lièvre, persécution, recherche, retraite.
POURSUIVRE. Continuer, intenter, pourchasser, rechercher, traquer.
POURTANT. Cependant, néanmoins, toutefois.
POURTOUR. Bord, circonférence, circuit, entourer, périmètre, tour.
POURVOIR. Armer, dédicacer, don, douer, monter, munir, nantir, orner.
POUSSÉE. Choc, éclos, enclin, grandi, jet, mû, point, refrain, tendance.
POUSSER. Acculer, bousculer, boutonner, chasser, couiner, crier, éloigner,

émettre, étendre, exciter, huer, hurler, inciter, jeter, lever, mener, mouvoir, mugir, piauler, propulser, refouler, rugir, vagir.
POUSSIÈRE. Atome, boue, cendre, miette, pollen, poudre, sable, stuc.
POUTRE. Ais, bau, longeron, madrier, planche, poutrelle, soffite, solive.
POUVOIR. Action, choix, dictature, évoquer, faculté, force, habileté, latitude, liberté, moyen, munir, ordre, pu, règne, thaumaturgie, trône.
PRAIRIE. Pacage, pampa, pâturage, pelouse, pré, savane, vallée.
PRASÉODYME. Pr.
PRATIQUE. Aisé, art, commode, facile, possible, routine, usage, usuel.
PRATIQUER. Acquérir, boycotter, castrer, charcuter, déboucher, éprouver, essayer, exécuter, exercer, expérimenter, faire, miner, occuper, perforer, piper, skier, sodomiser, tâter, vasectomiser.
PRÉCARITÉ. Brièveté, caducité, évanescence, fragilité, fugacité.
PRÉCÈDE. Avant, avant-garde, ouverture, pré, préambule, prénatal.
PRÉCÉDER. Antérieur, anticiper, ci, devancer, émaner.
PRÊCHER. Annoncer, convertir, évangéliser, exhorter, sermonner, vanter.
PRÉCIPICE. Abîme, gouffre, ravin.
PRÉCIPITATION. Fondre, hâte, palpitation, pluie, rapidité, ruer, vitesse.
PRÉCIPITER. Brusquer, courir, élancer, foncer, jeter, presser, tomber.
PRÉCIS. Concis, conforme, distinct, exact, fin, juste, net, pile, rigoureux.
PRÉCISER. Délimiter, détailler, déterminer, expliciter, spécifier, stipuler.
PRÉCISION. Clarté, exactitude, justesse, minutie, rigueur.
PRÉCOCE. Hâtif, prématuré, sénilisme.
PRÉCONISER. Prêcher, prôner, recommander, vanter.
PRÉCURSEUR. Ancêtre, guide, larve, pionnier, prédécesseur, premier.
PRÉDICATION. Chaire, discours, mission, oracle, prophétie, sermon.
PRÉDICTION. Astrologie, horoscope, présage, prophétie, révélation.
PRÉDIRE. Annoncer, augurer, dire, présager, pronostic, prophétiser.
PRÉDISPOSÉ. Enclin, penchant, tendance.
PRÉFACE. Avant-propos, avis, canon, introduction, notice, préambule.
PRÉFÉRENCE. Goût, option, partialité, penchant, plutôt, prédilection.
PRÉFIXE. Ab, abs, ad, aer, anté, anti, archi, auto, bi, co, déca, deuto, di, dia, éco, épi, éso, ex, extra, géo, hect, hémi, hyper, im, in, infra, inn, inter, intra, ir, iso, juxta, kilo, me, meg, mes, méso, méta, mi, micro, milli, mono, nécro, néo, ob, oct, octo, para, per, phil, pico, post, pré, pseudo, re, rétro, semi, simili, sub, super, supra, syn, télé, tétra, thermo, trans, ultra.
PRÉJUDICE. Atteinte, baraterie, dam, dommage, gêner, perte, tort.
PRÉJUGÉ. Habitude, idée, opinion, parti pris, présomption, tradition.
PRÉLAT. Cardinal, exarque, monsignore, pape, pontife, primat.
PRÉLÈVEMENT. Amortissement, biopsie, ponction, saignée.
PREMIER. Abc, aîné, ancêtre, as, aube, chef, créateur, début, ébauche,

entame, étrenne, genèse, initial, origine, maire, meilleur, patron, pionnier, précurseur, prime, roi, supérieur, têtard, tête, un.
PRENDRE. Aborder, accaparer, adopter, affréter, agripper, aimer, assumer, attester, attraper, boire, capter, capturer, cesser, coincer, conspirer, courir, décamper, dérober, dîner, écrémer, déjeuner, dîner, empoigner, engager, enlever, épouser, imiter, intercepter, jouer, lire, louer, mouler, naître, noter, obvier, ôter, parer, partir, pêcher, peser, piger, pincer, prélever, rapiner, ravir, relever, respirer, rire, saisir, servir, souper, soustraire, succéder, surprendre, tergiverser, voler.
PRÉNOM. Antécédent, apôtre, évangéliste, nom, pape, saint.
PRÉOCCUPÉ. Chagriné, ennuyé, inquiet, libre, pensif, songeur, soucieux.
PRÉPARATIF. Apprêt, armement, branle-bas, organisation.
PRÉPARATION. Calcul, cosmétique, émulsion, entraînement, hachis, jus, marinade, organisation, pain, pâte, projet, saumure, tablette, vin.
PRÉPARER. Couver, cuire, doser, élaborer, façonner, praliner, trousser.
PRÉPOSÉ. Agent, bibliothécaire, commis, employé, pompiste.
PRÉPOSITION. Après, avant, avec, chez, contre, dans, de, deçà, delà, depuis, dès, en, entre, envers, fors, hormis, hors, malgré, négation, par, parmi, pendant, pour, sans, sauf, selon, sous, suivant, sur, trans, vers.
PRÉROGATIVE. Préséance, privilège.
PRÈS. Adjacent, contigu, mitoyen, proche, tangente, voici, voisin.
PRÉSAGE. Annonce, augure, horoscope, menace, signe, symptôme.
PRESBYTÈRE. Abbé, covenant, curé, puritain.
PRESCRIPTION. Commandement, loi, observation, ordonnance, péremption, règlement, rite, usucapion.
PRESCRIRE. Annuler, commander, dicter, observer, ordonner, régler.
PRÉSENCE. Alibi, assiduité, infestation, omniprésence, supporter.
PRÉSENT. Actuel, aujourd'hui, cadeau, don, étrenne, legs, offrande.
PRÉSENTEMENT. Actuellement, ores, nouvellement, récemment.
PRÉSENTER. Avoir, donner, étaler, exhiber, expliquer, exposer, importer, mériter, minimiser, montrer, offrir, porter, poser, posséder, proposer.
PRÉSERVER. Abriter, aider, éviter, garer, obombrer, protéger, sauver.
PRÉSIDENT. Coprésident, chef, directeur, pdg, septennat.
PRESQUE. Approximativement, négligeable, peu, quasi, quasiment.
PRESSANT. Impérieux, important, instant, urgent.
PRESSÉ. Dépêché, étreint, hâté, impatient, serré, touffu, urgent.
PRESSENTIMENT. Demande, futur, intelligence, intuition, prédiction.
PRESSENTIR. Demander, deviner, douter, flairer, prédire, sentir.
PRESSER. Accélérer, dépêcher, étreindre, exciter, hâter, imprimer, peser, pétrir, pousser, repasser, serrer, talonner, tasser, vendanger.
PRESTANCE. Air, allure, aspect, carrure, maintien, mine, tenue.
PRESTATION. Allocution, assermentation, discours, laïus.
PRESTE. Actif, agile, diligent, habile, prompt, souple, urgent, vif, vite.

PRESTIGE. Auréole, charme, gloire, illusion, influence, pouvoir.
PRÉSUMER. Augurer, conjecturer, croire, soupçonner, supposer.
PRÊT. Avance, créance, dette, emprunt, location, mûr, paré, subside.
PRÉTENDRE. Affirmer, aspirer, flatter, lorgner, prétexter, vouloir.
PRÉTENTIEUX. Crâneur, morveux, orgueilleux, vaniteux.
PRÉTENTION. Ambition, crânerie, dandysme, orgueil, présomption.
PRÊTER. Aider, confier, créditer, écouter, entendre, imputer, louer, ouïr.
PRÉTEXTER. Alléguer, arguer, excuser, justifier, objecter, opposer.
PRÊTRE. Abbé, archevêque, aumônier, bonze, célébrant, chamoine, curé, druide, évêque, lama, missionnaire, monseigneur, pape, vicaire.
PREUVE. Alibi, argument, copie, gage, indice, reçu, témoignage, témoin.
PRÉVENIR. Alerter, avertir, devancer, empressement, éviter, remédier.
PRÉVISION. Alerter, attente, avertissement, avis, budget, indexation.
PRÉVOIR. Alerter, avertir, aviser, deviner, flairer, indexer, sentir.
PRIER. Adorer, adjurer, appeler, demander, inviter, invoquer, supplier.
PRIÈRE. Angélus, appel, avé, bénédicité, canon, crédo, demande, gloria, introït, libera, litanie, oraison, orémus, requête, requiem, salve, salut.
PRIEUR. Cloître, oblat, religieux, supérieur.
PRIE-DIEU. Agenouilloir, genou.
PRIME. Assurance, boni, escompte, report, récompense, surprime.
PRINCE. Altesse, archiduc, monarque, noble, page, règne, roi, vizir.
PRINCIPAL. Âme, axe, centre, clé, clef, directeur, dominant, essentiel, fondamental, maître, nerf, pivot, prédominant, premier, primordial.
PRINCIPE. Âme, axiome, base, cause, clé, clef, critère, germe, idée, loi, norme, origine, pensée, postulat, règle, source, soutien, vérité, virus.
PRIORITÉ. Aîné, avant, droit, préséance.
PRISE. Capture, clé, clef, ciseau, dispute, levée, saisie, scène, unité.
PRISON. Cabane, cachot, cage, ergastule, geôle, pénitencier, trou, tôle.
PRISONNIER. Captif, condamné, détenu, esclave, galérien, otage.
PRIVATION. Anorexie, besoin, captivité, défaut, faim, famine, inanition, jeûne, manque, perte, rareté, retenue, sans, sevrage, surdité, vide.
PRIVÉ. Dépourvu, froid, intérieur, intime, muet, particulier, sec.
PRIVER. Démunir, dépouiller, déshériter, interner, sevrer, sourd.
PRIVILÈGE. Apanage, avantage, caste, dispense, droit, faveur, licence.
PRIX. Cher, cours, coût, devis, inconvénient, loyer, rançon, taux, valeur.
PROBABILITÉ. Apparence, certitude, croyance, fiabilité, hypothèse.
PROBABLE. Acceptable, éventuel, plausible, possible, rationnel.
PROBITÉ. Conscience, droiture, honnêteté, intégrité, loyauté.
PROBLÈME. Colle, faim, énigme, ennui, os, question, souci, thème.
PROCÉDÉ. Cinérama, détrempé, fonderie, méthode, moyen, offset, phototypie, recette, simili, similigravure, sténo, typographie, variation.
PROCÉDER. Agir, balancer, découler, émaner, faire, relever, tâtonner.
PROCÉDURE. Avoué, chicane, dire, méthode, poursuite, référé, urgence.

PROCÈS. Action, affaire, cause, crime, démarche, fond, instance, justice.
PROCHAINEMENT. Autre, avant-coureur, bientôt, imminence.
PROCHE. Adjacent, attenant, avoisinant, contigu, imminent, limitrophe, parent, près, rapproché, ressemblant, semblable, sur, voici, voisin.
PROCLAMATION. Annonce, ban, déclaration, propagation, publication.
PROCLAMER. Annoncer, confesser, crier, déclarer, divulguer, propager.
PROCRÉER. Engendrer, régénérer.
PROCURER. Avoir, caser, donner, fournir, loger, pouvoir.
PROCUREUR. Avocat, défenseur.
PRODIGE. Étonnement, miracle.
PRODIGIEUX. Beaucoup, extraordinaire, fou.
PRODUCTEUR. Industriel, salinier.
PRODUCTION. Accord, cru, ouvrage, produit, récolte, rendement, sidérurgie, suppuration, surproduction.
PRODUIRE. Agacer, agir, alliage, arriver, causer, citer, créer, crier, donner, faire, grincer, écrire, élancer, émettre, faire, fructifier, générer, léser, mousser, opérer, pondre, rapporter, ronfler, siffler, soutenir.
PRODUIT. Acier, blé, carré, cirage, crème, cru, cuvée, effet, fruit, fumé, gel, grésille, héroïne, huile, légume, lessive, mascara, miel, nouveauté, œuf, ovaire, porcelaine, recette, récolte, savon, soie, tôle, travail, usure.
PROÉMINENT. Arcade, bossu, bouton, gros, haut, saillant.
PROFANATION. Pollution, sacrilège, souillure, viol.
PROFANER. Déflorer, gâter, polluer, salir, souiller, ternir, violer.
PROFÉRER. Dire, jeter, prononcer, rugir, vociférer, vomir.
PROFESSEUR. Enseignant, maître, prof, régent, toge, universitaire.
PROFESSION. Art, carrière, emploi, état, gagne-pain, métier, robe, vie.
PROFESSIONNEL. Architecte, avocat, chirurgien, comptable, dentiste, herboriste, ingénieur, journaliste, médecin, notaire, pro, spécialiste.
PROFIL. Aubaine, bénéfice, contour, côté, dessin, gain, galbe, parti.
PROFIT. Aubaine, avantage, bénéfice, boni, compte, fruit, gain, pour.
PROFOND. Abîme, abstrait, bas, creux, haut, impénétrable, obscur.
PROFONDEUR. Abîme, abysse, creux, hauteur, intensité, pénétration.
PROFUSION. Abondance, déborder, prodigalité, pulluler, rare, luxe.
PROGRÈS. Amélioration, avancement, bond, degré, essor, étape, mieux.
PROGRESSER. Améliorer, avancer, cheminer, élever, gagner, monter.
PROHIBER. Arrêter, défendre, empêcher, exclure, inhiber, prévenir.
PROJECTEUR. Lampe, limière, passerelle, phare, spot.
PROJECTILE. Balle, bombe, flèche, grenade, obus, missile, pruneau, trait.
PROJECTION. Cinémascope, composant, diaporama, film, spot, vidéo.
PROJET. Bill, but, dessin, fin, idée, intention, plan, rêve, si, utopie, vue.
PROJETER. Bâtir, combiner, jeter, méditer, mûrir, penser, rêver, songer.
PROLONGATION. Continuation, délai, retard, supplément, survie.
PROLONGEMENT. Appendice, axone, cône, pourtour, procès, queue.

PROLONGER. Allonger, continuer, durer, pousser, survivre, tenir
PROMENADE. Balade, chevauchée, excursion, flâner, mail, tour, virée.
PROMESSE. Acceptation, assurance, ban, engagement, expectative, fiançailles, fidélité, gageure, honneur, offre, otage, oui, parole, protestation, serment, singe, vœu.
PROMÉTHIUM. Pm.
PROMETTRE. Affirmer, assurer, certifier, déclarer, donner, engagement, espérer, fiancer, jurer, obliger, offrir, vouer.
PROMONTOIR. Cap, éperon.
PROMOTION. Avancement, nomination, triomphe.
PROMPT. Actif, coléreux, colérique, irascible, lent, preste, rapide, vif.
PROMPTITUDE. Célérité, entrain, fougue, hâte, lenteur, vivacité.
PRONOM DÉMONSTRATIF. Celle, celles, celle-ci, celle-là, celles-ci, celles-là, celui, celui-ci, celui-là, ceux, ceux-ci, ceux-là.
PRONOM FAMILIER. Te, toi, tu.
PRONOM INDÉFINI. Aucun, autre, autrui, chacun, nul, on, personne, plusieurs, quelqu'un, quiconque, rien, tel, tout, un, une, unes, uns.
PRONOM PERSONNEL. Elle, elles, en, eux, il, ils, je, la, le, les, leur, lui, me, moi, nous, se, soi, te, toi, tu, vous, y.
PRONOM POSSESSIF. Leur, leurs, mien, mienne, miennes, miens, nôtre, notres, sien, sienne, siennes, siens, tien, tienne, tiennes, tiens, vôtre, vôtres.
PRONOM RELATIF. Auquel, auxquelles, auxquels, desquelles, desquels, dont, duquel, laquelle, lequel, lesquelles, lesquels, que, qui, quoi.
PRONONCER. Dicter, dire, énoncer, juger, jurer, nommer, parler, rendre.
PRONONCIATION. Accent, bégaiement, dystomie, logopédie, synalèphe.
PROPAGATION. Avancement, diffusion, expansion, rayonnement.
PROPAGER. Colporter, courir, circuler, diffuser, répandre, semer, voler.
PROPHÈTE. Bible, devin, malheur, prédicateur.
PROPHÉTISER. Fiction, futur, patriarche, prédire.
PROPICE. Ami, bon, commode, favorable, utile.
PROPORTION. Dimension, dosage, moyen, pièce, rapport, sur, vaste.
PROPORTIONNER. Convenir, doser, évaluer, mesurer, moyenner.
PROPOS. Baliverne, bave, but, duo, gaudriole, radotage, ritournelle.
PROPOSER. Dire, exposer, formuler, libeller, négocier, offrir, présenter.
PROPOSITION. Assertion, axiome, offre, lemme, théorème, thèse, toast.
PROPRE. Blanc, bon, clair, distinct, luisant, net, pur, sain, style, taille.
PROPRIÉTAIRE. Actionnaire, châtelain, maître, possesseur, seigneur.
PROPRIÉTÉ. Bien, domaine, efficacité, faculté, pouvoir, titre, vertu.
PROPULSEUR. Action, moteur, réacteur.
PROSCRIRE. Abolir, bannir, blâmer, chasser, exiler, expulser, rejeter.
PROSE. Auteur, langage, poème, poésie, prosaïque, roman, séquence.
PROSPÉRER. Aller, fleurir, gagner, grandir, grossir, marcher, réussir.

PROSPÉRITÉ. Abondance, argent, bonheur, gloire, richesse, succès.
PROSTITUÉE. Call-girl, catin, cocotte, courtisane, fille, garce, grue, peripatéticienne, poupée, putain, pute, racoleuse, roulure, traînée.
PROTACTINIUM. Pa.
PROTECTEUR. Armure, cuirasse, garde, gardien, mécène, patron, tuteur.
PROTECTION. Abri, aile, appui, égide, patronage, sauvegarde, tutelle.
PROTÉGER. Abriter, aider, barder, cuirasser, défendre, patronner.
PROTÉINE. Amine, gélatine, globuline, myosine, ovalbumine, sérine.
PROTESTANT. Anglican, évangéliste, huguenot, orangiste, quaker.
PROTESTER. Affirmer, crier, objecter, râler, réclamer, rouspéter.
PROTOXYDE. Litharge.
PROTOZOAIRE. Amibe, cilié, euglène, infusoire, rhizopode, stendor.
PROTUBÉRANCE. Tubérosité.
PROUE. Bateau, cap, nez, poue, poupe, vaisseau, yacht.
PROUESSE. Exploit, performance, record.
PROUVER. Arguer, avérer, déduire, établir, montrer, réfuter, révéler.
PROVENIR. Découler, émaner, issu, naître, partir, sortir, tenir, venir.
PROVERBE. Adage, bible, dicton, maxime, pensée, précepte, réflexion.
PROVINCE. Canton, comté, département, duché, état, principauté.
PROVOCATION. Cartel, cause, défi, excitation, irritation, tentation.
PROVOQUER. Agacer, allumer, amener, amorcer, braver, causer, convier, défier, émouvoir, entraîner, exciter, irriter, naître, tenter.
PROXÉNÈTE. Entremetteur, jules, mac, pim, souteneur.
PROXIMITÉ. Approche, avoisiner, degré, pour, près, voisinage.
PRUDE. Bégueule, chaste, pudique, puritain.
PRUDENCE. Attention, minutie, précaution, réserve, sagesse, vigilance.
PRUDENT. Avisé, calme, circonspect, mesuré, sage, timide, timoré.
PRUNE. Cerisette, damas, ente, madeleine, mirabelle, pruneau.
PSEUDONYME. Anagramme, cryptonyme, nom, plume, surnom.
PSYCHANALYSE. Analyse, étude.
PSYCHIQUE. Conscient, intellectuel.
PSYCHOLOGIE. Âme, caractère.
PSYCHOLOGIQUE. Influence, intellectuel.
PSYCHOSE. Obsession, paranoïa.
PUANT. Chanceux, dédaigneux, fétide, malodorant, nauséabond.
PUBLIC. Agora, assistance, audience, auditeur, auditoire, café, collectivité, foire, forum, huis clos, lecteur, scandale, spectateur.
PUBLICATION. Ban, édition, hebdomadaire, journal, livre, ouvrage, magazine, mensuel, parution, proclamation, recueil, revue, tabloïd, tirage.
PUBLIER. Aviser, crier, donner, édicter, éditer, faire, lancer, tirer, voir.
PUCE. Chique, daphnie, talitre.
PUCELLE. Puceau, vierge.

PUCERON. Aleurode, chermès, coccinelle, cochenille, kermès, rhynchotes.
PUDEUR. Chasteté, décence, honneur, honte, pureté, réserve, vertu.
PUDIQUE. Chaste, décent, honte, prude, pur, sage, vergogne.
PUÉRIL. Enfantillage, frivole, futile, inutile, neutre, stérile, vain.
PUGILAT. Ceste, combat, lutte, rixe.
PUGILISTE. Batailleur, boxeur, lutteur.
PUIS. Après, ensuite, subséquemment.
PUISER. Pêcher, pomper, seau, urne.
PUISSANCE. Autorité, effet, empire, étoile, faculté, force, loi, magie.
PUITS. Artésien, aven, bure, coffrage, igue, mine, puisard, raval, sonde.
PULVÉRISER Atomiser, broyer, détruire, fixer, moudre, vaporiser.
PUMA. Couguar, guépard, eyra.
PUNAISE. Actée, cimicaire, naucore, nèpe, pentatome, rhynchotes, vélie.
PUNIR. Battre, châtier, coller, corriger, mater, saler, sévir, venger.
PUNITION. Amende, châtiment, correction, pensum, sanction, talion.
PUPILLE. Atropine, myopie, œil, orphelin, prunelle.
PUPITRE. Ambon, bureau, lutrin.
PUR. Blanc, chaste, clair, droit, fin, franc, inaltéré, innocent, intact, irréprochable, limpide, naturel, net, saint, serein, vertueux, vierge.
PURÉE. Aligot, bouillie, misère, pauvreté.
PURETÉ. Candeur, chasteté, droiture, idéal, innocent, pudeur, vertu.
PURGER. Curer, débarrasser, dégager, évacuer, expulser, purifier.
PURIFICATION. Ablution, aération, affinage, baptême, épuration.
PURIFIER. Assainir, clarifier, épurer, laver, purger, raffiner.
PUS. Abcès, écoulement, humeur, ichor, pyurie, sanie, suppurer.
PUTRÉFIER. Décomposer, empester, gâter, infecter, moisir, pourrir.
PUTOIS. Brosse, fourrure, furet, mustélidés, vison.
PYGARGUE. Aigle, mer, orfraie.
PYLÔNE. Pilier, portail, support, tour, trinôme.
PYRALE. Carpocapse, chenille, maladie, papillon.
PYRAMIDE. Aiguille, apothème, chéops, chéphren, escalade, mykérinos.
PYTHON. Boa, diasis, molure, morélia, réticulé, serpent, royal, tigre.
PYTHONISSE. Astrologue, devin, magicien, oracle, sorcier, voyant.
PYURIE. Ulcère, urine.
PYXIDE. Boîte, capsule, couvercle, hostie.

Q

QAT. Hallucinogène, kat, kath, plante.
QUADRANT. Arc, cercle, circonférence, grade.
QUADRATURE. Angle, calcul, carré, cercle, problème, réduction.

QUADRILATÈRE. Carré, losange, parallélogramme, trapèze.
QUADRILLAGE. Grille, moustiquaire, trame.
QUADRIPÈDE. Âne, bélier, bœuf, bouc, caribou, castor, chameau, chat, cheval, chien, girafe, lama, lapin, lion, rat, singe, tigre, vache, zèbre.
QUAI. Appontement, cale, débarcadère, embarcadère, gare.
QUALIFICATIF. Adjectif, appellation, nom, nos, notre, vos, votre, titre.
QUALIFIER. Appeler, désigner, nommer, onduler, titrer, traiter.
QUALITÉ. Actualité, acuité, agilité, aloi, âme, attrait, authenticité, automaticité, bonté, don, dose, douceur, éclat, égal, eutocie, facilité, goût, hauteur, ingéniosité, inné, légalité, léger, mode, mutabilité, noblesse, nocivité, nom, paternité, permutabilité, plus, promptitude, sévérité, simplicité, solidité, tant, tare, tendreté, timbre, unité, vertu.
QUAND. Comme, lorsque, moment.
QUANTITÉ. Airée, bouchée, carat, cuillerée, dose, duite, excès, flopée, fournée, inconnue, kyrielle, nombre, masse, montant, multitude, myriade, pierre, ponte, rhumb, somme, stère, tétée, trinôme, unité.
QUARTIER. Camp, ghetto, morceau, pâté, périphérie, secteur, zone.
QUARTZ. Agate, améthyste, grès, œil-de-tigre, rubis, silex.
QUASI. Pratiquement, presque, quasiment.
QUÉBEC. Qué.
QUELQUE. Certain, quantité, si, tout, un.
QUELCONQUE. Médiocre, objet, personnage, tissu, trêve.
QUELQUEFOIS. Fois, occasion, parfois, rarement.
QUELQU'UN. Grand, important, magnat, notable, personne, tel, un.
QUÉMANDER. Demander, quêter, solliciter.
QUENOTTE. Dent.
QUERELLE. Altercation, débat, démêlé, esclandre, noise, rixe, scène.
QUERELLER. Agacer, bagarrer, braver, chicaner, narguer, tempêter.
QUESTION. Demande, énigme, interrogation, problème, réflexion.
QUESTIONNER. Demander, enquérir, interroger, poser, rechercher.
QUÊTER. Chercher, demander, mandier, rechercher, solliciter.
QUEUE. Anus, billard, léonure, paon, piano, tige, traîne, vêtement.
QUIÉTUDE. Ataraxie, béatitude, calme, repos, sérénité, tranquillité.
QUIPROQUO. Bévue, erreur, méprise.
QUITTANCE. Patente, reçu, récépissé.
QUITTER. Abandonner, déloger, lâcher, laisser, partir, renoncer, semer.
QUOLIBET. Injure, ironie, moquerie, plaisanterie, raillerie, rire.
QUOTE-PART. Contribution, cotisation, écot, prorata, quotité, tantième.
QUOTIDIEN. Jour, journal, journalier.
QUOTIENT. Capacité, densité, masse, pression, quantité, Q.I.

R

RABÂCHER. Ennuyer, parler, radoter, répéter.
RABAIS. Adjudication, bonification, diminution, moindre, remise, solde.
RABAISSER. Abaisser, abattre, baisser, déprécier, écraser, mépriser.
RABAN. Amarre, cordage, tresse.
RABAT. Pli, rabat-joie, volet.
RABATTRE. Abaisser, déchanter, déduire, ôter, racoler, relâcher, river.
RABAT-JOIE. Éteignoir.
RABOTEUX. Cahot, inégal, rude, rugueux.
RACAILLE. Lie, populace.
RACCOMMODER. Arranger, rapiécer, ravauder, réparer, repriser.
RACCOMPAGNER. Conduire, guider, escorter, flanquer, reconduire.
RACCORDER. Accorder, épissurer, joindre, relier, ruiler.
RACCOURCIR. Couper, détour, diminuer, écourter, guillotiner, résumer.
RACCOURCISSEMENT. Contraction, embuvage, étraction, rétraction.
RACE. Bâtard, ethnie, famille, gens, lignée, métis, nation, sang, souche.
RACHITIQUE. Héliothérapie, noué, rabougri.
RACHITISME. Nouure.
RACINE. Alizari, base, émule, ipéca, ipécacuana, radicelle, raifort.
RACLER. Écorcher, érafler, gratter, limer, raboter, ramoner, râper.
RACLOIR. Strigile.
RACONTER. Conter, dire, exposer, narrer, réciter, relater, retracer.
RADIAN. Ra.
RADICAL. Absolu, complet, définitif, rationnel, révolutionnaire, sec.
RADIO. CBF, CFCF, CIEL, CITE, CJAD, CJMS, CKAC, CKOI, CKMF, CKVL.
RADIUM. Ra.
RADON. Rn.
RADOUCIR. Adoucir, alléger, apaiser, calmer, limer, modérer, polir.
RAFLER. Accaparer, approprier, enlever, gagner, ratiboiser.
RAGE. Animosité, colère, crise, fureur, furie, irritation, tollé, violence.
RAGOÛT. Cassoulet, civet, mets, navarin, rata, ratatouille, salmis.
RAIDE. Affecté, ankylosé, austère, dur, empesé, engourdi, ferme, fixe, fort, guindé, inébranlable, inflexible, rigide, rigoureux, tendu.
RAIDIR. Amurer, bander, durcir, empeser, engourdir, fixer, tendre.
RAIE. Bande, canal, ligne, lisière, onde, onyx, rayé, tiret, trace, trait.
RAILLER. Chiner, critiquer, ironiser, moquer, rire, satiriser.
RAILLERIE. Caricature, insinuation, ironie, plaisanterie, sarcasme.
RAINURE. Costière, creux, encoche, entaille, gorge, jable, rayure.
RAIRE. Bramer, réer.
RAISIN. Cuve, grappe, râpe, suc, treille, uval, vendange, vigne, vin.
RAISON. Argument, cause, équilibre, fol, fou, motif, preuve, rime, vain.

RAISONNABLE. Argument, compréhensif, équilibré, intelligent, logique, modéré, preuve, probable, prudent, réaliste, réfléchi, sage, sensé.
RAISONNEMENT. Absurde, argument, dilemme, donc, raison, sens.
RAISONNER. Inférer, penser, philosopher, prouver, réfuter, spéculer.
RÂLE. Marouette, râlement, stertoreux.
RALENTIR. Décélérer, freiner, inhibitif, modérer, parachute, retarder.
RALENTISSEMENT. Dépression, relâchement, retard, stase.
RALLIER. Adhérer, adopter, approuver, assembler, réformer, rejoindre.
RAMASSER. Amasser, charger, glaner, râteler, récolter, relever, tapir.
RAMBARDE. Balustrade, batayole, garde-corps, lisse.
RAME. Aviron, branche, godille, liesse, pagaie, pale, papier, ramette.
RAMEAU. Arcon, branche, brindille, dard, écot, osier, mère, pampre.
RAMENER. Amener, ranimer, rapatrier, ressusciter, rétablir, retirer.
RAMER. Avironner, canoter, godiller, nager, pagayer.
RAMEUR. Canotier, espalier, galérien, skiff.
RAMIER. Colombin, palombe, pigeon.
RAMIFICATION. Branche, cor, embranchement, étendre, subdivision.
RAMPE. Balustrade, montée, passerelle, pilastre.
RANCARDER. Rencarder, rendez-vous, renseigner.
RANCŒUR. Aigreur, amertume, rancune, ressentiment.
RANCUNE. Dent, haine, rancœur, rancunier, ressentiment, vengeance.
RANG. Avant, degré, égal, file, grade, ligne, ordre, place, tête, tour.
RANGÉE. Colonnade, balustrade, file, haie, ligne, rampe, rang, travée.
RANGER. Aligner, classer, combiner, garer, mettre, placer, soumettre.
RANIMER. Attiser, exciter, guérir, rajeunir, raviver, recréer, refaire.
RÂPER. Limer, rafler, user.
RAPETISSER. Diminuer, raccoucir, ratatiner.
RAPIAT. Avide, chiche, gain.
RAPIDE. Accéléré, agile, alerte, brusque, diligent, fulgurant, prompt, vif.
RAPIDITÉ. Boutade, promptitude, vélocité, vitesse, vivacité, volubile.
RAPIÈRE. Épée.
RAPPELER. Commémorer, évoquer, raconter, retracer, souvenir.
RAPPORT. Analogie, aspect, bulletin, calibre, causalité, cote, indice, intervalle, juger, latitude, méridien, natalité, produit, ratio, terme.
RAPPORTER. Capitaliser, citer, donner, porter, référer, répéter, rendre.
RAPPROCHEMENT. Alliance, flirt, ralliement, réunion, serrage.
RAPPROCHER. Associer, attiser, joindre, pincer, rallier, réunir.
RAPT. Enlèvement.
RARE. Anormal, bizarrerie, étrange, exceptionnel, extraordinaire, inaccoutumé, inouï, insolite, inusité, inusuel, rarissime, surprenant.
RASER. Couper, effleurer, ennuyer, friser, frôler, passer, tondre.
RASSASIER. Gaver, gorger, nourrir, repaître, satisfaire, saturer.
RASSEMBLEMENT. Attroupement, manifestation, ralliement, réunion.

RASSEMBLER. Ameuter, grouper, joindre, rallier, recruter, réunir.
RASSURER. Apaiser, consoler, rassurant, tranquilliser.
RASTAQUOUÈRE. Étranger, intrigant.
RAT. Campagnol, chiche, ondatra, mulot, musqué, potorou, xérus.
RATIBOISER. Approprier, râfler, tuer.
RATIFIER. Approuver, confirmer, consacrer, entériner, plébisciter.
RATISSER. Gratter, râcler.
RATITES. Aptéryx, autruche, casoar, émeu, kiwi, nandou.
RATTACHEMENT. Annexion, branchement, jonction.
RATTRAPER. Attraper, indexation, raccrocher, regagner, rejoindre.
RATURER. Barrer, biffer, corriger, effacer, rayer.
RAUQUE. Enroué, éraillé.
RAVAGER. Détruire, dévaster, infester, piller, ruiner, saccager, sévir.
RAVIGOTER. Ranimer, réanimer, remonter, revigorer.
RAVIR. Arracher, charmer, enlever, ôter, plaire, prendre, séduire.
RAVIVER. Rafraîchir, ranimer, ragaillardir, réanimer.
RAYER. Annuler, barrer, biffer, effacer, radier, régler, strier, tracer.
RAYON. Diamètre, lumière, rai, uv.
RAZ-DE-MARÉE. Tempête, tsunami.
RAZZIA. Attaque, détruire, entourer, incursion, invasion, pillage.
RÉACTION. Allergie, catalyser, conséquence, divergence, effet, réflexe.
RÉAGIR. Bouder, braver, irriter, lutter, résister, sceller, sensibiliser.
RÉALISATEUR. Concepteur, créateur, metteur, producteur, vidéaste.
RÉALISER. Comprendre, concrétiser, créer, faire, liquider, vendre.
RÉAPPARITION. Abréaction, émersion, rechute, résurrection, retour.
REBELLE. Gréviste, indocile, insurger, mutin, révolutionnaire.
REBORD. Bande, bord, garde, jatte, margelle, orée, orle, ourlet.
REBUFFADE. Abandonner, gifle, refus, résistance.
REBUT. Déchet, dépotoir, étoupe, grenaille, lie, racaille, résidu, strasse.
REBUTER. Dégoûter, déplaire, effrayer, ennuyer, lasser, rejeter, solder.
RÉCALCITRANT. Indocile, rétif.
RÉCAPITULER. Analyser, bordereau, exposer, répéter, résumer.
RÉCENT. Actuel, chaud, frais, hier, jeune, moderne, neuf, nouveau.
RÉCEPTION. Cocktail, gala, lancement, partie, soirée, vernissage.
RECEVOIR. Abriter, accepter, accueillir, adopter, agréer, avoir, capter, cuir, écoper, émarger, essuyer, gagner, héberger, hériter, initier, loger, obtenir, palper, prendre, récolter, sentir, souffrir, subir, toucher, voir.
RÉCHAUFFER. Chauffer, guérir, ranimer, rebrûler, recuire, revenu.
RÊCHE. Aigre, âpre, rude.
RECHERCHÉ. Adinisé, apprêt, couru, examen, manière, primé, rare.
RECHERCHE. Enquête, onanisme, prospection, revue, spéculation.
RECHERCHER. Courir, briguer, enquérir, mendier, pourchasser, quêter.
RÉCIPIENT. Assiette, auge, bain, ballon, bénitier, beurrier, bidon, bocal,

bock, bouilloire, brasero, burette, chaudron, chope, contenant, crachoir, creuset, cuve, encrier, enveloppe, fromager, gobelet, godet, jatte, lampion, lessiveuse, marmite, matras, piscine, plat, pot, poubelle, ramequin, réservoir, seau, seille, tasse, terrine, têt, théière, thermos, tinette, tonneau, tourie, turbotière, urne, vase, verre.
RÉCIPROQUE. Accord, aide, alliance, bilatéral, échange, entraide, marché, mutuel, pacte, pareille, protocole, solidaire, traité, transaction.
RÉCIT. Anecdote, conte, chronique, épopée, fable, histoire, historiette, légende, mythe, narration, parabole, rapport, roman, saga, version.
RÉCITER. Annoncer, déclamer, dire, mémoriser, raconter, rapporter.
RÉCLAMATION. Appel, demande, dû, grève, plainte, requête, tollé.
RÉCLAMER. Appeler, crier, demander, exiger, protester, vouloir.
RECLUS. Cloîtré, emprisonné, enfermé.
RÉCOLTE. Cueillette, moisson, olivaison, semence, vendange, vinée.
RECOMMANDER. Conseiller, exhorter, préconiser, prôner, soutenir.
RECOMMENCER. Dito, ibidem, idem, réapparaître, récidiver, réitérer, refaire, remettre, renouveler, rentamer, répéter, reprendre, revenir.
RÉCOMPENSE. Excitation, félix, gratification, oscar, prime, salaire, travail.
RÉCONCILIER. Absolution, accord, aimer, approbation, convention, grâce, harmonie, médiation, pardon, rémission, transiger, union.
RECONDUIRE. Raccompagner, ramener, réintégrer.
RÉCONFORTER. Consoler, réanimer, remonter.
RECONNAISSANCE. Aveu, gratitude, gré, obligation, résipiscence.
RECONNAÎTRE. Admettre, avérer, avouer, ensaisiner, identifier, punir.
RECONSTITUER. Reconstruire, refaire, réformer, remailler, restaurer.
RECOUPE. Griot.
RECOURS. Appel, pourvoi, ressource, servir, user, voie.
RECOUVERT. Capsulé, déguisé, enterré, fermé, parsemé, plaqué, verni.
RECOUVREMENT. Crédit, facture, perception, rachat.
RECOUVRER. Aciérer, avoir, dorer, enduire, enrober, ensabler, étamer, paver, ravoir, regagner, renaître, revêtir, tapisser, toucher, vernir.
RÉCRÉATION. Divertissement, école, fête, jeu, jouissance, partie, plaisir.
RÉCRÉER. Amuser, divertir, ébaubir, égayer, jouer, recommencer.
RÉCRIMINER. Accuser, crier, huer, injurier, réclamer, rejeter, riposter.
RECRUDESCENCE. Augmentation, exacerbation, regain.
RECTA. Exactement, ponctuellement.
RECTANGLE. Angle, droit, figure, parallélépipède, quadrilatère.
RECTIFIER. Aléser, corriger, distiller, exact, modifier, redresser, tuer.
RECTILIGNE. Directionnel, droit, figure, ligne.
RECTO. Envers, feuille, page, papier, verso.
RECUEIL. Album, ana, anthologie, atlas, bible, code, écrit, formulaire, livre, psautier, rituel, sermonnaire, silves, solfège, spicule, varia, ysopet.
RECUEILLEMENT. Chrestomathie, pitié, prière, retrouvaille.

RECUEILLIR. Amasser, choisir, gagner, glaner, hériter, lever, pêcher, penser, obtenir, rassembler, recevoir, récolter, réunir, subir, tirer.
RECULÉ. Creux, éloigné, haut, isolé, temps.
RECULER. Caler, caner, distancer, éloigner, régresser, reléguer, replier.
RÉDACTEUR. Auteur, échotier, écriveur, journaliste, nègre, scénariste.
RÉDACTION. Article, blanc, écrire, libellé, narration, résumé, texte.
REDEVANCE. Annate, auteur, cens, dîme, impôt, lods, royauté.
REDEVENIR. Rajeunir, refleurir, reprendre, ressaisir, reverdir.
RÉDIGER. Composer, construire, dresser, écrire, élaborer, libeller.
REDINGOTE. Lévite, soutane.
REDIRE. Bégayer, rabâcher, radoter, rappeler, réitérer, répéter, rimer.
REDONNER. Rafraîchir, ranimer, réanimer, remettre, rendre, rétablir.
REDOUTER. Apeurer, appréhender, craindre, effrayer, fêter, fortifier.
REDRESSER. Cambrer, corriger, dégauchir, dévoiler, lever, relever.
RÉDUCTION. Chirurgie, diminution, net, rabais, restreint, rétréci.
RÉDUIRE. Abaisser, abréger, aléser, amoindrir, atomiser, broyer, changer, diminuer, émietter, forcer, grainer, grener, gruger, incinérer, léviger, limiter, minimiser, moudre, râper, tasser, triturer, unifier.
RÉDUIT. Annihilé, élémentaire, gamelan, râpé, soupente, volière.
RÉEL. Certain, concret, évident, fait, positif, solide, vain, véritable, vrai.
RÉER. Raire, régime.
REFAIRE. Recommencer, réformer, rempiéter, réparer, restaurer.
RÉFECTION. Anaplastie, raccommodage, réparation, restauration.
RÉFECTOIRE. Cafétéria, cantine, cène, mess, salle.
REFILER. Céder, donner, doter, léguer, livrer, passer, porter, rendre.
RÉFLÉCHIR. Calculer, cogiter, combiner, luire, méditer, miroiter, penser, peser, poser, observer, repenser, répéter, rêver, ruminer, scintiller.
RÉFLECTEUR. Abat-jour, miroir, réverbère.
REFLET. Brillant, chatoyant, flamboyant, moirage, opale, satiné.
REFLÉTER. Briller, citer, dicter, dire, exposer, mirer, narrer, publier.
RÉFLEXION. Aparté, attention, commentaire, pensée, réaction, reflet.
RÉFORMATEUR. Innovateur, redresseur, regénérateur, hus.
RÉFORME. Amélioration, amendement, annulation, changement, croisade, élimination, innovation, protestant.
REFOULER. Bannir, chasser, pousser, rentrer, repousser.
REFRAIN. Chant, flonflon, répétition, ritournelle, turlutte, turlurette.
REFROIDIR. Air, attiédir, frapper, froid, rafraîchir, réfrigérer, tiédir.
REFUGE. Abri, aile, asile, fuite, gîte, recours, ressource, retraite, toit.
REFUS. Abstention, défaut, déni, nier, non, rébellion, résistance, veto.
REFUSER. Contester, décliner, dénier, éconduire, étendre, nier, priver, rebeller, rebiffer, recaler, récuser, régimber, renier, résister, retaper.
REFUTER. Attaquer, confondre, nier, renvoyer, répliquer, répondre.
REGAGNER. Rallier, recrudescence, retrouver.

RÉGAL. Festin, gastronomie, gourmandise, manger, os, plaisir.
REGARD. Atone, ci-contre, clin d'œil, inaperçu, œil, vis-à-vis, vue.
REGARDER. Admirer, contempler, dévisager, envisager, épier, fixer, mirer, observer, piger, remarquer, repaître, toiser, viser, voir, zieuter.
REGIMBER. Indocile, rebiffer, résister, ruer.
RÉGIME. Autarcie, diète, état, fascisme, monarchie, règle, terrorisme.
RÉGION. Aire, antipode, contrée, lieu, marais, pays, terre, terroir, zone.
RÉGIR. Administrer, diriger, gérer, gouverner.
RÉGISTRE. Album, cadastre, livre, minutier, plumitif, rôle, terreur.
RÈGLE. Canon, code, formalité, leçon, loi, mire, ordre, té, rite, taux, toise.
RÈGLEMENT. Arrêté, ban, charte, code, loi, ordonnance, principe, statue.
RÉGLER. Arrêter, caler, liquider, mesurer, pater, ranger, solder, statuer.
REGRET. Chagrin, déplaisir, expiation, nostalgie, remords, repentir.
RÉGULIER. Bien, continu, égal, exact, légal, normal, ordre, parfait, rituel.
RÉHABILITER. Blanchir, couvrir, décharger, disculper, laver, rétablir.
REIN. Dos, éreinter, pierre, rénal, rognon, urine.
REINE. Abeille, candace, dame, ménagère, miss, roi, rose.
RÉINTÉGRER. Entrer, rentrer, rétablir.
RÉINTRODUIRE. Recycler, réinsérer.
RÉITÉRATION. Fois, ré, recommencement, répétition.
REÎTRE. Brutal, cavalier, grossier, mercenaire, soudard.
REJAILLISSEMENT. Bond, éclaboussure, mouvement.
REJET. Enjambement, évacuation, mal-aimé, refus, spirée.
REJETER. Débouter, éjecter, nier, rebuter, recracher, refuser, réprouver.
REJETON. Accru, bouture, drageon, fils, œilleton, scion, surgeon, talle.
REJOINDRE. Rallier, rattraper, regagner, retrouver, revenir, réunir.
RÉJOUIR. Amuser, charmer, chanter, égayer, féliciter, jubiler, ravir.
RÉJOUISSANCE. Agapes, fête, gai, gaudir, jubilation, liesse, noce, ris.
RELÂCHE. Arrêt, détente, escale, hivernage, purge, répit, repos, trêve.
RELÂCHEMENT. Abattement, écart, indifférence, licence, ptôse.
RELÂCHER. Desserrer, élargir, lâcher, laisser, libérer, relaxer, respirer.
RELATER. Dire, narrer, raconter, rapporter.
RELATIF. Degré, dont, poids, que, quel, qui, quoi.
RELATION. Contact, équipollence, liaison, rapport, récit, témoignage.
RELAXER. Détendre, innocenter, libérer, relâcher, reposer.
RELÈVEMENT. Amendement, compte, dévers, rajustement.
RELEVER. Ennoblir, épicer, ramasser, redresser, rehausser, retrousser.
RELIEF. Bosse, crête, creux, enflure, œil, modelé, mont, saillie.
RELIER. Chaîner, coudre, couvrir, joindre, marbrer, raccorder, unir.
RELIGIEUSE. Carmélite, clarisse, dominicaine, grise, mère, moniale, nonne, odile, pauline, sœur, ursuline, visitandine.
RELIGIEUX. Bouddhiste, bonze, carme, cloître, congréganiste, ermite, foi, frère, jésuite, juif, moine, oblat, prêtre, séculier, trinitaire.

RELIGION. Anglicanisme, brahmanisme, catholicisme, confession, croyance, culte, dévotion, doctrine, ferveur, foi, islamisme, judaïsme, protestantisme, shintoïsme, taoïsme, théologie, vaudou.
RELIQUAT. Redevoir, reste, solde.
RELUIRE. Astiquer, briller.
REMÂCHER. Remastiquer, répéter, ressasser, ruminer.
REMANIEMENT. Colluvion, correction, histogenèse.
REMARQUABLE. Éminent, émérite, extraordinaire, frappant, important, marquant, mémorable, notable, saillant, signalé, supérieur, unique.
REMARQUE. Apostille, dire, note, notice, observation, pensée, scolie.
REMARQUER. Constater, discerner, distinguer, noter, observer, voir.
REMÈDE. Antidote, calmant, drogue, népenthès, panacée, potion.
REMETTRE. Absoudre, atermoyer, délier, délivrer, différer, expier, guérir, livrer, payer, raccommoder, rafraîchir, ramener, ravigoter, reconnaître, recorder, redistribuer, redresser, relâcher, relever, remémorer, remémoriser, rendre, réparer, reprise, ressemeler, restaurer, restituer, rétablir, retaper, retarder, rétrocéder, réviser.
REMISE. Abri, cabanon, dépôt, garage, grâce, hangar, nivet, trêve.
REMISER. Cacher, caser, différer, garer, ranger, serrer, transférer.
REMONTRANCE. Blâme, réprimande, reproche, semonce, sermon.
REMORQUER. Charrier, entraîner, haler, tirer, touer, traîner, trimbaler.
REMPART. Bouclier, enceinte, escarpement, fortification, muraille.
REMPLACEMENT. Intérim, mutation, relève, repiquage, repiquement.
REMPLACER. Changer, déloger, doubler, hériter, relayer, suppléer.
REMPLI. Bondé, bourré, comble, complet, dense, enflammé, enflé, farci, garni, gorgé, gros, imbu, mine, occupé, pétri, plein, pénétré, saturé.
REMPLIR. Bourrer, caser, combler, compléter, emplir, farcir, fourrer, garnir, gorger, liaisonner, ouiller, pénétrer, plomber, truffer, verser.
REMUER. Agir, agiter, bouger, branler, broncher, clignoter, émouvoir, frétiller, gigoter, grouiller, mouvoir, piétiner, piocher, secouer, touiller.
RÉMUNÉRATION. Agio, fret, gain, indemnité, salaire, traitement.
RENARD. Amarante, argenté, fennec, glapir, isatis, roux, terrier.
RENCONTRE. Blason, choc, duel, entrevue, heurt, hiatus, réunion.
RENCONTRER. Aborder, accoster, croiser, hanter, trouver, visiter, voir.
RENDEMENT. Abondance, fécondité, productivité, rapport, récolte.
RENDRE. Abêtir, abrutir, accélérer, adorer, adoucir, aérer, aggraver, aigrir, alambiquer, alanguiser, aléser, aliéner, alléger, allumer, alourdir, amatir, amender, amollir, anémier, animer, annuler, anoblir, approfondir, assagir, assainir, assimiler, assurer, attendrir, atténuer, attiédir, autoriser, aveulir, aviver, blanchir, bleuir, bomber, canaliser, clarifier, consolider, délivrer, divulguer, durcir, écourter, égaliser, égayer, élaborer, élargir, élever, émanciper, engourdir, enlaidir, enivrer, ennoblir, enrouer, entériner, épaissir, épurer, exciter, fourbir, généraliser, griser, grossir,

habiliter, hâter, hébéter, humaniser, illustrer, immortaliser, immuniser, légaliser, lisser, moiteur, mûrir, nécessiter, neutraliser, niveler, noircir, onduler, orner, polir, poncer, radoucir, râler, ranimer, rapetisser, raréfier, rassurer, réaliser, rectifier, régulariser, remercier, renvoyer, restituer, rétrécir, salir, séculariser, servir, simplifier, sonner, stériliser, ternir, titulariser, universaliser, visiter, voir.

RENFERME. Obituaire, ozoné, salifère.

RENFERMER. Contenir, enfermer, entourer, inclure, receler, serrer.

RENFLEMENT. Bosse, bulbe, galbe, ganglion, jabot, pomme.

RENFORCER. Accentuer, affermir, augmenter, fortifier, garnir.

RENGAINE. Chaîne, refrain, reprise, répétition, tirade, scie, série, suite.

RENIER. Abjurer, changer, désavouer, déserter, renoncer, répudier.

RENIFLER. Aspirer, flairer, humer, renâcler, sentir.

RENOMMÉE. Célébrité, gloire, illustre, nom, notoriété, réputation, vogue.

RENONCER. Abdiquer, abjurer, aliéner, démissionner, désister, résigner.

RENONCIATION. Abandon, abdication, cessation, découragement, démission, désistement, finir, modération, quittance, résignation.

RENOUVEAU. Éveil, printemps, retour.

RENOUVELER. Nover, redoubler, refaire, rénover, répéter, revivre.

RENOUVELLEMENT. Changement, reconduction, regain, renaissance.

RENSEIGNEMENT. Fait, fiche, guide, indice, information, message, tuyau.

RENSEIGNER. Avertir, aviser, éclairer, indiquer, informer, initier.

RENTE. Annuité, bénéfice, loyer, mense, pension, revenu, tontine.

RENTRER. Couvre-feu, entrer, rappeler, recouvrer, refouler, réintégrer.

RENVERSE. Abat, chute, culbute, intersection, marche-arrière.

RENVERSER. Abattre, culbuter, éculer, épater, jeter, saccager, vider.

RENVOI. Ajournement, exclusion, marque, note, référence, remise, rot.

RENVOYER. Ajourner, couper, rapatrier, relancer, retentir, traduire.

REPAIRE. Antre, fort, gîte, habitation, logement, nid, retraite, tanière.

RÉPANDRE. Arroser, couvrir, disséminer, émaner, emplir, étaler, fluer, paver, pleurer, ressemer, semer, sentir, surgir, verser, universaliser.

RÉPARER. Bricoler, expier, refaire, rentrayer, replâtrer, restaurer.

RÉPARTIE. Argument, gag, réponse, réplique, riposte, spirituel.

RÉPARTITION. Cession, distribution, horaire, ordre, quote-part, taxe.

REPAS. Agape, banquet, brunch, cène, collation, déjeuner, dîner, festin. frugal, gala, goûter, gueuleton, lippée, médianoche, menu, orgie, popote, régal, reste, réveillon, ripaille, soupe, souper, tétée, thé.

REPASSER. Affiler, aiguiser, fer, planche, mémoriser, relire, revenir.

REPENTIR. Contribution, honte, regretter, remords, résipiscencer.

REPÈRE. Corne, curseur, décan, degré, échelon, jalon, marque, mire.

RÉPÉTER. Bisser, itérative, radoter, redire, ressasser, seriner, trisser.

RÉPÉTITION. Allitération, assonance, bi, bis, chaîne, écho, fois, idem, redite, refrain, resucée, retour, scie, série, suite, sur, tirade, trémolo.

RÉPIT. Armistice, délai, interruption, pause, repos, sieste, trêve.
REPLACER. Rasseoir, remboîter, remettre, rétablir.
RÉPLÉTION. Abondance, gras, plein, satiété.
REPLI. Barbillon, déroute, faux, hélix, ourlet, nœud, revers, ride.
REPLIEMENT. Reploiement.
REPLIER. Border, friser, froncer, gercer, plisser, rider, trousser.
RÉPLIQUER. Argumenter, pérempter, raisonner, répartir, répondre.
REPLOIEMENT. Invagination, repliement.
REPLOYER. Recourber, réfléchir, replier.
RÉPONDRE. Affirmer, clouer, dire, garantir, réfuter, répliquer, riposter.
RÉPONSE. Dis, non, oracle, oui, réplique, riposte, solution, verdict.
REPORTER. Décalquer, imprimer, journaliste, proroger, réélire, retarder.
REPOS. Arrêt, césure, congé, détente, étape, oasis, paix, répit, sieste.
REPOSER. Arrêter, cesser, délasser, détendre, dormir, giser, souffler.
REPOSOIR. Autel.
REPOUSSANT. Effroyable, exécrable, hideux, laid, rébarbatif, répugnant.
REPOUSSER. Bannir, chasser, écarter, excuser, rejeter, refouler, refuser.
REPRENDRE. Ôter, renaître, renouer, rentrer, repenser, retirer, retaper.
REPRÉSENTANT. Agent, envoyé, légat, nonce, vendeur, voyageur.
REPRÉSENTATION. Buste, description, dessin, figure, idée, idéographie, image, imitation, logo, peinture, personnification, plan, proportionnelle, reproduction, rêve, scène, sigle, statue, symbole, théâtre, trace, vue.
REPRÉSENTER. Décrire, désigner, dessiner, figurer, idéaliser, imaginer, imiter, jouer, mimer, peindre, personnifier, reproduire, symboliser.
RÉPRIMANDE. Blâme, leçon, menace, morale, savon, semonce, tance.
RÉPRIMANDER. Avertir, blâmer, engueuler, gronder, menacer, morigéner, moucher, prêcher, savonner, semoncer, sermonner, tancer.
REPRISE. Gong, rattrapage, reconquête, relance, round, volée.
REPROCHE. Blâme, critique, grief, plainte, remords, savon, semonce.
REPRODUCTION. Copie, étalon, imitation, pollen, reflet, spore, sosie.
REPRODUIRE. Calquer, copier, doubler, imiter, répéter, singer, tirer.
REPTILE. Caméléon, céraste, élaps, gavial, gecko, ichtyosaure, iguane, iguanodon, lézard, moloch, orvet, ptéranodon, serpent, tortue, varan.
RÉPUBLIQUE. Calendrier, état, oiseau, président, sénat, tisserin.
RÉPUGNANCE. Antipathie, aversion, dégoût, haine, nausée, répulsion.
RÉPUGNANT. Dégoûtant, écœurant, exécrable, infect, malpropre.
RÉPULSION. Aversion, dégoût, haine, horreur, répugnance.
RÉPUTÉ. Célèbre, connu, éminent, fameux, renommé, signalé.
REQUÉRIR. Contraindre, interpeller, invitation, réclamer, sommer.
REQUÊTE. Appel, demande, pétition, prière, service, supplication.
REQUIN. Griset, dormeur, lamie, marteau, remorqueur, squale.
RÉSEAU. Canalisation, encercler, filet, lacis, serveur, station, trame.

RÉSERVE. Abajou, cartouche, distant, économie, exception, modeste, piste, privé, prudence, pudique, retenu, sauf, simple, stock, trésor.
RÉSERVER. Destiner, garder, laisser, louer, ménager, préparer, retenir.
RÉSERVOIR. Aquarium, bac, bassin, cellier, citerne, cuve, silo, vessie.
RÉSIDENCE. Aire, cour, cure, demeure, élysée, maison, palais, séjour.
RÉSIDER. Consister, habiter, loger, siéger.
RÉSIDU. Boue, brai, cendre, escarbille, lie, marc, mélasse, rillons, vase.
RÉSIGNER. Accepter, avaler, céder, consoler, endurer, renoncer, subir.
RÉSILIATION. Annulation, congé, renonciation.
RÉSILLE. Filet, réticule.
RÉSINE. Aloès, ambre, ase, copal, encens, mastic, pin, térébenthine.
RÉSISTANCE. Endurance, force, ohm, ré, rhéostat, solidité, ténacité, volt.
RÉSISTER. Affermir, braver, cabrer, chicaner, défendre, désobéir, durer, fixer, lutter, maugréer, opposer, raidir, réagir, refuser, tenir.
RÉSOLU. Brave, constant, décidé, déterminé, gonflé, hardi, prêt.
RÉSOLUTION. Complot, décision, dessein, parti, projet, vœu, volonté.
RÉSONANCE. Bruit, écho, syntonie.
RÉSONNER. Entendre, marteler, retentir, sonner, tinter.
RÉSOUDRE. Décider, deviner, exécuter, finir, juger, liquider, régler.
RESPECT. Déférence, égard, estime, révérence, ritualisme, vénération.
RESPECTABLE. Digne, dignitaire, imposant, majesté, patriarche, sacré.
RESPECTER. Déférer, estimer, honorer, imposer, saluer, tenir, vénérer.
RESPIRATION. Apnée, asphyxie, bouffée, haleine, râle, souffle, soupir.
RESPIRER. Aspirer, bâiller, étouffer, expirer, époumonner, souffler.
RESPONSABILITÉ. Culpabilité, endossé, garantie, participation.
RESPONSABLE. Auteur, chef, coupable, dirigeant.
RESSAISIR. Raccrocher, rattraper, retrouver.
RESSEMBLANCE. Air, analogie, image, parenté, portrait, similitude.
RESSEMBLER. Apparenter, penser, rappeler, rapprocher, tenir.
RESSENTIMENT. Animosité, dépit, haine, ire, rancune, vengeance.
RESSENTIR. Avoir, dévorer, donner, éprouver, inspirer, sentir, souffrir.
RESSERRÉ. Aigu, aminci, canal, étroit, fin, menu, mince, serré, silo.
RESSERREMENT. Étranglement, étreinte, raideur, rigidité, trisme.
RESSERRER. Amincir, diminuer, étouffer, étrangler, serrer, tasser.
RESSOURCE. Adresse, aisance, alibi, appui, aptitude, défense, excuse, expérience, ingéniosité, mine, moyen, opulence, prospérité, richesse.
RESSUSCITER. Animer, réanimer, renaître, reprendre, revenir, revivre.
RESTANT. Chicot, débris, fond, rebut, résidu, reste, solde, trace.
RESTAURANT. Auberge, bistrot, brasserie, brassette, buffet, buvette, cabaret, cafétéria, cantine, carte, pizzeria, popote, taverne.
RESTAURER. Manger, nourrir, reconstruire, réparer, rétablir.
RESTE. If, demeure, issue, miette, relief, résidu, rogaton, vert, vestige.

RESTER. Attarder, attendre, bride, demeurer, durer, éterniser, fatiguer, habiter, immortaliser, maintenir, relief, subsister, tenir, traînasser.
RESTITUER. Redonner, régurgiter, remettre, rendre, rétablir, vomir.
RESTREINDRE. Adoucir, borner, diminuer, limiter, renfermer, rétrécir.
RÉSULTAT. Bilan, effet, fin, fruit, reste, somme, suite, tentative, vie.
RÉSULTER. Découler, issu, naître, provenir, suivre, tenir, trouver, venir.
RÉSUMÉ. Abrégé, analyse, aperçu, digest, exposé, notice, sommaire.
RÉSUMER. Abréger, condenser, écrire, exposer, récapituler, réduire.
RÉTABLIR. Colmater, décoder, guérir, raffermir, ramener, refaire, réinstaller, réintégrer, relever, réparer, replacer, restaurer, restituer.
RÉTABLISSEMENT. Convalescence, guérison, recouvrement, salut.
RETAPER. Décorer, embellir, enjoliver, enrichir, garnir, parer, réparer.
RETARDER. Arrêter, arriéré, différer, ralentir, reculer, retenir, tarder.
RETEINDRE. Biser.
RETENIR. Arrêter, contenir, digue, filet, fixer, garder, louer, tenir.
RETENTIR. Frapper, fuser, mugir, remplir, résonner.
RETENTISSANT. Sonore, tonitruant.
RETENUE. Contrainte, décence, discrétion, mesure, modération, pudeur.
RETIRER. Curer, démettre, dominer, dessaisir, écarter, enlever, étriper, isoler, lever, ôter, partir, pêcher, repêcher, retraiter, tirer, vider.
RETOMBER. Gain, rechuter, récidiver, replonger.
RETORS. Fin, malin, roublard, roué, rusé.
RETOUCHE. Rehaut.
RETOUCHER. Corriger, limer, remanier, revoir.
RETOUR. Contre-choc, renaissance, ressac, résurrection, réveil, rime.
RETOURNEMENT. Renversement.
RETOURNER. Bêcher, biner, émouvoir, replier, revoler, revoter, tourner.
RÉTRACTER. Dédire, nier, reprendre, retirer, revenir.
RETRAITE. Abri, ermitage, gîte, pension, refuge, retiré, seul, vieillesse.
RETRAITER. Aliéner, réformer, remiser, replier, retirer, retourner.
RETRANCHEMENT. Abréviation, abri, coupure, déduction, front, ligne.
RETRANCHER. Amputer, couper, déduire, écrémer, émonder, épurer, étêter, expurger, enlever, mutiler, ôter, rabattre, rogner, tailler.
RÉTRÉCI. Borné, diminué, étranglé, étroit.
RÉTRÉCISSEMENT. Col, diminution, étranglement, myosis, sténose.
RÉTRIBUER. Avancer, défrayer, dépenser, financer, honorer, payer, prépayer, régler, rémunérer, soudoyer, subvenir, surpayer, verser.
RÉTROGRADER. Aléser, alléger, arrière, diluer, diminuer, pâlir, reculer.
RETROUVER. Reconquérir, recouvrer, récupérer, reprendre, trouver.
RÉTROVISEUR. Focal, glace, miroir, réflecteur, spéculaire.
RETS. Filet, piège.
RÉUNION. Anthrax, assemblée, bal, brelan, carillon, claque, collège, colonie, duo, enquête, épissure, escadre, faisceau, flottille, groupe,

jamboree, jonction, ligature, litée, meeting, mélange, meute, pléiade, plénum, portée, quatuor, quintette, ramassis, rame, raout, salade, séance, société, soirée, tas, trio, union, zooglée.
RÉUNIR. Amasser, assembler, brider, concentrer, coudre, encercler, enquêter, épisser, grouper, joindre, lacer, mêler, rassembler, unir.
RÉUSSIR. Aboutir, arriver, avoir, bonheur, briller, but, couronner, déboucher, marcher, mener, parvenir, percer, prospérer, trouver.
RÉUSSITE. Combine, patience, pu, succès, thème, triomphe, victoire.
RÊVE. Cauchemar, désir, évasion, rêvasserie, songe, utopie, vision.
RÉVEIL. Commencement, coq, éruption, éveil, ranimation.
RÉVEILLER. Éveiller, ranimer, raviver, ressusciter, revivre, tirer.
RÉVÉLATION. Communication, divulgation, dévoilement, indiscrétion.
RÉVÉLER Avérer, cacher, communiquer, découvrir, dire, redire, trahir.
REVENDIQUER. Attribuer, demander, réclamer.
REVENIR. Réintégrer, rentrer, repasser, ressusciter, revivre, revoir.
REVENU. Arrérages, fabrique, guéri, impôt, intérêt, mense, nominataire, produit, rapport, réapparu, rente, rentré, ressuscité, synodie, viager.
RÉVERBÈRE. Lampadaire, lumière, reflet.
RÉVÉRENCE. Courbette, prosternation, respect, salamalec, salut.
REVERS. Accident, défaite, dos, échec, ennui, envers, médaille, verso.
REVÊTEMENT. Béton, carapace, enduit, garniture, pavé, perré, pilosité.
REVÊTIR. Couvrir, décorer, garnir, habiller, orner, recouvrir, vêtir.
REVIREMENT. Changement, crise, nuance, phase, retour, virage.
RÉVISER. Corriger, réécrire, réparer, repasser, revoir, superviser.
REVIVRE. Réincarner, renaître, ressusciter.
REVOIR. Corriger, examen, parfaire, potasser, rectifier, relire, remanier.
RÉVOLTANT. Criant, dégoûtant.
RÉVOLTE. Dissident, émeute, indigné, mutin, outré, révolutionnaire.
RÉVOLTER. Choquer, colère, crier, indigner, insurger, mutiner, rebeller.
RÉVOLU. Accompli, passé, sonné.
RÉVOLUTIONNAIRE. Agitateur, émeutier, extrémiste, factieux, insurgé, rebelle, révolté, séditieux, subversif, terroriste.
REVOLVER. Arme, barillet, colt, fusil, rifle.
REVUE. Défilé, inspection, magazine, parade, périodique, rubrique.
RHÉNIUM. Re.
RHÉSUS. Facteur, macaque, rh, singe.
RHODIUM. Rh.
RIBAMBELLE. Série, suite, tapée.
RICANER. Bouffer, fou rire, mépriser, rire.
RICHE. Abondant, aisé, cossu, crésus, grenu, huppé, nanti, nourri, samit.
RICHESSE. Aisance, argent, biens, butin, écu, fortune, luxe, opulence, or.
RIDE. Creux, crispation, patte d'oie, peau, pli, ratatiné, sillon.
RIDEAU. Arbre, baldaquin, galon, moustiquaire, store, tenture, vitrage.

RIDER. Froncer, grimacer, plisser, ratatiner, strier.
RIDICULE. Absurde, cloche, cocasse, comique, guignol, risible, sac, sot.
RIDICULISER. Bafouer, berner, moquer, railler.
RIEN. Absence, aucun, iota, néant, niaiserie, nul, seulement, vide, zéro.
RIEUR. Moqueur, rigolard.
RIGIDE. Austère, bandé, grave, raide, règle.
RIGIDITÉ. Orthodoxe, sévérité.
RIGOLARD. Moqueur, rieur.
RIGOLE. Caniveau, cassis, fossé, ruisseau, ségala, sillon.
RIGOLER. Amuser, badiner, égayer, marrer, moquer, rire, tordre.
RIGOUREUX. Âpre, austère, dur, étroit, mathématique, serré, sévère.
RIGUEUR. Âpreté, cruauté, dure, fermeté, inclémence, pur, sévérité.
RIMAILLEUR. Métromane, poète, rimeur.
RIME. Assonance, consonance, corbillon, dominante, monorime, vers.
RING. Arène, boxeur, coin, lutteur.
RINGARD. Tire-braise, tisonnier.
RIRE. Amuser, badiner, égayer, marrer, moquer, pâmer, pouffer, quolibet, railler, ricaner, rictus, rigoler, risée, sourire, zygomatique.
RISIBLE. Amusant, burlesque, cocasse, comique, drôle, ridicule.
RISQUE. Abri, aléa, conséquence, danger, épreuve, essai, éventualité, hasard, péril, possibilité, responsabilité, susceptible, témérité.
RISQUÉ. Audacieux, failli, frisé, hasardé, imprudent, salé, téméraire.
RISQUER. Chercher, efforcer, encourir, frôler, goûter, oser, tâter, tenter.
RISTOURNE. Diminution, escompte, remise.
RITAL. Italien.
RITE. Ablution, cérémonie, habitude, liturgie, règle, sacrement.
RIVAGE. Baie, berge, bord, cote, dune, grève, marée, plage, quai, rive.
RIVAL. Adversaire, candidat, concurrent, émule, ennemi, prétendant.
RIVALISER. Concourir, concurrencer, défier, disputer, égaler, lutter.
RIVETER. Ferrer, mater, river.
RIVIÈRE. Affluent, bijou, canal, eau, fleuve, gué, lit, ruisseau, vanne.
RIXE. Bagarre, bataille, combat, mêlée, querelle.
RIZ. Arak, blé, céréale, pilaf, raki, saké, saki.
ROBE. Aube, cafetan, cheval, costume, fourreau, jupe, mini, peau, peignoir, sari, simarre, soutane, toge, traîne, tunique, vêtement.
ROBINET. Bain, chantepleure, col-de-cygne, eau, prise, robinetterie.
ROBOT. Automate.
ROBUSTE. Athlète, fort, hercule, puissant, résistant, solide, vigoureux.
ROCAILLEUX. Dentelaire, dur, staphylier.
ROCAMBOLE. Ail.
ROCHE. Agate, albâtre, andésite, aplite, ardoise, argile, cipolin, craie, diapir, diorite, ectinite, écueil, éluvion, falun, gneiss, granit, granite,

granulite, gravier, grès, gypse, jaspe, lignite, limon, marne, pierre, ponce, roc, rocher, sable, schiste, silex, suénite, tarpeienne, tuf.
ROCHER. Écueil, éperon, falaise, pic, pierre, récif, roc, roche.
RÔDER. Errer, flâner, frotter, vagabonder, vaguer.
RÔDEUR. Apache, bandit, malfaiteur, vagabond.
ROGATON. Rebut, restes.
ROGNER. Couper, diminuer, massicoter, pester, retrancher, rager, user.
ROGNON. Abats, cuisseau, rein, silex, veau.
ROI. Lion, monarque, pair, pharaon, prince, royal, sire, souverain.
RÔLE. Clé, comparse, état, fonction, frime, personnage, travesti, vamp.
ROMAN. Action, anecdote, conte, feuilleton, histoire, intrigue, livre, manuscrit, nouvelle, prologue, rêve, romanesque, scénario, thriller.
ROMANCIER. Auteur, écrivain, nouvelliste, pseudonyme.
ROMPRE. Briser, casser, couper, désaxer, écorner, édenter, éreinter.
ROND. Balle, bâton, bombe, éclisse, étoile, ivre, jeton, lune, miche.
RONDE. Atriau, ballon, chanson, musique, patrouille.
RONDELLE. Confetti, disque, procédé, tranche.
RONFLER. Bourdonner, dormir, respirer, ronronner.
RONGER. Corroder, dévorer, éroder, grignoter, manger, mordre, user.
RONGEUR. Agouti, cabiai, castor, écureuil, hamster, léporidés, loir, marmotte, milan, mulot, muridé, rat, souris, suisse, spalax, xérus.
ROSACÉ. Lobe, ronce, rose.
ROSE. Béril, béryl, diamant, nævi, pompon, rosacé, rosette, rosier.
ROSEAU. Acore, bambou, calame, canne, chalumeau, férule, papyrus.
ROSÉE. Aiguail, gelée, gouttelette, perle.
ROSIER. Églantier, évelyn, intrigue, othello, peace, solitude, voodoo.
ROSSE. Bat, carcan, cheval, méchant.
ROSSER. Battre, rouer, vaincre.
ROT. Renvoi, roter, rôti.
ROTATION. Charnière, cylindre, effet, manivelle, toupie, tour.
RÔTI. Bœuf, cuit, rôt.
RÔTIE. Grillée, pain, rissolette.
RÔTIR. Braiser, brasiller, bronzer, brûler, cuire, frire, griller, hâler, mijoter, réduire, rissoler, rôtir, roussir, saisir, sauter, torréfier.
ROUBLARD. Malin, rusé.
ROUBLE. Rbl.
ROUE. Aube, buse, came, essieu, jante, moyeu, noix, poulie, réa, sabot.
ROUER. Battre, dauber, tabasser.
ROUGE. Baie, bordeau, carmin, cramoisi, écarlate, ire, pourpre, rougeâtre, rougeaud, rubicond, rutilant, vermeil, vermillon, violacé.
ROULEAU. Boa, papier, quenelle.
ROULEMENT. Ban, ra, galet, rataplan, tambour.
ROULER. Balancer, bouler, duper, enrouler, lover, tourner, tromper.

ROULOTTE. Maison, motorisé, ourlet.
ROUPILLER. Sommeiller.
ROUQUINER. Poil-de-carotte, roux.
ROUSPÉTER. Plaindre, protester.
ROUSSIN. Âne, cheval.
ROUTE. Amer, autoroute, bord, borne, chaussée, chemin, ellipse, itinéraire, laie, marche, menée, orbite, piste, rr, rte, via, voie, voyage.
ROUTINE. Bureaucratie, coutume, habitude, ornière, pli, préjugé, us.
ROYALISTE. Légitimiste, monarchiste, nominataire, roi, ultra.
ROYAUME. Heptarchie, principauté.
RU. Ruisseau, ruisselet.
RUBAN. Bavolet, comète, faveur, jarretelle, lisière, padou, sparganier.
RUBIDIUM. Rb.
RUDE. Âcre, amer, âpre, ardu, brut, cru, dur, fort, rauque, rêche, sec.
RUDIMENTAIRE. Adobe, brut, début, embryon, imparfait, simple.
RUE. Avenue, boulevard, chaussée, cours, cul-de-sac, galerie, impasse, mail, passage, pavé, ruelle, traboule, venelle.
RUELLE. (Voir rue.)
RUGINE. Xystre.
RUGUEUX. Âpre, inégal, raboteux, rauque, rêche, rude.
RUINÉ. Cuit, débâcle, faillite, fatal, fauché, fichu, mort, perdu, perte.
RUINE. Banqueroute, décombres, échec, ors, renversement, vestige.
RUINER. Démollir, dépouiller, nettoyer, perdre, piller, raser, ravager.
RUISSEAU. Caniveau, cassis, fossé, rigole, rivelet, ru, ruisselet, ruz.
RUISSELET. (Voir ruisseau.)
RUMEUR. Bruit, dire, éclat, nouvelle, ragot, tapage, transpire.
RUMINANT. Alpaga, bœuf, bovidé, cerf, chèvre, chevreuil, daim, élan, girafe, lama, mufle, okapi, orignal, ovidé, ure, urus, vache, yack, yac.
RUPIN. Aristo, riche.
RUPTURE. Abattée, ban, bris, casser, cassure, déchirure, divorce, fracas.
RUSÉ. Adroit, artificieux, astucieux, combinard, dol, filou, fin, fourbe, futé, habile, intelligent, malin, matois, perfide, renard, roublard.
RUSE. Astuce, art, calcul, détour, malice, manège, piège, retors, tour.
RUSTIQUE. Agreste, campagnard, champêtre, nature, paysan, simple.
RU. Ruthénium.
RUZ. Ruisseau, ruisselet, vallée.
RYTHME. Cadence, clausule, cycle, danse, mesure, mouvement, tempo.

S

SABAYON. Aromate, crème, œuf, sucre, vin.
SABBAT. Assemblée, boucan, chahut, désordre, repos, tapage, tumulte, vacarme.
SABLE. Arène, béton, dune, grève, lest, lise, maerl, merl, roche, silt.
SABLER. Avaler, boire, ingurgiter, lamper.
SABRE. Coutelas, épée, escrime, espadon, glaive, latte, yatagan.
SAC. Coussin, duvet, gibecière, group, havresac, pillage, taie, vésicule.
SACCADÉ. Abrupt, brusque, convulsé, intermittent, marche, trépidé.
SACCAGER. Bouleverser, détruire, dévaster, piller, ravager, renverser.
SACCHAROSE. Inverti, sucre.
SACHEM. Chef, indien, tribu, vieillard.
SACHET. Amulette, pochette, ponce, relais, sac, tisane.
SACOCHE. Sabretache, sac.
SACREMENT. Baptême, communion, confession, confirmation, eucharistie, extrême-onction, mariage, ordre, pénitence, réconciliation.
SACRIFICE. Agneau, autel, hostie, ite, libation, messe, taurobole, victime.
SACRIFIER. Dévouer, donner, immoler, laisser, renoncer, vendre.
SACRISTAIN. Bedeau, concierge, église, gardien.
SAGE. Conseiller, modéré, philosophe, prudent, réglé, savant, sensé.
SAGESSE. Docilité, prudence, raison, réflexion, retenue, sagacité, vertu.
SAIGNER. Ensanglanter, ressaigner, sang, tirer, tuer, vaisseau.
SAILLIE. Angle, bosse, cheville, côte, dent, ergot, solin, sourcil, thénar.
SAIN. Sage, salubre, salutaire, santé, sauf, sensé, valide, vigoureux.
SAINDOUX. Axonge, graisse, porc.
SAINT. Dulie, icône, image, martyre, nimbe, patron, sacré, sanctifier, st.
SAISI. Apeuré, engourdi, étourdi, happé, stupéfié, surpris, transi.
SAISIR. Agripper, percevoir, piger, pincer, prendre, rafler, ravir, tenir.
SAISON. Automne, époque, équinoxe, été, hiver, printemps, solstice.
SALAIRE. Appointements, cachet, émoluments, fixe, gage, gain, honoraire, indirect, journée, mensualité, minimum, paie, paye, rémunération, rétribution, solde, traitement, trésor, vacation.
SALAUD. Baveux, immonde, infâme, malpropre, saligaud, voyou.
SALE. Cochon, crotté, négligé, ordure, malpropre, porc, taché, vilain.
SALÉ. Dessalé, exagéré, pec, resalé, salaison, saur, sauret, sel, sor.
SALETÉ. Boue, cochonnerie, crasse, crotte, ordure, résidu, tache.
SALICYLATE. Bétol, salol, spinal.
SALIR. Abîmer, gâcher, gâter, polluer, saloper, souiller, tacher, ternir.
SALIVE. Bave, écume, humeur, mousse, postillon, saburre, sialisme.
SALLE. Antichambre, auditorium, cénacle, chambre, cinéma, classe, dortoir, échaudoir, étude, exèdre, galerie, hall, loge, mess, naos, odéon, parloir, pièce, planétarium, prétoire, réfectoire, studio, trinquet.

SALOON. Bar, far west.
SALOPERIE. Cochonnerie, immondice, impureté, salissure, souillure.
SALPÊTRE. Eau-forte, nitre, salite.
SALUBRE. Hygiénique, sain, santé.
SALUER. Acclamer, adorer, échanger, honorer, ovationner, présenter.
SALUTAIRE. Bienfaisant, profitable, sain, santé, utile.
SALUTATION. Avé, bonjour, bonsoir, geste, révérence, salut.
SALVIA. Sauge.
SAMARIUM. Sm.
SAMOURAÏ. Bushido, guerrier, rônin, soldat.
SANATORIUM. Cure, hôpital, sana, solarium.
SANCTIFIER. Béatifier, bénir, canoniser, consacrer, fêter, sacrer.
SANCTION. Amende, blâme, peine, pénalisation, punition, retenue.
SANCTUAIRE. Asile, église, temple.
SANG. Aorte, cœur, cruel, race, saignée, sanguin, sérum, veine, vie.
SANGLIER. Bauge, groin, laie, marcassin, phacochère, porc, ragot, soie.
SANS. Absolu, acatène, anodin, aphone, aptère, atone, avachi, bête, chimérique, dépourvu, direct, droit, édenté, entier, éternel, étêté, fade, faible, fin, futile, gratuit, illimité, immédiat, incessamment, inculte, inerte, inodore, insipide, insu, léger, libre, maigre, mauvais, miséreux, mou, naïf, nomade, nu, nul, pâle, piètre, privation, privé, prostré, pur, sauf, sec, seul, sot, terne, tous, unanime, uni, vrac.
SANS-GÊNE. Aisé, audacieux, effronté, ingérence, intrusion, poltron.
SAOUL. Enivré, ivre, noir, soûl.
SAPER. Détruire, miner, subversif.
SARCASME. Ironie, moquerie, raillerie, rire.
SARCLER. Biner, échardonner, enlever, extirper, nettoyer, serfouir.
SARCOPHAGE. Cercueil, tombe.
SARMENT. Accolage, branche, fagot, liane, moissine, poivrier, sautelle.
SAS. Écluse, tamis, vannelle.
SASSER. Tamiser, trier.
SATAN. Démon, diable, éblis, éden, enfer, méphistophélès.
SATELLITE. Géostationnaire, lune.
SATIRE. Catilinaire, diatribe, épode, esprit, factum, libelle, moquerie.
SATISFACTION. Bonheur, joie, raison, réparation, satiété, vanité.
SATISFAIRE. Apaiser, assez, contenter, goûter, plaire, rassasier, servir.
SATISFAIT. Bien, content, don, heureux, insatisfait, repu, soulagé.
SATURÉ. Abondant, écœuré, gavé, plein, rassasié, repu, sursaturé.
SAUCISSON. Baloné, gendarme, mortadelle, salami.
SAUF. Abstraction, dehors, exception, exclusion, hormis, réserve, sinon.
SAULE. Arroyo, bebb, blanc, bonpland, caroline, discolore, feutré, fragile, hooker, lisse, osier, mackenzie, marsault, noir, pacifique, pêcher, pleureur, saulaie, scouler.

SAUMÂTRE. Âcre, amer, désagréable, grau.
SAUPOUDRER. Fariner, givrer, saler.
SAURET. Saur.
SAUT. Axel, bond, cabriole, culbute, jeté, salto, soubresaut, sursaut.
SAUTER. Bondir, cahoter, cuire, danser, exulter, omettre, passer.
SAUVAGE. Barbare, bestial, brut, cruel, farouche, fauve, indien.
SAUVER. Échapper, éluder, enfuir, évader, éviter, fuir, guérir, libérer.
SAVANT. Alma, calé, docte, érudit, instruit, lettré, mage, sage.
SAVEUR. Acidité, amertume, doux, fade, goût, piquant, plat, salé, sucré.
SAVOIR. Acquérir, art, culture, éducation, érudition, lettre, truc, voir.
SAVOIR-VIVRE. Bienséance, éducation, politesse, protocole, tact.
SAVOURER. Agréable, déguster, délecter, goûter, succulent, tâter.
SCABREUX. Corsé, difficile, licencieux, obscène.
SCANDALE. Actif, barouf, éclat, esclandre, honte, léger, passif, vilain.
SCANDALEUX. Choquant, déplorable, offensant, outrant, tapageur.
SCANDINAVE. Aquavit, danois, nordique, norvégien, renne, suédois.
SCANDIUM. Sc.
SCARABÉE. Anomala.
SCEAU. Cachet, empreinte, marque, plomb, poinçon, timbre, visa.
SCÈNE. Acte, coulisse, parade, plan, plateau, rampe, sketch, théâtre.
SCEPTICISME. Aporétique, doute, incrédulité, pyrrhonien.
SCHÉMA. Canevas, dessin, diagramme, formule, graphique, plan.
SCIE. Dosseret, égoïne, godendard, rengaine, sauteuse, sciotte, trait.
SCIENCE. Aéronautique, agronomie, archéologie, arithmétique, balistique, blason, botanique, climatologie, déontologie, eugénisme, géologie, géométrie, idéologie, mathématique, médecine, minéralogie, numismatique, océanologie, œnologie, onirologie, paléontologie, pédagogie, physiologie, sociologie, symbolique.
SCIER. Araser, couper, fendre, refendre, séparer, zigouiller.
SCINTILLER. Briller, clignoter, étinceler, lumière, miroiter, papillonner.
SCONSE. Mouffette.
SCOUT. Cheftaine, éclaireur, guide, louveteau, routier.
SCRIBOUILLEUR. Bureaucrate, écrivain, journaliste.
SCRUTATEUR. Examinateur, inquisiteur, regarder, spectateur, vote.
SCULPTER. Buriner, bustier, ciseler, gouger, modeler, riper, tailler.
SCULPTEUR. Animalier, artiste, bustier, ciseleur, imagier, mannequin, modeleur, statuaire, tailleur.
SCULPTURE. Ajouré, bosse, buste, ciselage, dard, figurine, grisaille, image, maquette, modelage, plastique, relief, statue, statuette, taille.
SÉANCE. Assemblée, assise, audience, audition, cinéma, concert, pièce, projection, représentation, réunion, session, spectacle, théâtre.
SÉANT. Assis, bien, décent, derrière, genou.
SEAU. Chaudière, palanche, seille.

SEC. Aride, déshydraté, desséché, dry, maigre, privation, stérile, tari.
SÉCHER. Assécher, déshydrater, dessécher, essorer, privation, priver.
SÉCHOIR. Hâloir.
SECOND. Aide, allié, bis, cadet, deuxième, lieutenant, sous-chef.
SECONDAIRE. Accessoire, dinosaure, mineur, polyvalente, subalterne.
SECONDER. Aider, assister, collaborer, favoriser, secourir, servir.
SECOUER. Agiter, branler, cahoter, hocher, locher, rouler, vibrer.
SECOURIR. Aider, assister, associer, délivrer, obliger, sauver, servir.
SECOURS. Aide, appui, assistance, aumône, grâce, renfort, subside.
SECOUSSE. Cahot, choc, commotion, coup, période, séisme, temps.
SECRET. Anonyme, charade, cachotterie, clé, clef, dérobé, discret, énigme, état, intime, latent, mèche, professionnel, recette, sceau, truc.
SECRÉTAIRE. Armoire, bureau, dactylo, meuble, notaire, serpent.
SÉCRÉTER. Filer, gicler, saliver, suer.
SÉCRÉTION. Diurèse, glaire, larme, mucus, sébum, sérum, sueur, venin.
SECTE. École, méthodiste, parti, puritain, zen.
SECTEUR. Cercle, division, domaine, fief, partie, quaker, rayon, zone.
SECTION. Gestapo, laisse, névrotomie, partie, tarte, ténotomie, zone.
SÉDIMENT. Dépôt, féculence, lie, tartre, varve.
SÉDITION. Agitation, complot, désordre, émeute, grève, révolte.
SÉDUCTEUR. Enjôleur, charmeur, débaucheur, suborneur, tombeur.
SÉDUCTION. Attrait, charme, coquetterie, flirt, galanterie, prestige, rapt.
SÉDUIRE. Charmer, conquérir, convaincre, corrompre, débaucher, déshonorer, détourner, enjôler, ensorceller, fasciner, plaire, suborner.
SÉDUM. Orpin.
SEGMENT. Créneau, diagonale, médiane, morceau, somite, vecteur.
SEIGNEUR. Chef, dieu, lige, noble, satrape, sieur, sir, sire, sultan.
SEILLE. Bac, chaudière, récipient, seau.
SEING. Acte, reçu, signature, volonté.
SÉJOUR. Ciel, éden, enfer, lieu, nuitée, parfasse, vacances, villégiature.
SEL. Acétate, alun, arséniate, borate, eno, esprit, ferrite, fin, halogène, iodate, iodure, nacl, nitrate, oléate, spirituel, uranate, urate.
SÉLECTION. Choix, écrémé, élection, espèce, génération, recueil, tri.
SÉLECTIONNER. Choisir, nominer, trier.
SÉLÉNIUM. Se.
SELLE. Arçon, bat, bidet, épreinte, fonte, pommeau, sangle, tenue.
SELON. Après, conformément, dépendre, fonction, notamment, penser.
SEMAILLES. Ensemencement, semis.
SEMBLABLE. Analogue, apparenté, autre, comparable, égal, équivalent, identique, même, pareil, proche, similitude, sorte, sosie, tel, voisin.
SEMBLANT. Apparaître, aspect, feindre, impression, même, simulacre.
SEMELLE. Crampon, lame, patin, soulier, talon.
SEMENCE. Ensemencer, fruit, germe, graine, pépin, semis, sperme.

SEMER. Diaprer, disperser, emblaver, parsemer, propager, répandre.
SENS. Âme, avis, contresens, côté, direction, externe, face, faculté, goût, intelligence, interprétation, interne, odorat, opinion, organe, orientation, ouïe, palais, sentiment, signification, tête, toucher, vue.
SENSATION. Agnosie, aigreur, aura, chaleur, euphorie, fatigue, froid, hallucination, odeur, oppression, picotement, tact, tiraillement, vertige.
SENSÉ. Intelligent, sage, sain, stupide.
SENSIBLE. Affectif, compatissant, délicat, douillet, émotif, fragile, impressionnable, romantique, sentimental, touché, vif, vulnérable.
SENSUALITÉ. Chair, débauche, luxure, passion, plaisir, sexe, volupté.
SENTENCE. Arbitrage, jugement, maxime, mot, parole, pensée, slogan.
SENTEUR. Arôme, émanation, fragrance, fumet, odeur, parfum.
SENTIER. Chemin, glissoir, laie, layon, piste, rime.
SENTIMENT. Admiration, âme, amitié, amour, avis, colère, crainte, détresse, émoi, émulation, envie, foi, goût, haine, honnêteté, honte, indignation, intérêt, orgueil, peur, pitié, rire, sens, tact, tendresse, vide.
SENTIR. Apprécier, blairer, dégager, éprouver, exhaler, flairer, humer, juger, penser, percevoir, pifer, puer, remarquer, ressentir, trouver.
SÉPARATION. Borne, diérèse, fente, plancher, raie, rupture, tmèse.
SÉPARÉ. Absolu, dégagé, distinct, isolé, particulier, pur, seul, unique.
SÉPARER. Cliver, cloisonner, couper, diviser, écarter, écrémer, éloigner, épurer, espacer, exiler, fendre, isoler, scier, trancher, trier, zester.
SEPTENTRION. Anordir, nord.
SÉPULTURE. Caveau, crypte, fosse, mausolée, monument, tombe.
SERAIL. Eunuque, harem, milieu, organisation, palais.
SÉRIE. As, beaucoup, cycle, étude, évolution, fibrillation, gamme, groupe, instance, jeu, lacet, note, ontogenèse, séquence, suite, trilogie.
SÉRIEUX. Austère, grave, posé, raisonnable, réel, réfléchi, sage, sévère.
SERIN. Canari, étourdi, niais, tapette.
SERMENT. Affidavit, jurer, leude, parjure, promesse, vœu.
SERMON. Avent, discours, homélie, oraison, prêche, prédication, prône.
SERPE. Ébranchoir, élagueur, fauchard, faucille, faux, gouet, serpette.
SERPENT. Anaconda, aspic, basilic, boa, bungare, caducée, céraste, cobra, couleuvre, crotale, devin, élaps, haje, naja, ophidien, orvet, python, reptile, sonnette, trigonocéphale, typhlops, uræus, vipère.
SERRÉ. Avare, ébéniste, dru, entassé, gêné, rapproché, rat, tassé.
SERRER. Comprimer, corseter, écraser, enlacer, enserrer, entasser, esquisser, étreindre, ferler, lacer, mordre, presser, tasser, visser.
SERRURE. Bénarde, cadenas, clé, clef, gâche, huis, loquet, pêne, verrou.
SERTIR. Bijou, emboîter, enchâsser.
SÉRUM-ALBUMINE. Sérine.
SERVANTE. Boniche, bonne, domestique, employée, serveuse, sigisbée.
SERVICE. Desserte, extra, identité, judiciaire, obit, quart, trésor, utilité.

SERVIETTE. Débarbouillette, guenille, linge, sac, torchon, valise.
SERVILE. Abject, humilité, laquais, plat, rampant, serf, soumis, souple.
SERVIR. Aider, motiver, piloter, punir, remplacer, suivre, tenir, utiliser.
SERVITEUR. Bedeau, domestique, laquais, larbin, maître, page, valet.
SEUIL. Commencement, début, entrée, pas, porte.
SEUL. A cappella, as, délaissé, dernier, ermite, esseulé, exclusif, isolé, premier, reclus, retiré, seulement, solitaire, solo, un, unique.
SÉVÈRE. Acerbe, austère, autorité, mordant, rigide, rigoureux, strict.
SÉVÉRITÉ. Austérité, draconien, dureté, intransigeance, rigidité.
SEX-APPEAL. Charme.
SEXE. Amphigame, androgyne, épicène, fellation, frigidité, genre, hermaphrodite, libido, saphisme, sensualité, sexologie, virilité.
SI . Oui, prometteur, tant, tel, tellement.
SIAMOIS. Chat, jumeaux, siam, thai.
SIDÉRAL. Astral, ciel, comète, étoile, galaxie, lune, planète, soleil.
SIDÉRÉ. Déprimé, ébahi, éberlué, effaré, foudroyé, stupéfait, surpris.
SIÈGE. Banc, blocus, centre, chaise, escabeau, escarpolette, est, fauteuil, lieu, pape, rotin, séant, sein, selle, sis, stalle, strapontin, trépied, trône.
SIÉGER. Assiéger, diriger, être, résider, selle, tenir, trôner.
SIEUR. Sr.
SIFFLEMENT. Acouphène, psitt, pst, sibilation, sss.
SIFFLER. Bruit, chien, huer, respirer, siffloter.
SIGLE. Abrégé, acronyme, emblème, initiale, lettre, logo, trigramme.
SIGNAL. Appel, carre, chamade, feu, fusée, gong, mire, signe, S.O.S., top.
SIGNALER. Accuser, alerter, avertir, citer, dénoncer, marquer, montrer.
SIGNATURE. Estampille, griffe, paraphe, sceau, seing, souscription, visa.
SIGNE. Bécarre, bémol, caractère, cédille, clé, clef, dièse, galon, indice, neume, nique, note, pause, pi, pianissimo, plus, point, silence, zéro.
SIGNIFICATION. Esprit, extension, métaphore, sémantique, sens, terme.
SIGNIFIER. Déclarer, dénoter, désigner, dire, donner, intimer, rimer.
SILENCE. Bâillon, calme, chut, paix, motus, mutisme, pause, secret.
SILENCIEUX. Coi, muet, taciturne, taire, tranquille.
SILICATE. Albite, béryl, calamite, cérite, grenat, jade, péridot, talc.
SILICIUM. Agate, émail, jaspe, mica, opale, quartz, silex, si, verre.
SILLAGE. Eau, houache, strioscopie, trace.
SILLON. Creux, enrue, javelle, raie, rayon, ride, strie, striure, trace.
SIMILITUDE. Accord, analogie, connexe, même, parenté, ressemblance.
SIMPLE. Facile, fou, franc, modeste, niais, pauvre, seul, sot, un, une.
SIMPLICITÉ. Aisance, bonhomie, modestie, naïveté, naturel, rusticité.
SIMPLIFIER. Normaliser, réduire, schématiser, standardiser, styliser.
SIMULATION. Dissimulation, feinte, imitation, pathomimie.
SIMULER. Affecter, faire, feindre, imiter, jouer, peindre, semblant.
SINCÈRE. Authentique, direct, droit, franc, honnête, loyal, sérieux, vrai.

SINCÉRITÉ. Authenticité, contrition, foi, franchise, loyauté, vérité.
SINÉCURE. Emploi, fonction, fromage.
SINGE. Aï, alouate, atèle, babouin, bradype, capucin, chimpanzé, drill, gorille, hurleur, nasique, ouistiti, rhésus, saï, saïmiri, sajou, sapajou.
SINGER. Copier, imiter, même, mimer.
SINGULIER. Bizarre, curieux, drôle, épatant, étrange, rare, seul, unique.
SINUEUX. Courbe, détour, méandre, onde, ondulant, spirale, tortueux.
SINUOSITÉ. Courbe, détour, méandre, onde, pli, repli.
SINUS. Angle, cercle, cosinus.
SIROP. Café, cocktail, érable, grenadine, limon, orgéat.
SIROTER. Boire, déguster.
SITE. Endroit, lieu, paysage, spectacle, vue.
SITUATION. Abcès, aboi, aisance, cas, circonstance, dans, détresse, dilemme, état, exposition, filon, galère, gêne, impasse, juxtaposition, litispendance, oasis, position, rang, sous, stage, sujet, sur, tendon.
SITUÉ. Assis, condition, état, latérale, lieu, sis, unilatérale.
SITUER. Aviser, dénicher, figurer, juger, lieu, penser, placer, trouver.
SLAVE. Boyard, bulgare, russe, slovaque, tchèque, ukrainien.
SOBRE. Abstinent, frugal, modéré, simple, tempérant.
SOBRIÉTÉ. Discrétion, frugalité, modération, simplicité, tempérance.
SOBRIQUET. Nom, surnom.
SOCIABLE. Accommodant, affable, aimable, facile, liant.
SOCIALISTE. Communiste, marxiste, progressiste, social-démocrate.
SOCIÉTÉ. Académie, collectivité, compagnie, église, hétérie, ordre, salon.
SOCLE. Acrotère, buste, fond, piédestal, statif, support.
SODIUM. Na, sel.
SŒUR. Converse, frangine, laie, lait, religieuse, sœurette, sr, tante.
SOI. Accaparer, ego, individualiste, lui, maîtrise, modestie, posséder.
SOIF. Altération, assoiffé, besoin, boire, désaltérer, désir, envie, or.
SOIGNER. Chouchouter, choyer, dorloter, fignoler, gâter, panser, traiter.
SOIGNEUSEMENT. Consciencieusement, méticuleusement, minutieusement, scrupuleusement, soigneux.
SOIN. Attention, cure, minutie, scrupule, thérapeutique, traitement.
SOIR. Agape, brune, crépuscule, dîner, nuit, sérénade, soirée, souper.
SOL. Carrelage, dallage, glèbe, noue, parquet, patrie, plancher, terre.
SOLDAT. Archer, combattant, conscrit, cuirassier, dragon, éclaireur, estradiot, guerrier, lancier, mercenaire, militaire, papal, poilu, ranger, recrue, réserviste, sapeur, sentinelle, tirailleur, vélite, zouave.
SOLDE. Aubaine, émolument, paie, paye, prêt, reliquat, salaire.
SOLDER. Bonifier, brader, démarquer, différencier, escompter, purer.
SOLEIL. Astre, galarneau, midi, occident, ouest, râ, solstice, zénith.
SOLENNEL. Éclatant, fastueux, fête, grave, imposant, officiel, pompeux.
SOLIDARITÉ. Aide, camaraderie, entraide, fraternité, mutualité.

SOLIDE. Dense, dur, épais, ferme, fort, massif, octaèdre, robuste, sûr.
SOLIDIFIER. Congeler, durcir, glacer.
SOLIDITÉ. Consistance, densité, dureté, fermeté, résistance, robustesse.
SOLIPÈDE. Âne, cheval, zèbre.
SOLITAIRE. Bijou, diamant, écarté, ermite, porc, sanglier, seul, ver.
SOLITUDE. Délaissement, désert, isolement, retraite, thébaïde, vide.
SOLLICITER. Demander, mendier, postuler, quémander, quêter, tenter.
SOLLICITUDE. Attention, bienveillance, intérêt, soin, souci.
SOLO. Individu, seul, un.
SOLUTION. Clé, clef, éventration, issue, javel, lessive, réponse, résultat.
SOMBRE. Chagrin, foncé, morne, noir, nuageux, obscur, ténébreux.
SOMBRER. Abîmer, chavirer, couler, malheur, renverser, tomber.
SOMMATION. Avenir, citation, interpellation, intimation, ordre.
SOMME. Dette, débit, dû, enjeu, ensemble, jeton, mise, pécule, pot-de-vin, prêt, prime, quantité, redevance, sieste, sou, soulte, total, tout.
SOMMEIL. Anesthésie, assoupissement, dodo, dormir, inaction, léthargie, repos, roupillon, sieste, somme, somnolence, torpeur.
SOMMEILLER. Bouteille, dormir, endormir, reposer, roupiller, sieste.
SOMMET. Cime, crâne, crête, faîte, haut, maximum, paroxysme, pic.
SOMNIFÈRE. Diacode, narcotique, œillette, opium, soporifique.
SOMNOLENT. Assoupi, hypnagogique, torpeur.
SOMPTUOSITÉ. Brillé, luxe, pompeux, princier, splendide.
SON. Acoustique, bran, bruit, musique, résonance, sonorité, timbre.
SONDAGE. Aérosondage, élection, enquête, examen, résultat.
SONDER. Chercher, explorer, pressentir, questionner, scruter, tâter.
SONGE. Gîte, illusion, oniromancie, rêve, vision.
SONGER. Aviser, mesurer, penser, peser, projeter, réfléchir, rêver.
SONGEUR. Absent, absorbé, distrait, léger, penseur, rêveur, visionnaire.
SONNANT. Liquide, pétant, tapant.
SONNE. Carillon, cloche, réveil, révolu, tapant, téléphone.
SONNER. Appeler, carillonner, corner, résonner, retentir, tinter, vibrer.
SONNERIE. Angélus, appel, ban, cloche, diane, glas, quête, tintement.
SONNETTE. Clochette, crotale, drelin, serpent.
SONORE. Bruyant, éclatant, musical, phonétique, retentissant, top.
SORDIDE. Abject, bas, ignoble, ladre, malpropre, sale.
SORNETTE. Baliverne, bêtise, chanson, fadaise, faribole, malédiction.
SORT. Aléa, chance, destin, destinée, fatal, hasard, loterie, magie.
SORTE. Catégorie, division, espèce, forme, genre, manière, type, variété.
SORTIE. Algarade, attaque, colère, éclore, éruption, exode, hernie, issue.
SORTIR. Éclore, exsuder, jaillir, gagner, lever, naître, partir, pousser.
SOT. Âne, bête, borné, con, crétin, fat, idiot, naïf, niais, nigaud, stupide.
SOTTISE. Ânerie, bêtise, crétinerie, ineptie, ignorance, injure, niaiserie.
SOUBASSEMENT. Base, cave, fond, podium, socle, sous-sol, tambour.

SOUBRETTE. Lisette, servante.
SOUCHE. Arbre, branche, descendance, famille, race, racine, tronc.
SOUCI. Aria, chagrin, ennui, inquiétude, pensée, préoccupation, tracas.
SOUCIEUX. Anxieux, indifférent, inquiet, préoccupé, sombre, tracassé.
SOUCOUPE. Ovni, sébile, sous-tasse, tasse.
SOUDAIN. Apoplexie, aussitôt, brusque, brutal, coup, éclat, foudroyant, fulgurant, immédiatement, imprévu, inopinément, prompt, subit.
SOUDARD. Drille, reître, soldat.
SOUDER. Adhérer, braser, corroyer, emboîter, joindre, ressouder, unir.
SOUE. Cochon, étable, porcherie.
SOUFFLE. Air, bouffée, essoufler, haleine, insuffler, respiration, vent.
SOUFFLER. Alchimie, ébrouer, éteindre, mémoire, reposer, respirer.
SOUFFLETER. Battre, gifler, injurier.
SOUFFRANCE. Chagrin, douleur, expiation, mal, misère, peine, tracas.
SOUFFRIR. Douleur, éprouver, essuyer, mal, pâtir, peiner, supplice.
SOUHAIT. Désir, gré, imprécation, réciproque, vœu.
SOUHAITER. Demander, désirer, donner, espérer, rêver, vouloir.
SOUILLER. Baver, entacher, laver, salir, tacher, tarer, teinter, ternir.
SOUILLURE. Impureté, maculature, saleté, salissure, tache.
SOÛL. Biberon, boire, ivre, paf, rassasié, rond, saoul.
SOULAGE. Remède.
SOULAGER. Adoucir, aider, apaiser, alléger, calmer, consoler, débarrasser, décharger, délivrer, guérir, réconforter.
SOÛLERIE. Beuverie.
SOULÈVEMENT. Émeute, excitation, répulsion, révolte, révolution.
SOULEVER. Ameuter, attrouper, élever, exciter, hisser, lever, révolter.
SOULIER. Astic, chaussure, escarpin, lacet, richelieu, savate, talon.
SOULIGNER. Accentuer, écrire, insister, noter, relever, scander.
SOUMETTRE. Céder, déposer, faisander, fixer, grever, laminoir, livrer, méditer, obéir, offrir, opérer, plier, réglementer, subir, tester, visser.
SOUMIS. Docile, humble, imposé, rampant, résigné, souple, usiné.
SOUMISSION. Adjudication, devis, inférieur, offre, ordre, résignation.
SOUPÇON. Crainte, défiance, doute, jalousie, méfiance, suspicion.
SOUPÇONNER. Craindre, douter, flairer, méfier, présumer, suspecter.
SOUPÇONNEUX. Défiant, jaloux, méfiant, ombrageux.
SOUPE. Bouillon, consommé, crème, gratinée, panade, potage.
SOUPESER. Calculer, compter, estimer, évaluer, juger, nombrer, peser.
SOUPIRAIL. Abat-jour, chassis, fenêtre.
SOUPIRER. Aimer, convoiter, respirer.
SOUPLE. Agile, élastique, félin, flexible, gracieux, liant, malléable.
SOUPLESSE. Agilité, élasticité, flexibilité, légèreté, maniabilité.
SOURCE. Cause, filon, fontaine, laser, mère, naissance, origine, vent.
SOURD. Amorti, assourdi, caché, étouffé, jailli, secret, silence, voilé.

SOURICIÈRE. Piège.
SOURIRE. Plaire, rire, risette.
SOURNOIS. Dissimulé, doucereux, faux, fourbe, malin, rusé.
SOUS. Dessous, immergé, inférieur, soutien, temps.
SOUSCRIRE. Abonner, approuver, consentir, cotiser, signer.
SOUSTRAIRE. Déduire, dérober, détourner, enlever, ôter, receler, voler.
SOUTENEUR. Estafier, jules, maquereau, pim.
SOUTENIR. Adosser, affirmer, aider, approuver, appuyer, assurer, écrire, élever, étayer, porter, prétendre, rentoiler, subir, supporter.
SOUTENU. Appuyé, continu, persistant, protégé, ptôse, thèse.
SOUTERRAIN. Bulbe, câble, cave, drain, égout, mine, nappe, taupe.
SOUTIEN. Accore, aide, appui, base, ber, ceinture, colonne, défense, entretoise, étai, mât, os, pied, pieu, pivot, support, tin, tréteau, tuteur.
SOUTIRER. Élier, estamper, obtenir, tirer, vider.
SOUVENIR. Cadeau, idée, mémoire, pensée, rappeler, ressentiment.
SOUVENT. Beaucoup, courant, fréquent, habituel, maintes.
SOUVERAIN. Absolu, chah, despote, duc, empereur, potentat, roi, tsar.
SPACIEUX. Ample, étendu, grand, gros, large, vaste.
SPÉCIALISTE. As, botaniste, criminologue, entomologiste, expert, gréeur, marbier, navigateur, politologue, spéléologue, visagiste.
SPÉCIFIER. Désigner, normaliser, préciser, propre, stipuler.
SPECTACLE. Danse, féerie, naumachie, pièce, représentation, scène, vue.
SPECTATEUR. Auditeur, auditoire, public, téléspectateur, témoin.
SPECTRE. Apparition, arc-en-ciel, couleurs, fantôme, prisme.
SPÉCULER. Agio, entreprendre, intelligence, méditer, penser, science.
SPERME. Épididyme, flagellum, laité, semence.
SPHÈRE. Anneau, bille, boule, cercle, domaine, dôme, pôle, rayon.
SPIRALE. Arc, boudin, cercle, circiné, cirrhe, courbe, liseron, vrille.
SPIRITISME. Astrologie, magie, numérologie, télékinésie.
SPIRITUEL. Délicat, déluré, esprit, humoriste, immatériel, impalpable, intellectuel, joyeux, malin, mordant, plaisant, psychique, salé, souple.
SPLENDIDE. Admirable, beau, beauté, bel, briller, somptueux, superbe.
SPOLIER. Déposséder, léser, ôter, voler.
SPONTANÉ. Franc, inconscient, inné, libre, naturel, propre, volontaire.
SPORANGE. Indusie, spore, urne.
SPORE. Apothécie, asque, champignon, conidie, hyménium, thèque.
SPORT. Athlétisme, baseball, basket, boxe, exercice, exploit, golf, gymnastique, hockey, jeu, luge, lutte, motonautisme, nage, natation, patinage, polo, raquette, rugby, ski, tennis, tir, turf, voile, yachting.
SPORTIF. Actif, antisportif, athlète, joueur, sélectionné, senior.
SPUMEUX. Écumeux.
SQUALE. Galuchat, lamie, requin.
SQUELETTE. Canevas, carcasse, charpente, hyoïde, mort, os, ossature.

STABLE. Assis, durable, ferme, fixe, habituel, larve, leste, solide.
STADE. Degré, étape, état, forum, germe, larve, phase, transition.
STALLE. Box, église, miséricorde.
STANCE. Chant, couplet, poésie, strophe, tercet.
STATION. Arrêt, gare, halte, pause, spa.
STATIONNER. Arrêter, camper, garer, immobiliser, placer, ranger.
STATUE. Atlante, colosse, idole, orant, sculpture, sel, télamon.
STATURE. Colosse, géant, taille.
STÉRADIAN. Sr.
STÈRE. St.
STÉRILE. Aride, improductif, infécond, infertile, ingrat, inutile, pauvre.
STÉRILISER. Aseptiser, épuiser, javelliser.
STÉROL. Cholestérol, ergostérol.
STILICON. Rufian.
STIMULER. Aiguiser, animer, doper, émouvoir, exciter, éperonner, motiver, piquer, pousser, ranimer, relever, remuer, toucher.
STOPPER. Arrêter.
STRAMOINE. Datura.
STRATAGÈME. Artifice, astuce, calcul, manège, piège, ruse, tactique.
STRATÉGIE. Clé, clef, conduite, manœuvre, obstruction, tactique.
STRICT. Exact, étroit, littéral, mitigé, sévère, vrai.
STROPHANTUS. Liane, ouabaïne.
STROPHE. Couplet, dizain, laisse, ode, quadrain, septain, stance, tercet.
STRUCTURE. Artefact, canevas, composition, forme, ordre, squelette.
STUDIO. Appartement, atelier, décor.
STUPÉFAIT. Abasourdi, baba, éberlué, étonné, inouï, sidéré, surpris.
STUPÉFIANT. Crack, haschich, héroïne, morphine, narcotique, opium.
STUPÉFIER. Ahurir, ébahir, effarer, étonner, méduser, surprendre.
STUPIDE. Abruti, bête, borné, con, crétin, débile, idiot, imbécile, sot.
STUPIDITÉ. Bêtise, connerie, crétinisme, imbécillité, ineptie, sottise.
STYLE. Allure, art, attitude, écriture, facture, manière, plume, ton, tour.
SUAIRE. Linceul.
SUAVE. Agréable, doux, fragrance.
SUBALTERNE. Bas, inférieur, sans-grade.
SUBDIVISER. Échelonner, définir, diviser, lotir, sectionner, tabler.
SUBDIVISION. Chambre, curie, partie, secteur, tableau, titre, tranche.
SUBIR. Essuyer, examen, obéir, punir, réprimander, souffrir, supporter.
SUBIT. Brusque, hâtif, imprévu, inattendu, inopiné, soudain, subito.
SUBJUGUER. Charmer, envoûter, fasciner, persuader, séduire.
SUBLIME. Beau, céleste, divin, élevé, grand, haut, noble, pompeux.
SUBMERGER. Engloutir, inonder, noyer, transgresser, tremper.
SUBORDONNÉ. Conjonction, dépendant, esclave, inférieur, serveur, sans-grade, relatif, soumis, subalterne, vassal.

SUBSISTANCE. Aliment, denrée, matière, pitance, quintessence, sang.
SUBSISTER. Continuer, couver, durer, être, exister, rester, surnager.
SUBSTANCE. Abrasif, amadou, cérumen, cire, cristal, curare, cutine, émail, épice, gel, gluten, gomme, graisse, héparine, humeur, ionone, ivoire, kinase, légumine, levain, matte, miel, musc, nacre, nourriture, pitance, poison, qat, remède, résine, sel, suc, urée.
SUBSTANTIF. Annexe, nom.
SUBSTITUER. Biaiser, blesser, commuer, enlever, remplacer.
SUBTIL. Délicat, délié, habile, intelligent, léger, quintessence, spirituel.
SUBTILISER. Dérober, escamoter, quintessencier, soustraire, voler.
SUBTILITÉ. Délicatesse, finesse, intelligence, minutie, raffinement.
SUBVENTION. Aide, don, prêt, subside.
SUC. Aloès, eau, gelée, jus, larme, latex, moût, opium, rob, sève, verjus.
SUCCÉDER. Alterner, remplacer, suivre, venir.
SUCCÈS. Avantage, bonheur, gain, prouesse, réussite, triomphe, victoire.
SUCCESSEUR. Continuateur, épigone, héritier, remplaçant, suivant.
SUCCESSION. Dévolution, échelle, escalier, évolution, gamme, héritage, rafale, rotation, roulement, train, série, suite.
SUCCINCT. Anecdote, bref, concis, court, notice, sommaire.
SUCCOMBER. Abattement, céder, choir, malheur, mourir, périr, tomber.
SUCCURSALE. Agence, annexe, branche, division, filiale, tremplin.
SUCE. Sangsue, lèvre, pou, pieuvre, tentaculifère, vampire, ventouse.
SUCER. Aspirer, baiser, buvoter, déguster, humer, lipper, saliver, têter.
SUCRE. Caramel, chocolat, doux, lactose, mélasse, miel, sirop, vergeoise.
SUCRER. Adoucir, édulcorer, embellir, lochage, mieller.
SUCRERIE. Confiserie, friandise.
SUD. Austral, méridional, midi.
SUD-EST. Se, suet.
SUD-OUEST. Libeccio, so.
SUER. Couler, excréter, exsuder, moitir, nage, suinter, transpirer.
SUEUR. Chaleur, écume, excrétion, fatigue, fièvre, transpiration.
SUFFISAMMENT. Abondant, assez, bien, capable, gloire, mûr.
SUFFIXE. Algie, andrie, crate, gramme, graphe, ien, is, ite, logie, mètre, phagie, phone, sphère, tomie.
SUFFRAGE. Approbation, choix, élection, voix, vote, urne.
SUGGÉRER. Dicter, indiquer, inspirer, persuader, recommander.
SUGGESTION. Avertissement, inspiration, instigation.
SUICIDER. Assassiner, hara-kiri, tuer.
SUINTER. Couler, exsuder, pleurer, suer, transpirer.
SUITE. Air, ballet, continuation, danse, épopée, escalier, liste, mélodie, pagination, pétarade, prolongement, rangée, série, succession, variété.
SUIVANT. Après, avant, autre, ci, et, postérieur, selon, ultérieur, us.
SUIVRE. Accompagner, aller, ester, filer, longer, obéir, pister, talonner.

SUJET. Cause, désagrément, être, étude, fable, lieu, maladif, matière, moi, mortel, motif, objet, rageur, scène, suspect, texte, thème, titre.
SUJÉTION. Attache, carcan, chaîne, condition, dépendance, esclavage, joug, obédience, soumission, subordination, vassalité.
SULFATE. Alun, epsomite, galène, gypse, vitriol.
SULTAN. Hautesse, musulman, pacha, seigneur, sérail, sultanat, roi.
SUPERFLU. Attirail, inutile, redondant, surabondant, trop.
SUPÉRIEUR. Abbé, élevé, émérite, éminent, général, haut, mère, prieur.
SUPÉRIORITÉ. Prédominance, préeminence, suprématie, transcendance.
SUPERPOSER. Coïncider, étager, imbriquer, interférer, liter, mettre.
SUPERSTITION. Amulette, croyance, hasard, magie, peur, vampire.
SUPERSTRUCTURE. Château, dunette, kiosque, passerelle.
SUPPLÉMENT. Cahier, rab, rallonge, remplacement, surcroît, surplus.
SUPPLICATION. Appel, demande, ferveur, oraison, prière, requête.
SUPPLICE. Crucifiement, douleur, écartèlement, estrapade, flammes, knout, lapidation, pal, potence, roue, souffrance, torture, tourment.
SUPPLIER. Adjurer, appeler, demander, implorer, prier.
SUPPLIQUE. Demande, pétition, requête, prière.
SUPPORT. Affût, atalante, bras, cariatide, chevalet, cintre, épontille, essieu, faucre, gaine, if, isolateur, lampadaire, mât, patère, piédestal, pilier, servante, socle, soutien, stencil, télamon, tin, tréteau, vau.
SUPPORTER. Blairer, endurer, épauler, éprouver, résister, subir, tolérer.
SUPPOSÉ. Apocryphe, censé, espérer, factice, faux, présage, pseudo.
SUPPOSITION. Conjonction hypothèse, opinion, présomption, si, soit.
SUPPRESSION. Anesthésie, anurie, coupure, diète, élision, privation.
SUPPRIMER. Annuler, élider, enlever, épiler, ôter, raser, rayer, tuer.
SUPRÉMATIE. Hégémonie, majesté, pouvoir, souverain, supériorité.
SÛR. Acide, aigre, amer, assuré, certain, convaincu, dessus, évident, exact, fermenté, fidèle, haut, persuadé, réel, sinécure, suri, tourné, vrai.
SURCHARGER. Abrutir, alourdir, bourrer, corriger, farcir, net, travailler.
SURÉLÉVATION. Adjudication, augmentation, exhaussement, mascaret.
SÛRETÉ. Asile, assurance, caution, garantie, pompe, siège, verrou.
SUREXCITER. Admirer, délirer, emballer, énerver, rêver, songer.
SURFACE. Aire, are, base, disque, extérieur, façade, glacis, intrados, orbe, parement, photosphère, pi, plan, superficie, tamis, tranche.
SURGIR. Émerger, paraître, ressurgir, sortir, venir.
SURMENER. Claquer, crever, fatiguer, peiner, vider, suer, trimer, user.
SURMONTER. Dompter, franchir, mater, sommer, surpasser, vaincre.
SURNATUREL. Divin, inexplicable, magique, miraculeux, surhumain.
SURNOM. Appel, épiphane, plume, pseudonyme, sobriquet.
SURNOMMER. Appeler, caser, dénommer, désigner, dire, renommer.
SURPASSER. Dépasser, dominer, emporter, laisser, prédominer, primer.
SURPLIS. Rochet.

SURPLOMBER. Couronner, couvrir, dépasser, dominer, planer, régner.
SURPRENDRE. Confondre, étonner, intriguer, renverser, stupéfier, voir.
SURPRIS. Ébahi, étonné, interloqué, renversé, stupéfait, stupéfié.
SURPRISE. Cadeau, confusion, ébahissement, étonnement, stupéfaction.
SURSAUTER. Bondir, exploser, exulter, sauter, tressaillir, tressauter.
SURSIS. Arrêt, attente, délai, pause, remise, répit, surséance, trêve.
SURTOUT. Caban, notamment, particulièrement.
SURVEILLANCE. Contrôle, faction, guet, mirador, tutelle, vigilance.
SURVEILLANT. Argousin, argus, garde, geôlier, maître, pion, préfet.
SURVEILLER. Épier, espionner, garder, guetter, noter, regarder, veiller.
SURVENIR. Advenir, arriver, surgir, venir.
SURVIVANT. Naufragé, rescapé, vivace, vivant.
SUSCEPTIBLE. Capable, chatouilleux, érectile, rachetable, vibratile.
SUSCITER. Apporter, bondir, causer, élever, fomenter, inspirer.
SUSPENDRE. Arrêter, cesser, enrayer, geler, interrompre, pendre.
SUSPENSION. Apnée, crise, délai, grève, pause, relâche, repos, trîve.
SÛTRA. Morale, recueil, rituel, soutra.
SUTURER. Coudre, recoudre, réunir, sati.
SVELTE. Délié, élancé, maigre, mince.
SYMBOLE. Attribut, cv, emblème, épaulette, figure, image, logo, lys, lx, mg, ml, mn, mth, nm, pa, signe, sueur, tr.
SYMBOLE CHIMIQUE. Actinium (ac), antimoine (sb), argent (ag), aluminium (al), américium (am), arsenic (as), astate (at), baryum (ba), berylium (be), bismuth (bi), berkélium (bk), brome (br), cadmium (cd), césium (cs), californium (cf), cérium (ce), chlore (cl), chrome (cr), clacium (ca), cobalt (co), curium (cm), cuivre (cu), dysprosium (dy), erbium (er), étain (sn), europium (eu), fer (fe), fermium (fm), francium (fr), gadolinium (gd), gallium (ga), germanium (ge), hafnium (hf), hélium (he), holmium (ho), indium (in), iridium (ir), krypton (kr), lanthane (la), lithium (li), lutetium (lu), magnésium (mg), manganèse (mn), mendélévium (mv), molybdène (md), néodyme (nd), néon (ne), neptnium (np), nickel (ni), niobium (nb), nobélium (no), or (au), osmium (os), palladium (pd), platine (pt), plomb (pb), plutonium (pu), polonium (po), praséodyme (pr), prométhium (pm), protoctinium (pa), radium (ra), radon (rn), rhénium (re), rhodium (rh), rubidium (rb), ruthénium (ru), samarium (sm), scandium (sc), sélénium (se), silicium (si), sodium (na), strontium (sr), tantale (ta), technetium (tc), tellure (te), terbium (tb), thallium (tl), thorium (th), thulium (tm), titane (ti), xénon (xe), ytterbium (yb), zinc (zn), zirconium (zr).
SYMPATHIE. Affinité, communion, entente, estime, intérêt, xénophilie.
SYNDICAT. Compagnonnage, confédération, corporation, fédération, mutuelle, travail, trust, union.

SYNONYME. Adéquat, équivalence, équivalent, expression, même.
SYNTHÈSE. Assimilation, combinaison, compromis, fusion, réciproque.
SYPHILIS. Chancre, vérole.
SYSTÈME. Absolutisme, atonalité, bertillonnage, conscription, déisme, élitisme, esclavagisme, fiscalité, homéopathie, macadam, martingale, métrique, moyen, rappel, solaire, théorie, troc, utopie, vocalisme, yoga.
SYSTOLE. Cœur, contraction, diastole, oreillette, périsystole.
SYZYGIE. Conjonction, lune, marée, opposition, soleil.

T

TABAC. Chique, cigarette, fumer, gris, nicotine, peton, priseur, tabagie.
TABAGIE. Débit, dépanneur, épicerie, pharmacie, tabac, variété.
TABASSER. Battre, boxer, cogner, fesser, gifler, punir, rouer, taper.
TABERNACLE. Église, naos, néos, parvis, pavillon.
TABLE. Autel, barème, bureau, établi, étal, hachoir, maie, répertoire.
TABLEAU. Bilan, cadre, calendrier, cote, craie, écran, damier, embu, état, flou, gouache, liste, paysage, peinture, plan, rôle, tarif, toile, vue.
TABLETTE. Abaque, dalle, étagère, rayon, style, tessère, volet.
TABLIER. Avant, bavette, pont, salopette, serpillière.
TABOU. Inviolable, sacré.
TACHE. Accroc, bavure, bleu, envie, lunule, macule, meurtrissure, ocelle, pâte, pige, sale, saleté, son, spot, souillure, taie, travail.
TACHER. Barbouiller, essayer, maculer, marchander, salir, souiller.
TACHETER. Daim, maculer, marqueter, ocellé, ocelot, taveler.
TACITURNE. Cachottier, silencieux, sombre.
TACT. Contact, délicatesse, diplomatie, habile, tactile, toucher.
TAFFETAS. Pongé, pout-de-soie, surah, tissu, trentain, zénana.
TAILLER. Biseauter, écharper, émonder, étêter, retailler, tondre.
TAIRE. Arrêter, boucler, cacher, celer, chut, dit, garder, mimer, motus, omis, retenir, sauter, secret, silence, souffler, tenir, tu, voiler.
TALENT. Art, capable, force, génie, habile, intelligence, virtuose.
TALONNER. Poursuivre, suivre, tourmenter.
TALUS. Ados, berge, butte, côté, escarpe, falaise, parapet, remblai.
TAMARIS. Hapalidés, tamarin.
TAMBOUR. Batterie, bongo, caisse, rataplan, tam-tam, timbale.
TAMIS. Blutoir, chinois, crible, filtre, passoir, sas, vanne.
TAMISER. Bluter, cribler, filtrer, passer, sasser, trier, vanner.
TAMPON. Balle, gong, lance, ouate, tapette, vadrouille.
TAMPONNER. Choc, fermer, frapper, heurter.
TANGENTE. Rayon, tg.

TANGIBLE. Matériel, positif, réel, toucher, visible, vrai.
TANIÈRE. Antre, gîte, repaire, renardière, retraite.
TANT. Aussi, mesure, probable, quote-part, si, tantième, tellement.
TANTALE. Ta.
TANTÔT. Alternance, après.
TAPAGE. Boucan, bruit, chahut, fracas, potin, sabbat, sérénade, train.
TAPE. Bourrade, caresse, claque, coup, gifle.
TAPER. Battre, emprunter, frapper, plaire, quémander, rosser.
TAPISSER. Coller, garnir, tendre.
TAQUINER. Agacer, asticoter, lutiner, tarabuster, tourmenter.
TARD. Avant, délai, retard, ultérieur.
TARDER. Atermoyer, lambiner, retarder, traîner.
TARE. Défaut, vice.
TARIN. Nez.
TARIR. Épuiser, sécher.
TARTE. Cipaille, gâteau, pizza, tourtière.
TARTINER. Beurrer, graisser, huiler.
TAS. Accumulation, amas, amoncellement, beaucoup, concentration, dépôt, ensemble, meule, monceau, mulon, paille, pile, quantité, stère.
TASSE. Bol, coupe, gobelet, godet, quart, soucoupe.
TASSEAU. Liteau.
TASSEMENT. Affaissement, faix.
TASSER. Compacter, damer, entasser, pilonner, prendre, presser.
TÂTER. Essayer, hésiter, palper, savourer, sonder, toucher.
TÂTONNEMENT. Aveuglette, balbutiement, hésitation.
TATOU. Priodonte, tatouage.
TAU. Taf.
TAUDIS. Bouge, cambuse, maison, trou.
TAURE. Génisse, vache.
TAUREAU. Api, beugle, bœuf, corrida, toréador, vache, zodiaque.
TAUX. Conversion, cours, évaluation, loyer, pourcent, usure.
TAVERNE. Auberge, bar, brasserie, brassette, cabaret, café, restaurant.
TAXE. Dégrèvement, droit, excise, impôt, surtaxe, taxation, TPS, TVQ.
TAXIDERMISTE. Animal, empaillage, naturaliste.
TECHNÉTIUM. Tc.
TECHNIQUE. Art, irrigation, méthode, moyen.
TECK. Tek.
TÉGUMENT. Arille, carapace, cuticule, peau, tegmen, test.
TEIGNE. Favus, gerce, mite, rogne, tille.
TEINDRE. Azurer, brillanter, bruir, chiner, ciseler, friser, gaufrer, glacer, gommer, lustrer, moirer, ocrer, racinette, rocouer, satiner.
TEINT. Basané, blême, bronzé, fard, hâle, grillé, mat, rose, terne.
TEINTE. Couleur, fraîcheur, lividité, matité, opalence, pâleur, tonalité.

TEL. Identique, inouï, nu, pareil, proverbe, semblable, téléphone, sic.
TÉLAMON. Atlante.
TÉLÉPHONE. Allô, appel, code, interurbain, régional, sonnerie, tel, what.
TÉLÉVISION. Caméra, écran, magnétoscope, télé, tv.
TELLEMENT. Si, tant.
TELLURE. Te.
TÉMÉRAIRE. Audacieux, brave, courageux, hardi, imprudent, intrépide.
TÉMOIGNAGE. Amitié, aveu, gage, hommage, indice, preuve, signe.
TÉMOIGNER. Jurer, marquer, mépriser, prouver, rechigner, siffler.
TÉMOIN. Accusateur, déposant, observateur, spectateur, visu.
TEMPE. Accroche-cœur, larmier.
TEMPÉRAMENT. Caractère, disposition, organisation, prédisposition.
TEMPÉRANCE. Chasteté, modération, retenue, sage, sobriété.
TEMPÉRATURE. Canicule, chaleur, climat, fièvre, froid, temps.
TEMPÉRER. Adoucir, amortir, calmer, corriger, diminuer, modérer.
TEMPÊTE. Blizzard, bourrasque, colère, cyclone, mistral, orage, ouragan, poudrerie, rafale, tornade, typhon, vent.
TEMPLE. Capitole, chapelle, église, mosquée, pagode, panthéon, spéos.
TEMPOREL. Séculier, terrestre.
TEMPS. Âge, aoriste, an, année, automne, avenir, avent, carême, carnaval, date, délai, demain, été, fort, frai, gel, hier, hiver, intermède, jour, loisir, matinée, mue, nuit, passé, période, prévention, printemps, rabiot, récréation, rut, séance, session, soirée, somme, stage, tenue.
TENACE. Coriace, entêté, intrépide, persévérant, résistant, têtu.
TÉNACITÉ. Entêtement, obstination, persévérance, volonté.
TENAILLÉ. Étreint, pince, préoccupé, tourmenté, tracassé.
TENDANCE. Affinité, direction, disposition, impulsion, penchant, prédisposition, propension, pulsion, tendre.
TENDON. Achille, ligament, muscle, nerf, tendinite, ténotomie, tirant.
TENDRE. Aboutir, bander, but, déployer, mendier, oiseler, penchant, porter, pousser, prédisposition, propension, raidir, retendre, tendance.
TENDREMENT. Affectueusement, cher, chéri.
TENDUE. Main, ruade.
TÉNÈBRES. Enfer, érèbe, obscurité, ombre, voile.
TENEUR. Composition, écriture, salinité, texte.
TENIR. Adhérer, avoir, badiner, considérer, croire, détenir, dresser, écarter, écouter, entretenir, estimer, garder, joindre, lever, médire, parer, porter, radoter, représenter, résister, serrer, siéger, soutenir.
TENNIS. As, avantange, court, égalité, filet, lob, out, revers, set, smash.
TÉNOR. Chanteur, ténorino, voix.
TENSION. Cœur, crise, effort, extension, pression, tendre, volt.
TENTATIVE. Coup, démarche, ébauche, esquisse, essai, impasse.
TENTE. Abri, chapiteau, hutte, iourte, képi, taud, yourte, wigwam.

TENTER. Attirer, entreprendre, essayer, oser, risquer, séduire, solliciter.
TENUE. Débraillé, délicat, esseulé, menu, mince, petit, posture, siégé.
TERBIUM. Tb.
TERGIVERSER. Biaiser, changer, hésiter, indécis.
TERME. Adieu, borne, bout, congé, fin, limite, mot, pôle, texte, thèse.
TERMINAISON. Cas, désinence, fin, résultat, suffixe, us.
TERMINER. Achever, arranger, capiter, cesser, clore, finir, onguler.
TERNE. Blême, délavé, effacé, livide, mat, morne, pâle, sombre, usé.
TERNIR. Altérer, assombrir, défraîchir, flétrir, gâter, salir, tacher.
TERRAIN. Abatis, aérodrome, aire, clos, court, culture, esplanade, friche, golf, grève, lice, lieu, lopin, marais, marécage, pelouse, pinède, piste, prairie, rocaille, roseraie, savane, semis, sol, talus, terre, turf.
TERRASSE. Bar, belvédère, digue, replat, tertre, trottoir, vire.
TERRASSER. Abattre, battre, démolir, renverser.
TERRE. Ados, boue, champ, duché, humus, gadoue, glaise, glèbe, guéret, île, labour, monde, ocre, poussière, sol, seigneurie, tenure, terrain, turf.
TERREUR. Crainte, effroi, épouvante, frayeur, panique, peur, terrible.
TERREUX. Livide, pâle.
TERRIBLE. Drame, effroyable, épouvantable, redoutable, tragique.
TERRITOIRE. Diocèse, enclave, paroisse, pays, province, région, zone.
TERROIR. Ancien, cru, pays, terre.
TERTRE. Amas, butte, hauteur.
TESSON. Fragment, morceau, ostracon, têt, test.
TEST. Épreuve, essai, examen, T.A.T.
TESTAMENT. Biens, codicille, don, héritage, legs, nuncupatif, olographe.
TÊTE. Avant, caboche, cap, cerveau, chef, chevet, cîme, cou, crâne, début, épi, esprit, file, froc, guillotine, hauteur, hure, mental, mine, occiput, premier, roi, sinciput, sommet, supérieur, test, têt, turc.
TÊTER. Attirer, presser, sucer.
TÉTINE. Mamelle, pie, sein, sucette.
TÉTRARQUE. Chef, gouverneur.
TÊTU. Âne, buté, entêté, mulet, na, obstiné, opiniâtre, persévérant.
TEXTE. Alinéa, copie, discours, document, écrit, extrait, leçon, livre, livret, morceau, note, œuvre, original, partie, passage, teneur.
TEXTILE. Agave, chanvre, coton, fibre, laine, lin, teiller, tex, tissu.
TEXTURE. Agencement, constitution, structure, substance, tissu.
THALLIUM. Tl.
THÉÂTRE. Acte, comédie, dramatique, drame, pièce, scène, spectacle.
THÈME. Dire, idée, leitmotiv, matière, motif, sujet, traduction, visuel.
THÉOLOGIE. Gnose, origène, religion, scolâtre, vertu.
THÉORICIEN. Penseur, philosophe, scientifique, spéculateur, tactitien.
THÉORIE. Idée, pensée, philosophie, réflexion, spéculation, système.
THERMIE. Th.

THÉSAURISER. Amasser, avarice, économiser, ménager, trésor.
THÈSE. Argument, idée, opinion, soutenance, système.
THON. Bonite, germon, madrague, pélamide.
THORA. Juif.
THORAX. Cœur, corselet, écu, pectoraux, poitrine.
THORIUM. Th.
THULIUM. Tm.
TIBIA. Anatomie, cheville, jambe, os.
TIC. Convulsion, grimace, habitude, manie, nerf, stéréotype.
TIÉDEUR. Chaleur, indifférence, nonchalance, refroidi.
TIERCE. Carte, flanc, tiercelet.
TIERCER. Tercer, terser.
TIERS. Chef, délégation, tronc.
TIGE. Canisse, caulescent, clou, éperon, liane, plesse, sonde, talle, vis.
TIGRE. Chaton, kouffa, miaule, tiglon, tigron.
TIMBRE. Album, enveloppe, gond, marque, philatélie, son, voix.
TIMIDE. Craintif, gêné, honteux, humilité, maladroit, peureux, réservé.
TIMORÉ. Apeuré, craintif, intimidé, peureux, poltron.
TINTEMENT. Bruit, cloche, ding, glas, son.
TINTER. Bruit, clocheter, résonner, sonner, tintamarre.
TIR. Enfilade, feu, fourchette, fusiller, volée.
TIRAGE. Édition, imprimerie, journal, livre, loterie, magazine, train.
TIRAILLER. Écarteler, souffrir, tirer.
TIRER. Amener, attirer, créer, dégainer, déterrer, écosser, émaner, enlever, flinguer, haler, imprimer, jouer, jouir, naître, ôter, retirer, rétracter, saigner, sauver, sonner, tracer, traire, utiliser, venger, viser.
TISANE. Décoction, gruau, infusion, liquide, menthe, tilleul, verveine.
TISSER. Entretisser, natter, ourdir, rapprocher, retisser.
TISSU. Claie, coton, coutil, crêpe, crépon, dentelle, derme, drap, étamine, étoffe, filet, finette, jersey, lacerie, lard, liber, liège, lin, linge, madapolam, moire, nansouk, natte, peau, pilou, popeline, rabane, ruban, serge, soie, suédine, toile, tresse, tricot, tulle, tweed, velours.
TITANE. Ti.
TITRE. Abbé, altesse, baron, chah, comte, duc, éminence, émir, essai, frontispice, iman, lord, maestro, maître, marquis, médaille, messire, nom, père, prince, révérend, revue, sainteté, sir, sire, sultan, titulaire.
TITULAIRE. Attitré, créancier, gradué, palme, propriétaire, titre.
TOC. Imitation.
TOILE. Bâche, bande, batiste, calicot, chintz, coton, cretonne, écran, étoffe, étui, jute, lin, linceul, linge, linon, rosconne, tissu, voile, zéphyr.
TOILETTE. Atour, costume, habit, linge, parure, tenue, vêtement.
TOISON. Cheveux, laine, poil.
TOIT. Abri, auvent, couverture, dais, gîte, parapluie, toiture, tortue.

TOITURE. Couverture, terrasse, toit.
TÔLE. Étain, fer-blanc, volet.
TOLÉRER. Accepter, admettre, endurer, excuser, permettre, souffrir.
TOMAHAWK. Arme, hache.
TOMATE. Ketchup, olivette.
TOMBEAU. Caveau, cercueil, mastaba, sépulcre, sépulture, spéos.
TOMBER. Basculer, choir, ébouler, neiger, périr, pleuvoir, succomber.
TON. Couleur, diapason, gamme, genre, grave, mode, parole, son, verbe.
TONALITÉ. Couleur, nuance, son, teinte.
TONDAISON. Coupage, rasage, taillage, tonte.
TONDRE. Couper, dépouiller, ébarber, raser, retondre, tailler, tonsurer.
TONITRUER. Crier, ébruiter, éclater, foudroyer, fulminer, invectiver.
TONNE. Masse, poids.
TONNEAU. Baril, barrique, benne, boucau, fût, mèche, seau, tune.
TONNER. Crier, détoner, éclater, fulminer, gronder, rouler, tomber.
TOQUÉ. Fou, maniaque.
TORDRE. Boudiner, cordeler, croiser, rouler, tourner, vriller.
TORNADE. Bourrasque, orage, tempête, typhon.
TORPEUR. Abattement, assoupissement, langueur, léthargie, sommeil.
TORRENT. Arve, drac, eau, gave, gardon, lavande, ravine.
TORRIDE. Chaud, froid, rouge.
TORSE. Tronc.
TORT. Absent, brèche, détriment, dommage, léser, nuire, préjudice.
TORTILLARD. Train.
TORTILLER. Allure, détourner, friser, hésiter, tordre, tourner.
TORTUE. Caret, chélonien, cistude, émyde, pyxide, reptile, toit, trionyx.
TORTUEUX. Courbe, détour, serpentueux, sinueux.
TORTURE. Douleur, martyre, question, souffrance, supplice, tenaillement, tourmente, tortionnaire, victime.
TÔT. Précoce, prématuré, promptement, rapide, temps, vite.
TOTAL. Absolu, complet, entier, global, parfait, radical, somme, tout.
TOTALITÉ. Entièrement, masse, plénitude, tout, universalité.
TOTO. Pou.
TOUCHÉ. Ému, peiné, peu.
TOUCHER. Aboutir, adjacent, approcher, atteindre, contigu, effleurer, émerger, émouvoir, impressionner, manier, palper, percevoir, tâter.
TOUFFE. Amas, buisson, cépée, femme, huppe, mèche, têtard, toupet.
TOUFFU. Dru, épais, garni, hérisse, hirsute, huppé, pressé, serré.
TOUJOURS. Assidu, constant, éternel, perennité, perpétuité, uniforme.
TOUPIE. Clé, sabot, taille, toton, turbine.
TOUR. Ceinture, échec, guet, minaret, passe, pièce, spire, tr, truc, virée.
TOURBILLON. Bourrasque, grain, remous, trombe, turbulence.
TOURELLE. Coupole, hile, tour.

TOURILLON. Tolet, volée.
TOURISTE. Vacancier, voyageur.
TOURMENTER. Agacer, agiter, envier, gêner, harceler, infester, lanciner, moquer, mouvementer, ronger, tanner, tenailler, torturer, vexer.
TOURNAILLER. Errer, rôder, tourner.
TOURNÉE. Promenade, tour, virée, visite, volée, voyage.
TOURNER. Anordir, berner, cinéma, faner, nordir, persifler, pirouetter, railler, rôder, rouler, ruminer, sur, tordre, tournoyer, virer, virevolter.
TOURNIQUET. Aspérité, bourriquet, moulinet.
TOURNURE. Allure, chic, expression, face, forme, manière, style, tour.
TOURTEAU. Dormeur, maton, poupart.
TOUSSER. Éternuer, époumoner, respirer, spasme, toussoter.
TOUT. Amas, bloc, chaque, comble, complet, ensemble, entier, fatras, global, imbu, intact, intégralité, masse, monceau, multitude, panacée, pile, plénier, pléthore, ramassis, quiconque, sauf, somme, tas, total.
TOUTEFOIS. Cependant, néanmoins, pourtant, seulement.
TOXINE. Anatoxine.
TOXIQUE. Arsenic, poison, venin.
TRACAS. Agacerie, aria, ennui, obsession, souci, souffrance, tourmente.
TRACE. Bavure, empreinte, erre, indice, itinéraire, linéament, note, ornière, pas, piste, plan, relent, reste, sillage, sillon, vermoulure, voie.
TRACER. Crayonner, décrire, dessiner, disposer, écrire, établir, frayer, marquer, ouvrir, règle, représenter, retracer, té, tirer, tracelet.
TRADITION. Ancestral, errement, habitude, histoire, rite, rituel, us.
TRADITIONALISTE. Classique, conformiste, conventionnel, sage.
TRADUCTEUR. Interprète.
TRADUCTION. Déchiffrement, explication, interprétation, version.
TRADUIRE. Changer, citer, comprendre, déchiffrer, déférer, expliquer, exprimer, indiquer, interpréter, justice, porter, rendre.
TRAFIC. Agio, billonnage, circulation, commerce, gain, négoce, simonie.
TRAGÉDIE. Acteur, comédie, drame, film, malheur, muses, théâtre.
TRAHIR. Abandonner, décevoir, défection, dénoncer, déserter, desservir, divulger, indiquer, lâcher, livrer, révéler, tromper, vendre.
TRAIN. Allure, bagage, erre, luxe, omnibus, rapide, ruade, transport.
TRAÎNER. Errer, flâner, guérir, haler, lambiner, marcher, ramper, tirer.
TRAIT. Boire, flèche, liaison, ligne, rature, soulignement, tiret, visage.
TRAITÉ. Accord, convention, étude, loi, ordre, pacte, réciprocité.
TRAITEMENT. Avanie, comportement, cure, élixir, émolument, ergothérapie, gain, phytothérapie, salaire, soin, solde, thalassothérapie.
TRAITER. Appeler, brasser, cajoler, dorloter, gâter, jouer, malmener, manier, ménager, mener, purger, rabrouer, saler, snober, vexer.
TRAJECTOIRE. Gerbe, montée, orbite, rayon.
TRAJET. Aller, chemin, itinéraire, parcours.

TRAMER. Comploter, machiner, ourdir, préparer.
TRAMWAY. Impériale, rail, tram.
TRANCHANT. Acéré, affirmation, aigu, coutre, dos, fil, hache, net, sec.
TRANCHE. Canapé, darne, écu, émincé, escalope, fil, rôtie, tartine.
TRANQUILLE. Calme, coi, coite, confiant, dormant, impassible, lent, paisible, peinard, quiet, rasséréné, rassuré, serein, silencieux, sûr.
TRANQUILLISER. Apaiser, calmer, rassénérer, rassurer, reprendre.
TRANQUILLITÉ. Apaisement, calme, paix, quiétude, sécurité, sérénité.
TRANSACTION. Accord, affaire, cession, compromis, crise, négoce.
TRANSCRIPTION. Copie, double, duplicata, minute, original, polycopie.
TRANSFÉRER. Céder, déplacer, fonctionner, muter, transporter, virer.
TRANSFORMATION. Avatar, changement, correction, digestion, forme, métamorphose, mue, ozonisation, réalisation, refonte, vaporisation.
TRANSFORMER. Aménager, changer, corriger, former, innover, mêler, muer, mûrir, réduire, refaire, rénover, retaper, tanner, virer.
TRANSIGER. Accéder, accepter, accorder, céder, prêter, traiter.
TRANSITION. Glissement, intermédiaire, liaison, passage, pont, raccord.
TRANSMETTRE. Céder, confier, dire, donner, envoyer, inoculer, passer.
TRANSMISSION. Diffusion, émission, étendre, héritage, télépathie.
TRANSPERCER. Embrocher, empaler, percer, traverser.
TRANSPIRATION. Étuve, évaporation, sueur.
TRANSPIRER. Cacher, couler, dire, percer, rumeur, suer.
TRANSPLANTER. Repiquer, transporter.
TRANSPORT. Brouettage, camionnage, cargo, charroi, déplacement, extase, fret, héliportage, ligne, roulage, route, train, transfert, voie.
TRANSPORTER. Aller, charrier, déplacer, mener, porter, véhiculer.
TRANSPOSITION. Anagramme, calque, permutation, traduction.
TRANSVASER. Décanter, dépoter, frelater, siphonner, soutirer, verser.
TRAPPE. Oubliette, piège.
TRAPU. Carré, court, courtaud, nabot, nain.
TRAQUENARD. Appât, piège, tromperie.
TRAVAIL. Acte, ébénisterie, ergomanie, étude, fonte, journée, maçonnerie, mal, œuvre, ouvrage, peine, pige, sueur, tri, trime.
TRAVAILLER. Agir, bosser, bûcher, cultiver, piocher, suer, trimer.
TRAVAILLEUR. Aide, artisan, employé, ergomaniaque, ouvrier.
TRAVERSE. Barrage, croisillon, jet, obstacle, passage, rail, traversine.
TRAVERSER. Brocher, croiser, empaler, larder, passer, percer, piquer.
TRÈFLE. Carte, lotier, luzerne.
TREILLAGE. Berceau, claie, espalier, jardin, palissade, taille.
TREILLIS. Barrière, claie, clôture, grillage, jardin.
TREMBLEMENT. Frémissement, frisson, secousses, séisme, vibration.
TREMBLER. Craindre, frémir, frissonner, grelotter, trembloter, vibrer.
TREMBLOTER. Danser. (Voir trembler.)

TREMPER. Arroser, baigner, essaimer, mariner, mouiller, rincer, saucer.
TREMPLIN. Gymnastique, plongeoir.
TRÉPAS. Décès, mort, tombe.
TRÈS. Affreusement, bien, bigrement, drôlement, excessivement, extra, extrêmement, fortement, furieusement, grand, hyper, infiniment, invraisemblable, joliment, moult, particulièrement, prodigieusement, remarquablement, super, sur, tantinet, terriblement.
TRÉSORIER. Argentier, avare, chevalier.
TRESSAUTER. Bondir, énerver, étonner, sursauter, trembler, vibrer.
TRESSER. Baderne, cordelière, enrubanner, natter, osier.
TRÊVE. Armistice, interruption, repos, suspension.
TRIAGE. Assortiment, choix, crème, gratin, option, préférence, tri.
TRIBU. Agniers, aulique, bande, clan, érié, ethnie, famille, gad, genre, horde, huron, iroquois, mohican, peuplade, totem, tribal.
TRIBUNAL. Accusé, agréé, appel, avoué, barre, bâtonnier, conseil, cour, curie, justice, palais, parquet, plaidoyer, prétoire, procédure, siège.
TRICHER. Berner, biseauter, duper, filouter, jeu, piper, tromper.
TRICHERIE. Malversation, pont, tromperie.
TRICOT. Aiguille, chandail, gilet, lainage, macramé, maillot, veste.
TRIER. Assortir, choisir, favoriser, isoler, préférer, réviser, séparer.
TRIMER. Marcher, peiner, surmener, travailler.
TRINGLE. Barre, lisse, porte-serviettes, râtelier, trace, verge.
TRIOMPHE. Arc, briller, capitole, coupe, gloire, ovation, pavois, succès.
TRISTE. Amer, attristé, douloureux, mélancolique, pensif, plaintif.
TRISTESSE. Chagrin, dépression, morosité, renfrognement, vague.
TROMPER. Abuser, berner, décevoir, dol, duper, égarer, enjôler, errer, flouer, frauder, gourer, gruger, induire, léser, leurrer, mentir, méprendre, piper, posséder, refaire, rouler, trahir, tricher, truc.
TROMPETTE. Buccin, champignon, clairon, cornet, sonnerie, tambour.
TROMPEUR. Captieux, décevant, fallacieux, fraudeur, menteur, tricheur.
TRONC. Anatomie, arbre, ars, branche, chott, colonne, fût, stipe, tige.
TROP. Beaucoup, cru, démesuré, excès, excessif, inexorable, obèse, plus, superflu, surfaire, toqué, trop-plein.
TROPHÉE. Butin, coupe, laurier, panoplie, scalp.
TROU. Abîme, antre, boire, creux, dalot, narine, normand, œil, œillet, ope, ouverture, passage, pénétrer, perforer, puit, terrier, vide.
TROUBLE. Agnosie, amaurose, brumeux, confusion, délire, dérangement, désordre, diplopie, dyslexie, émeute, émoi, émotion, ému, équivoque, flou, hébéphrénie, orage, perturbation, révolution.
TROUBLÉ. Agité, dérangé, égaré, embarrassé, ému, hagard, ivre.
TROUBLER. Agiter, ahurir, désorganiser, effarer, perturber, retourner.
TROUER. Crever, défoncer, forer, miter, ouvrir, percer, perforer.
TROUFION. Cadet, carabin, garde, recrue, soldat, vétéran, zouave.

TROUILLE. Peur, suée.
TROUPE. Armée, escorte, harde, harpail, mascarade, régiment, soldats.
TROUPEAU. Grégaire, harde, harpail, meute, ranz.
TROUVER. Admirer, citer, considérer, découvrir, dégoter, dénicher, dépister, désigner, deviner, éprouver, figurer, indiquer, inventer, pêcher, relever, rencontrer, résoudre, sentir, surprendre, voir.
TRUC. Astuce, bidule, chose, moyen, stratagème.
TRUCIDER. Massacrer, tuer.
TUBE. Canon, diode, éprouvette, estomac, gibus, iconoscope, macaroni, néon, périscope, queusot, schnorchel, syphon, tétrode, triode, tuyau.
TUBERCULOSE. Bacillose, lupus, phtisie, poumon, silicose.
TUER. Abattre, assassiner, descendre, égorger, étouffer, étrangler, étriper, lapider, massacrer, nettoyer, saigner, servir, trucider.
TUEUR. Assassin, égorgeur, étrangleur, meurtrier, nervi, sicaire.
TUILE. Accident, argile, biscuit, brique, égout, toit, toiture.
TUMEUR. Abcès, adénome, anévrisme, angiome, cancer, chancre, énostose, javart, kyste, néoplasme, ranule, sarcome, ulcère, xanthome.
TUMULTE. Bagarre, bruit, chahut, cohue, foire, orage, tapage, train.
TUNGSTÈNE. Métal, platine, stellite.
TUNIQUE. Dalmatique, éphod, kimono, nessus, peau, robe, uvée.
TURC. Émir, hanneton, mahomet, musulman, ottoman, raïa, rivetage.
TUYAU. Boyau, conduit, durit, gaine, gargouille, information, pipe, tube.
TUYAUTER. Cisailler, renseigner.
TYPE. Homme, imprimerie, lettre, modèle, moule, sorte, zig, zigue.
TYPIQUE. Caractéristique, idéal, pittoresque.
TYRAN. Autocratique, cruel, despote, dictateur, draconien, roi.
TZIGANE. Bohémien, nomade, romanichel, sanskrit, tsigane, zingaro.

U

UBAC. Adret, montagne, ombre, versant.
UBIQUITÉ. Dieu, partout.
UKULÉLÉ. Guitare, hawaii, musique.
ULCÉRATION. Abcès, aphte, cancer, cautère, ladre, tumeur, ulcère.
ULCÉRER. Blesser, brûler, choquer, crever, énerver, envenimer, extirper, fermer, froisser, mûrir, offenser, offusquer, pourrir, vexer.
ULTÉRIEUR. Antérieur, après, postérieur, proroger, suivant.
ULTIME. Dernier, finir.
UN. As, aucun, autre, certain, maint, nul, quelque, quelqu'un, seul.
UNANIME. Absolu, chœur, collectif, commun, identique, opinion, tous.
UNI. Confondu, couleur, égal, femme, fondu, intime, lié, lisse, mari.

UNIFORME. Costume, égal, homogène, même, plat, régulier, tenue.
UNIMENT. Net, simplement.
UNION. Ars, bloc, communion, liaison, ligue, mariage, réunion, syndicat.
UNIQUE. As, incomparable, isolé, premier, rare, seul, supérieur, un.
UNIR. Accoupler, allier, apparier, assembler, associer, attribution, communier, confondre, coupler, cumuler, fondre, grouper, harmoniser, joindre, jumeler, lier, liguer, marier, mélanger, rassembler, relier.
UNITÉ. (Voir monnaie.) Accord, ampère, are, as, bar, bel, bit, btu, carat, cv, erg, hectare, joule, kilomètre, litre, lumen, lux, mètre, micron, ohm, pied, pouce, régiment, rem, rhé, stère, tex, ton, var, union, watt.
UNIVERS. Cosmos, création, microcosme, monde, nature, tout.
UNIVERSEL. Adage, commun, complet, encyclopédique, général, mondial, œcuménique, omniscient, panacée, polyvalent, tout.
UNIVERSITÉ. Académie, école, enseignement, faculté, supérieur.
URBAIN. Citadin, cité, communal, municipal, ville.
URÉE. Aminoplaste, azotémie, cathéter, engrais.
URGENT. Important, pressé.
URINE. Anurie, eau, pipi, pissat, pisse, prostate, purin, rein.
URINOIR. Pissoir, pissotière, vespasienne.
URNE. Bouteille, vase, vote.
USAGE. Abus, activité, application, consommation, dégradation, destruction, emploi, exercice, fabrication, fonctionnement, habitude, hétérométrie, maniement, marche, mœurs, recours, us, utilisation.
USAGÉ. Classique, coutume, jetable, thèse, vieil, vieux, us, usé.
USÉ. Banal, détérioré, éculé, fané, fini, gâté, las, mûr, vétuste, vieux.
USER. Abîmer, abraser, abuser, araser, biaiser, corroder, effacer, effriter, élimer, émeri, émousser, épuiser, érafler, éroder, finasser, limer, meuler, miner, râper, rayer, roder, ronger, ruser, saper.
USINE. Aciérie, atelier, centrale, entreprise, fabrique, fonderie, forge, industrie, maïserie, manufacture, raffinerie, scierie, verrerie.
USTENSILE. Bassine, brûloir, chope, cuiller, cuillère, gril, instrument, lanterne, lèchefrite, outil, panier, pincette, râpe, rôtissoire, turlutte.
USUEL. Admis, banal, commun, courant, coutumier, habituel, reçu.
USURE. Corrosion, effilochage, effritement, émoussement, érosion.
USURPER. Abuser, accaparer, adjuger, anticiper, appliquer, emparer, empiéter, emprunter, occuper, prendre, rafler, ravir, souffler, voler.
UT. Do.
UTILE. Charge, indispensable, intérêt, nécessaire, profitable, salutaire.
UTILISATEUR. Habitué, jouisseur, profiteur, usager, usufruitier.
UTILISER. Employer, étrenner, exploiter, profiter, servir, tirer, user.
UTOPIQUE. Chimérique, idéal, illusion, imagination, impossible, rêve.
UVULE. Luette, prononciation, vibration.

V

VA. Aller, déplacer, encouragement, voltampère.
VACANCE. Arrêt, congé, coupure, dignité, fonction, pause, période, permission, pont, relâche, répit, repos, séjour, temps, villégiature.
VACANCIER. Estivant, touriste, visiteur, voyageur.
VACANT. Disponible, inoccupé, intérim, libre, ouvert, vague, vide.
VACARME. Boucan, bruit, chahut, tapage.
VACCIN. Épidémie, guérir, injection, inoculation, rage, santé, sérum.
VACHE. Beugler, bœuf, bouse, dugong, génisse, grasses, io, maigres, meugler, mugir, pis, sirène, tarine, taure, taureau, vachette, veau.
VACHERIE. Coup, désagréable, fâcheux, méchant, rosserie, tuile.
VACILLER. Chanceler, chavirer, tanguer, tituber, trembler.
VAGABOND. Bohémien, nomade, robineux, rôdeur, trimardeur, trôleur.
VAGABONDER. Errer, galvauder, promener, rôder, traînasser.
VAGUE. Eau, flot, général, houle, indécis, lame, mouton, ressac, risette.
VAGUER. Déferler, errer, flotter, friser, généraliser, troubler.
VAILLANCE. Bravoure, chèrement, courage.
VAILLANT. Brave, courageux, preux, sou, valeureux.
VAIN. Effet, fat, fier, intérêt, inutile, nul, orgueilleux, prétentieux, zéro.
VAINCRE. Accabler, anéantir, annihiler, balayer, bousculer, chasser, débander, décimer, écraser, exténuer, repousser, terrasser, triompher.
VAINCU. Conquis, culbuté, écrasé, enfoncé, perdant.
VAINQUEUR. Conquérant, gagnant, lauréat, triomphateur, victorieux.
VAISSEAU. Artère, bateau, bol, navire, nef, trière, trimère, veine.
VAISSELLE. Argenterie, assiette, dressoir, légumier, plat, plateau, poterie, saladier, salière, saucière, soucoupe, soupière, sucrier, tasse.
VALET. Carte, crispin, flatterie, lad, laquais, larbin, scapin, serviteur.
VALEUR. Cote, estime, important, note, nul, prix, qualité, rareté, titre.
VALEUREUX. Brave, intrépide, preux.
VALIDATION. Périmé, ratification, sain, visa.
VALIDE. Bien, sain, valable.
VALISE. Bagage, cantine, coffre, malle, mallette, sac, serviette, valoche.
VALLÉE. Canyon, col, combe, couloir, gorge, prairie, ravin, ria, vallon.
VALOIR. Atteindre, coûter, égaler, équivaloir, faire, mériter.
VALSE. Boston, changement, danse, instabilité, java, quatre-temps.
VALSEUR. Charmeur, danseur, débrouillard, testicule.
VALVE. Charnière, écaille, endocardite, fermer, cœur, nacre, valvule.
VANITÉ. Affectation, complaisance, défaut, fat, fatuité, fier, gloriole, jactance, orgueil, ostentation, prétention, snobisme, suffisance, vain.
VANNE. Allusion, déversoir, las, pâle, plaisanterie, secouer.
VANNELLE. Conduite, écluse, ouverture, porte.

VANTER. Applaudir, bluffer, enorgueillir, exagérer, flatter, glorifier, grossir, louanger, louer, mousser, pavoiser, prévaloir, prôner, targuer.
VAPEUR. Air, bruir, buée, éolipyle, gaz, nuée, pyroscaphe, rosée, suée.
VAPOREUX. Aérien, ému, flou, indécis, ivre, léger, vague.
VAPORISATEUR. Fixateur, pulvérisateur.
VAPORISER. Goutte, mouiller, pulvériser, rebouilleur, volatiser.
VARECH. Algue, fucus, goémon, iode.
VARIABLE. Changeant, inconstant, ondoyant, phase, relatif, verbe, us.
VARIATION. Changement, chant, différence, écart, eustatisme, type.
VARIER. Accorder, alterner, bigarrer, changer, différencier, discorder, diversifier, mélanger, moirer, nuancer, osciller, panacher.
VARIÉTÉ. Beaucoup, bigarrure, dialecte, différence, disparité, diversité, espèce, mélange, multiplicité, race, riche, uni.
VARIOLE. Alastrim, bouton, éruption, fièvre, peau, picotte, pustule.
VARLOPE. Rabot.
VASE. Amphore, ballon, bol, boue, bouteille, buire, calice, canette, canope, cérame, ciboire, cornue, fange, hanap, jarre, jatte, limon, matras, patène, pot, potiche, récipient, seau, tasse, urinal, urne, verre.
VASTE. Ample, énorme, étendu, grand, océan, mer, panorama.
VAURIEN. Bandit, coquin, galapiat, gouape, gredin, sacripant, voyou.
VAUTOUR. Condor, épervier, faucon, griffon, percnoptère, urubu.
VEDETTE. Acteur, bateau, chanteur, étoile, gloire, idole, star.
VÉGÉTAL. Algue, arbre, fleur, flore, fruit, légumineuse, plante.
VÉGÉTARIEN. Frugivore, herbivore, io, macrobiotique.
VÉGÉTER. Durer, exister, subsister, vivoter.
VÉHÉMENCE. Animosité, éloquence, feu, fougue, violence.
VÉHICULE. Aérotrain, astronef, auto, automobile, autopompe, avion, bateau, bicyclette, blindé, bolide, bus, camion, charrette, éfourceau, fourgonnette, jeep, navette, tacot, tracteur, traîneau, voiture, wagon.
VEILLÉE. Party, soirée, surboum, tutélaire.
VEILLER. Aider, bichonner, cajoler, chouchouter, choyer, défendre, dorloter, garder, monter, préserver, rester, secourir, soigner, surveiller.
VEINE. Airure, azygos, chance, délit, filon, hasard, sang, vaisseau.
VÉLO. Bécane, biclou, bicyclette, tandem, tricycle, triporteur, vélo, vélocipède, vélocross, vélomoteur, vélopousse.
VÉLOCITÉ. Promptitude, rapide, vitesse.
VÉNAL. Fonction, intéressé, prix, véreux.
VENDANGE. Cagnotte, connaissance, cueillette, jeunesse, récolte, vigne.
VENDANGEUR. Aster, vigneron.
VENDEUR. Commerçant, diamantaire, marchand, représentant.
VENDRE. Adjuger, aliéner, bazarder, brader, brocanter, cameloter, casser, céder, coller, débiter, défaire, démarcher, dénoncer, détailler, discuter, échanger, écouler, épuiser, exporter, fourguer, marchander, mévendre,

monnayer, négocier, placer, réaliser, refiler, rétrocéder, revendre, sacrifier, servir, solder, trafiquer, trahir, troquer.

VENELLE. Rue, ruelle.

VÉNÉNEUX. Bolet, champignon, empoisonné, mandragore, morelle.

VÉNÉRATION. Culte, fétichisme, hommage, respect, révérence, sacré.

VENGEANCE. Animosité, compensation, réclamation, réparation, représailles, rétorsion, revanche, riposte, talion, vendetta, vindicte.

VENIR. Amener, appel, échoir, futur, naître, revenir, suivre, vaincre.

VENT. Air, alizé, aquilon, autan, bise, brise, cers, chinook, cyclone, étésien, haleine, noroît, orage, orgue, simoun, tornade, voile, zèph.

VENTE. Bazar, broquante, commerce, comptoir, contrebande, criée, débit, directe, échange, encan, enchère, gros, mévente, solde.

VENTILATION. Aération, air, climatisation, soufflerie.

VENTRE. Abdomen, bedaine, bedon, bide, buffet, hara-kiri, panse, sac.

VENU. Allé, éclos, né, reçu.

VENUE. Accession, approche, arrivée, avènement, entrée, survenue.

VER. Apode, arénicole, ascaride, asticot, chenille, ciron, cirre, douve, helminthe, iule, larve, lombric, nématode, néréide, néréis, nu, planaire, sabelle, sangsue, solitaire, strangle, tænia, taret, ténia, térébelle.

VÉRACITÉ. Franchise, véridicité, vérité, vrai.

VERBAL. Idiolecte, oral, parlé.

VERBE. Actif, auxiliaire, attributif, conditionnel, conjugaison, contracté, déclaratif, défectif, déponent, factitif, futur, imparfait, impératif, impersonnel, indicatif, infinitif, intensif, irrégulier, mode, moyen, oral, parfait, parole, participe, passé, passif, plus-que-parfait, présent, pronominal, réciproque, réfléchi, régulier, subjonctif, transitif, trinité.

VERDÂTRE. Jade, oasis, olivâtre, vert.

VERDIR. Blanchir, blêmir, colorer, pâlir, peindre, verdoyer.

VERGE. Anatomie, fléau, fouet, gland, jalon, pénis, prépuce, tringle.

VERGNE. Aulne, aune, verne.

VERGUE. Agrès, corne, antenne, capelage, gui, orientation, ris, voile.

VÉRIDIQUE. Authentique, franc, vrai.

VÉRIFICATION. Analyse, confirmation, considération, contrôle, critique, démonstration, enquête, épluchage, épreuve, essai, étude, évaluation, examen, expérience, expertise, filtrage, inspection, justification, observation, pointage, récolement, révision, surveillance, test.

VÉRIFIER. Analyser, apurer, confirmer, confronter, considérer, contrôler, critiquer, démontrer, enquêter, éplucher, éprouver, essayer, étudier, évaluer, examiner, expertiser, filtrer, inspecter, juger, justifier, observer, pointer, récoler, repasser, réviser, revoir, surveiller, tester.

VÉRITABLE. Efficace, réel, vrai, vraiment.

VÉRITÉ. Absolu, axiome, dogme, foi, juste, preuve, réalité, sûreté, vrai.

VERNIS. Ailante, ciré, émail, fixé, glacé, gomme, laque, résine.

VERRE. Bock, coupe, cristal, demi, flûte, lunette, pyrex, smalt, soyer.
VERRUE. Chélidoine, fic, peau.
VERSANT. Adret, brisis, contrepente, coteau, pente, raillère, ubac.
VERSEMENT. Paiement, redevance.
VERSER. Arroser, couler, déverser, distiller, entonner, épancher, épandre, infuser, instiller, larmoyer, mettre, payer, pleurer, répandre, servir, soutirer, transfuser, transvaser, transverser, transvider, vider.
VERSET. Antienne, graduel, satanique.
VERSIFIER. Dire, expliquer, poésie, rimer.
VERSO. Dos, opisthographe, opposition, revers, rôle.
VERT. Céladon, glauque, jade, nil, pers, olivâtre, sinople, vert-de-gris.
VERTÈBRE. Animal, atlas, axis, colonne, oiseau, poisson, reptile.
VERTICAL. Aplomb, debout, droit, hampe, perpendiculaire.
VERTIGE. Auriculaire, éblouissement, désarroi, déséquilibre, étourdissement, évanouissement, ivresse, oreille, saisissement, trouble.
VERTU. Clémence, efficacité, énergie, espérance, miséricorde, qualité.
VESPASIENNE. Pissoir, urinoir.
VESTE. Anorak, blazer, blouson, boléro, canadienne, cardigan, carmagnole, doudoune, échec, jaquette, saharienne, vareuse, veston.
VESTIBULE. Antichambre, aqueduc, entrée, hall, narthex, oreille.
VÊTEMENT. Anorak, barboteuse, bas, blouson, bore, bure, canadienne, chemise, ciré, cotte, coule, effet, gilet, guenille, haillon, imperméable, lainage, mante, paletot, pantalon, peignoir, pèlerine, nippe, robe, saie, salopette, saye, surcot, surplis, treillis, tutu, vareuse, veste, veston.
VÉTUSTE. Ancien, usée, vieux.
VEUF. Célibataire, douaire, seul, viduité.
VEULE. Lâche, lope, mou.
VEXER. Chagriner, choquer, contrarier, déplaire, mépriser, tourmenter.
VIANDE. Boucan, boucherie, bouilli, broche, casher, carpaccio, chair, grillade, haché, macreuse, pâté, paupiette, rillettes, rôt, rôti, terrine, vie.
VIBRATION. Balancement, gong, onde, son, ultrason, tremblement.
VICE. Adultère, cochon, défaut, érotique, hypocrisie, lascif, lubrique, luxurieux, malformation, sadique, salace, sensuel, tare, voluptueux.
VICIER. Abâtir, altérer, avarier, corrompre, dégrader, dénaturer, détériorer, détraquer, esquinter, gâter, meurtrir, perdre, pourrir, tarer.
VICISSITUDE. Changement, retour.
VICTIME. Émissaire, hostie, jouet, martyr, proie, souffre-douleur.
VICTOIRE. Palme, réussite, succès, triomphe.
VIDE. Âme, cavité, creux, désert, disponible, futile, inhabité, inoccupé, inutile, léger, libre, manque, néant, nu, stérile, trou, vacant, vain, veuf.
VIDER. Débarrasser, déblayer, dégager, dégarnir, délester, écoper, enlever, évacuer, nettoyer, ôter, priver, soulager, verser, vidanger.
VIDANGE. Ballastage, changement, dépotoir, éboueur, fosse.

VIE. Biographie, éternité, existence, intimité, odyssée, rangée, survie.
VIEILLARD. Âgé, géronte, nestor, patriarche, sénile, vieux.
VIERGE. Blanc, hymen, icône, intact, madone, puceau, pur, vigne.
VIEUX. Âgé, ancien, caduc, cassé, décrépit, usé, vétéran, vétuste, vieil.
VIF. Agile, aigu, alerte, animé, âpre, chaud, déluré, dru, éclair, espiègle, fringant, impétueux, intense, léger, leste, pétulant, preste, rapide.
VIGILANT. Actif, agile, alerte, animé, déluré, garde, maigre, soin.
VIGILANCE. Attention, garde, guet, obtusion, protéger, zèle.
VIGNE. Ampélopsis, cépage, lambruche, pampre, sarment, treille, vin.
VIGNETTE. Collant, cul-de-lampe, dessin, estampille, gravure, image.
VIGNOBLE. Clos, cru, erbue, œnologue, vendange, vigne, vigneron, vin.
VIGOUREUX. Costaud, dru, fort, jeune, robuste, solide, valide, vif.
VIGUEUR. Atone, dru, énergie, force, mièvre, nerf, sève, ton, verdeur.
VIL. Abject, bas, fumier, galeux, honteux, infâme, lâche, lie, taré.
VILAIN. Affreux, hideux, laid, méchant, moche, odieux, ord, ort, toc.
VILLA. Chalet, bungalow, cottage, maison, pavillon.
VILLAGE. Bourg, bourgade, douar, hameau, localité, patelin, ville.
VILLE. Bourg, bourgade, centre, cité, hameau, lieu-dit, localité, village.
VIN. Aligoté, alsace, anjou, asti, ayse, beaujolais, blanc, bordeau, brouilly, cellier, chablis, chais, château, chianti, clairet, cru, déci, dive, falerne, ivre, larme, mâcon, madère, malaga, médoc, moselle, moût, muscadet, muscat, nectar, pinard, pineau, pinot, piquette, pomerol, pommard, porto, pouilly, retsina, rioja, rosé, rouge, rouquin, sancerre, sève, sherry, tocane, vendange, vermouth, vigne, vinaigre, vinasse, xérès.
VIOLATION. Crime, délit, impétuosité, infraction, manquement.
VIOLENCE. Agressivité, brusquerie, contrainte, dureté, furie, rudesse.
VIOLENT. Amer, âpre, ardent, emporté, fougueux, impétueux, virulent.
VIOLER. Démesurer, forcer, obliger, opprimer, profaner, violenter.
VIOLET. Aubergine, framboise, indigo, lilas, mauve, pourpre, prune.
VIOLON. Alto, basse, contrebasse, ingres, prison, viole, violoncelle.
VIOLONISTE. Ménétrier, premier, violoneux.
VIORNE. Alisier, obier, pimbina.
VIPÈRE. Ammodyte, aspic, céraste, venin, vive.
VIRER. Amure, changer, renvoyer, tourner.
VIRTUOSITÉ. Acrobatie, art, as, brio, capacité, possibilité.
VISAGE. Binette, bobine, bouille, face, figure, minette, minois, portrait.
VISCÈRE. Abdomen, corps, estomac, étriper, intestin, rate, rein, tête.
VISIBLE. Apparent, clair, distinct, net, ostensible, percevable, précis.
VISIÈRE. Abat-jour, casquette, garde-vue, képi.
VISION. Apparition, épiphanie, extase, ide, obsession, rêve, révélation.
VISITE. Audience, contact, entrevue, examen, rendez-vous, ronde.
VISITER. Fouiller, fréquenter, hanter, rencontrer, voir, voyager.
VISQUEUX. Gluant, gras, morve, sirupeux.

VITAMINE. Adermine, ascorbique, carotène, folique, thiamine.
VITE. Abrégé, dare-dare, intelligent, presto, prompt, subito, tôt, trait.
VITELLUS. Œuf, télolécithe.
VITESSE. Agilité, allure, anémomètre, célérité, diligence, erre, force, hâte, mach, nœud, précipitation, prestesse, promptitude, rapidité, régime, tachymètre, temps, vélocité, vite, vivacité.
VIVACITÉ. Alacrité, animation, ardeur, colère, mouvement, pétulance.
VIVANT. Animé, debout, fort, organisé, ressuscité, sauvé, vif.
VIVIFIER. Animer, exister, revivifier, vivre.
VIVRE. Conserver, continuer, durer, être, exister, habiter, nourriture, passer, rabiot, respirer, rester, revivre, végéter, victuailles, vivoter.
VOCABLE. Lapsus, locution, mot, nom, monème, parole, terme.
VOCABULAIRE. Argot, concordance, dictionnaire, index, langage, langue, lexique, nomenclature, mot, prégnance, terminologie.
VOCIFÉRER. Clamer, crier, parler, tonitruer.
VŒU. Affirmer, désirer, jurer, promettre, souhaiter, soupirer, volonté.
VOIE. Aiguille, artère, assentir, avenue, boulevard, chemin, eau, impasse, indice, opposition, quai, rail, rocade, route, rue, stère, trace.
VOILE. Amure, artimon, cargue, étrangloir, foc, hunier, litham, misaine, nuée, panne, perroquet, ris, spi, taleth, tapecul, tréou, vélum.
VOILIER. Bateau, catamaran, cotre, génois, goélette, lougre, trimaran.
VOILURE. Agrès, câble, étai, hauban, hune, mât, palan, toile, voile.
VOIR. Analyser, apercevoir, apprécier, aviser, constater, consulter, croiser, découvrir, démêler, discerner, distinguer, entrevoir, éprouver, étaler, étudier, envisager, fréquenter, jauger, juger, naître, noter, observer, percevoir, planer, regarder, repérer, savoir, supporter.
VOISIN. Lieu, maison, près, proche, proximité.
VOITURE. Auto, automobile, autorail, bagnole, baladeuse, berline, bolide, break, cabriolet, char, coupé, fiacre, fardier, fourgonnette, guimbarde, jardinière, landau, limousine, tacot, torpédo, van, véhicule.
VOITURIER. Camionneur, routier.
VOIX. Alto, baryton, basse, castrat, contralto, dessus, haute-contre, mezzo-soprano, soprano, sopraniste, taille, ténor, ténorino, vote.
VOL. Brigandage, cambriolage, décollage, envol, essor, extorsion, pillage, raid, racket, rapine, rase-mottes, spoliation, survol, tire, volée.
VOLAGE. Changeant, inconstant, infidèle, léger, papillon.
VOLANT. Badminton, copie, jabot, moineau, roue, sambuque.
VOLCAN. Cheminée, coulée, cratère, éruption, montagne, orle, pic, puy.
VOLÉE. Battre, dégelée, essor, pile, raclée, rossée, tannée, tripotée.
VOLER. Choper, dérober, dévaliser, entôler, filouter, prendre, rafler, rincer, rosser, sauter, soustraire, spolier, subtiliser, tanner, usurper.
VOLET. Battant, contrevent, jalousie, persienne, rideau, store.
VOLEUR. Brigand, escroc, filou, fripon, larron, pillard, tire-laine, truand.

VOLONTÉ. Bienveillance, caprice, décret, désir, énergie, gré, intention, opiniâtreté, oracle, projet, résolution, ressort, souhait, vouloir, vue.
VOLUME. Ampleur, capacité, cône, cubage, densité, dimension, espace, grandeur, grosseur, livre, mesure, ouvrage, roman, solide, stère, tome.
VOLUMINEUX. Charnu, énorme, épais, fort, gros, lourd, rond, trapu.
VOMIR. Chasser, cracher, dégobiller, dégorger, dégueuler, détester, évacuer, expectorer, expulser, régurgiter, rejeter, rendre, restituer, tir.
VOMISSEMENT. Hématémèse, pituite.
VORACE. Avide, faim, glouton, goulu, gourmand, ogre, uranoscope.
VOTE. Adoption, bulletin, consultation, élection, opinion, plébiscite, référendum, scrutin, suffrage, urne, voix.
VOULOIR. Aimer, ambitionner, briguer, chercher, convoiter, daigner, décider, désirer, efforcer, envier, guigner, lorgner, pouvoir, souhaiter.
VOÛTE. Arc, arche, ciel, cintre, firmament, hypogée, intrados, palais.
VOYAGE. Croisière, excursion, expédition, incursion, odyssée, passage, pèlerinage, pérégrination, périple, tourisme, tournée, traversée, visite.
VOYAGER. Aller, bourlinguer, circuler, déplacer, incognito, naviguer.
VOYAGEUR. Excursionniste, explorateur, globe-trotter, nomade, passager, pèlerin, promeneur, touriste, visiteur.
VOYOU. Canaille, crapule, frappe, gouape, gredin, loulou, vermine.
VRAI. Avéré, certain, connu, exact, formel, franc, juste, loyal, réel, sûr.
VRAIMENT. Plausible, probable, réellement, voire, vraisemblable.
VRILLE. Cirre, hélice, mèche, nervé, perceuse, spirale, tarière, tordu.
VUE. Aperçu, aspect, but, myopie, œil, point, sens, site, vision, yeux.
VULGAIRE. Bas, brut, commun, épais, grossier, populaire, trivial, vil.
VULVE. Clitoris, femme, hymen, mammifère, vagin.

W

WAGON. Conduit, fourgon, impériale, rame, tombereau, train, voiture.
WAGONNET. Benne, draisine, lorry, mine.
WAPITI. Bois, cerf, cervus.
WATER-POLO. Ballon, eau, handball, nageur.
WATT. Ampoule, w.
WEBER. Wb.
WEEK-END. Congé, dimanche, samedi, vacances.
WESTERN. Cowboy, film, indien.
WHISKY. Avoine, bourbon, eau-de-vie, orge, rye, scotch, seigle.
WHIST. Carte, rob, tri, trick.
WISIGOTH. Alaric, arianisme, espagne, germanique, goth, thrace.
WON. Corée, monnaie.

WU. Chinois, dialecte, shanghai.
WYANDOTTE. Coq, poule.

X

X. Axe, dix, inconnue, rayon.
XÉNON. Xe.
XYLÈNE. Xylol.
XÉNOPHOBE. Chauviniste, colon, étranger, immigrant, raciste, voyageur.
XYLOCOPE. Abeille, charpentière, menuisière.
XYLOPHONE. Clavier, cymbalum, mailloche, marimba, percussion.
XYSTE. Galerie, gymnaste, jardin.

Y

Y. Axe, chromose, être, inconnue, pairle, yttrium.
YACHT. Bateau, cruiser, navire, ponton, régate, vaisseau, yole.
YAK. Bœuf, yack.
YACK. Yak.
YEUX. Cerne, larme, lunette, oculiste, œil, ophtalmologiste, vision, vue. MIRETTE
YOGA. Asana, hindou, méditation, nadeau, relaxation, yogi.
YOGOURT. Yaourt, yoghourt.
YO-YO. Descendre, disque, ficelle, monter.
YTTERBIUM. Yb.
YTTRIUM. Y.
YUAN. Chine, monnaie.
YUCCA. Agave, plante.

Z

ZAGAIE. Abeille, aiguille.
ZAIN. Cheval, chien, étalon, pelage.
ZAPPER. Changer, chercher, déplacer, passer, sonder, tourner, varier.
ZÈBRE. Âne, cheval, daw, dauw, dozeb, individu, okapi, poulin, type.
ZÉBRURE. Hachure, marque, raie, rayure, strie.
ZÉBU. Asie, bœuf, bosse.

ZÉLÉ. Actif, ardent, diligence, élan, enthousiasme, fanatique, fièvre.
ZEN. Bouddhiste, cha-no-yu, ikebana, satori.
ZÉNITH. Apogée, astrologie, comble, méridien, nadir, point.
ZÉPHYR. Air, coton, toile, vent, zéphir.
ZÉRO. Absence, anéantir, asymptote, aucun, bagatelle, effacer, éteindre, néant, nier, non, nul, ras, rayer, rien, sans.
ZESTE. Écorce, faible, peau, petit, peu.
ZÉZAYER. Bléser, dire, parler, zozoter.
ZIBELINE. Martre, mustélidé, sable, toque.
ZIEUTER. Flirter, regarder, zyeuter.
ZIG. Individu, malin, type, zigoto, zigue, zinzin.
ZIGOUILLER. Assassiner, tuer.
ZIGZAG. Chicane, détour, lacet, tournant.
ZINC. Avion, zn.
ZIRCONIUM. Zr.
ZIZANIE. Désunion, discorde, mésintelligence, plante, riz.
ZIZI. Bruant, pénis, sexe.
ZODIAQUE. Balance, bélier, cancer, capricorne, décan, gémeaux, lion, poissons, sagittaire, scorpion, sextil, taureau, trine, verseau, vierge.
ZONE. Aire, bande, bled, classe, domaine, endroit, espace, halo, lieu, patelin, pays, quartier, région, secteur, sphère, surface, territoire.
ZOZO. Naïf, niais.
ZOZOTER. Zézayer.
ZYGOTE. Cellule, champignon, œuf, zygomycètes.
ZYZOMYS. Rat.